헝가리의 국민작가가 쓴
공상우주과학소설

메타 스텔라에서
테라를 찾아 항해하다

이스트반 네메레(ISTVAN NEMERE) 지음

장정렬 옮김

메타 스텔라에서 테라를 찾아 항해하다

인 쇄 : 2022년 4월 4일 초판 1쇄
발 행 : 2022년 4월 11일 초판 1쇄
지은이 : 이스트반 네메레(ISTVÁN NEMERE)
옮긴이 : 장정렬(Ombro)
표지디자인 : 노혜지
펴낸이 : 오태영(Mateno)
출판사 : 진달래
신고 번호 : 제25100-2020-000085호
신고 일자 : 2020.10.29
주 소 : 서울시 구로구 부일로 985, 101호
전 화 : 02-2688-1561
팩 스 : 0504-200-1561
이메일 : 5morning@naver.com
인쇄소 : TECH D & P(마포구)

값 : 15,000원
ISBN : 979-11-91643-46-6(03890)

형가리의 국민작가가 쓴
공상우주과학소설

메타 스텔라에서
테라를 찾아 항해하다

이스트반 네메레(ISTVAN NEMERE) 지음
장정렬 옮김

진달래 출판사

<번역 텍스트>

===

<Terra>. István Nemere. Budapeŝto:
Hungara Esperanto-Asocio, 1987. 150p.
isbn963-571-197-2

===

목   차

1. 메타 스텔라에 온 동화작가 ················· 07

2. 동화 테라 ················· 18

3. 테라를 찾기 위한 우주 여행 ················· 33

4. 화면에 비친 작가를 기억하는 사람들 ················· 40

5. 천왕성 238 ················· 51

6. 베타-2 위성에 있는 우주천문대 ················· 67

7. 동화와 현실의 경계 ················· 79

8. 위원회에서의 격론 ················· 91

9. 96번 문에 선 손님 ················· 102

10. 고고학자 루나라 ················· 117

11. 우주선이 착륙한 곳은 ················· 129

12. TZ-0111328번 서류 ················· 137

13. 안드로스와의 만남 ················· 154

14. 호텔 로비의 비디오 폰 ················· 173

15. 테라를 떠나 이주한 사람들 ················· 188

16. 바이오 피부의 크로스 ················· 201

17. 스스로 고립을 택한 테라 ················· 224

18. 안드로스와의 대화 ················· 257

19. 우주여행에 몰리는 시청자들 ································· 268

20. 테라 최고 평의회 의장의 신문 ···························· 273

21. 메타 스텔라의 대응방식 ································· 282

22. 야르코스가 말하는 세계 ································· 294

작가 소개(부산일보 인터뷰) ····························· 317

옮긴이의 글 ··· 322

옮긴이 소개 ··· 326

이 책을 구매하신 모든 분께 감사드립니다.

출판을 계속하는 힘은 독자가 있기 때문입니다.

(오태영 진달래 출판사 대표)

1. 메타 스텔라에 온 동화작가

 투명한 대형 돔형건물 아래 전등들이 차례차례 켜졌다. 그 전등들이 처음엔 좁고 하얀 무대를 밝히더니, 나중엔 빛을 비추는 작은 전구들이 더해지고 많아졌다. 연노랑 조명 옆엔 초록, 적색, 연청색 조명도 보였다. 거대한 관람장 안의 푹신하고 안락한 좌석들 위로 다양한 색깔의 빛 흔적들이 떨어졌다.

 이 대형 돔형건물은 <도시> 교외의 산비탈에 세워져 있다. 지금 이 건물이 유일한 거대한 광원(光原)이 되어 있다. 이곳의 빛은 구름까지 닿을 정도로 높이 가 있고, 멀리서 보면 그 건물은 밤의 손바닥에 놓인 빛나는 보석 같다.

이 <도시>가 이미 온 행성을 점거하고 있다. 빛이 공중에 떠돌고 있다. 가까운 인공위성에 살고 있던 사람들은 이 <도시>의 그쪽 지역에서 갑자기 퍼지는 빛 흔적들만 볼 수 있었다. 이 대형 돔형건물 상공에는 구름, 구름은 거의 없다.

 각종 기계 기구가 모여 있고, 기계들의 협력은 최고도의 상태에 도달해 있다. 보이지 않은 확성기에선 느린 멜로디와 유혹적인 음악이 약하게 흘렀다. 음악은 그 돔형건물 아래 대형 살롱을 감싼 채, 대형 홀 입구까지, 또 건물 바깥의 대기 공간에도 들렸다. 어두운 하늘엔 공중을 날며, 맨 먼저 도착하는 비행기들이 보였다. 그렇게 도착한 비행기들은 공항 상공에서 자신의 조명들을 밝힌 채, 투명한 공처럼 아래로 내려왔다.

이 <도시> 상공은 천연색 빛 광고를 영사하고 있었다. 전파 매체의 모든 채널은 똑같은 광고가 떠다니고 있다. 똑같은 내용이 여러 가지 방식으로 사람들의 두뇌에 전달된다. '메타[1] 스텔라'계 내의 모든 행성에 있는 사람들이라면 그것을 알 수 있다. 수백 만의 사람이 잠시 뒤 자신의 텔레비전 앞에 가서 앉을 계획이다. 전파 매체에선 거대한 정보를 끊임없이 내보내고 있다. 무슨 이름의 무슨 개념이 시청자들을 따뜻하게 건드리며, 시청자들의 의식 속에 침입해 들어갔다.

인근 섹터들에서 비행 중인 우주선들도, 그 섹터들 안의 새 주거지역으로 이주민들을 보내는 거대한 자치 인공위성들도 모두 오늘 이 프로그램을 시청할 준비를 하고 있다. 영사기를 통해 구름 위에 "단 한 번의 기회....", "오늘의 초대 손님은...."이란 문구를 투사해 내고 있고, -화면마다 그런 글자들이 빛나고 있었다. 수십 만의 사람이 이 프로그램이 어서 방영되기를 고대하고 있다. 개인 관람권을 소지한 사람들은 이미 이 돔형건물로 여러가지 교통편으로 속속 도착하고 있었다. 터널

---

1) *역주: 국립국어원에서는 '메타'를 대체할 쉬운 우리말로 '확장 가상 세계'를 제안했다. (2021.02.01 제안). 이처럼 현실 세계와 같은 사회·경제·문화 활동이 이뤄지는 3차원 가상 세계를 '메타버스'(metaverse)라 한다. 가상·초월을 뜻하는 메타(meta)와 세상·우주를 뜻하는 유니버스(universe)를 합친 말이다. 1992년 미국 SF 작가 닐 스티븐슨의 소설 <스노 크래시>에서 '아바타'와 함께 처음 쓰인 용어다. 단순한 가상 공간이 아니라 가상과 현실이 상호작용하는, 현실에 훨씬 가깝거나 현실보다 더 현실적인 사이버 세상을 말한다.(경향신문 2월 2일 자).

속 기차들은 지하의 자력 통로에서 소음 없이 미끄러져 달리고 있었다. 그 건물 인근 사람들은 그 건물 주변에서 산책하면서 걸어왔다. 그때 하늘은 이미 비행기들로 가득 차 있고, 조명들은 착륙장 위에서 아직 비어 있는 자리를 찾고 있다. 그 대형 돔형건물 주변의 부지에는 이미 사람들로 빽빽이 차 있다.

잘 차려입은 여자들과 남자들이 그 건물 입구를 향해 서둘러 걷고 있었다. 음악은 지금 전자음악이다. 1분 단위로 이 대형 돔형건물은 색깔을 바꾸고 있다. 적색, 오렌지 색 또는 진초록색 색깔로 번갈아 바뀌는 조명들은 음악의 리듬에 맞춰 떨리고 있다.

화면마다 외치고 있었다.

"아직도 30 소시간 단위(MUT)가 남았고, 곧 프로그램이 시작됩니다."

"대형 돔형건물에서, 대형 돔형건물에서 30 MUT 뒤에."

모두가 그 이야기를 하고 있었다.

"오늘, 동화!"

"위대한 여행자들의 대열에... 메타 스텔라에선 처음으로..."

천연색의 화염 같은 글자들이 하늘 위로 펼쳐진다.

"동화. 동화. 동화."

텔레비전 화면엔 이미 돔형건물 내부가 비쳤다. 관람석에 들어선 관객들은 자신의 자리를 차지하고, 관람석 대부분이 이미 찼다. 관람객 얼굴마다 흥분감. 속삭이는 낮은 소리. "생생하게 전해주는 말이 얼마나 매력적인지. 멀리서 온 저분의 말을 잘 들어 봐."-사람들은 자신의 입술을 핥고 전자시계의 재빨리 지나가는 숫자들을 바라보았다.

텔레비전 해설자 얼굴은 아직 보이지 않은 채, 해설자는 다음과 같은 말을 하고 있다.

"이제 17소시간이 지나면 우리 눈앞엔 믿기 어려운, 먼 우주의 탐험가가 출연합니다. 겁 없는 여행자입니다. 우리가 한 번도 만나 본 적 없지만, 우주를 잘 아시는 분입니다..."

"동화는 모든 장르의 제왕이자, 인간의 역사에서 가장 강자입니다. 동화는 인간이 말을 사용하기 시작한 이래, 그때부터 줄곧 있었습니다. 그 뒤로 연극, 문학, 영화, 텔레비전, 비디오와 사이코 기술, 슈퍼레이저 텔레커뮤니케이션, 우주의 변형, 하이퍼 커뮤니케이션이 연이어 생겼지만, 동화는 동화로서 오늘날까지 살아남았습니다. 그리고 오늘날 동화가 장르 중 최고입니다...!"

"아직 11소시간이 남았습니다..."

대형 돔형건물은 이미 꽉 들어찼다. 시끄러움은 조금씩 작아져 갔다. 옥내에 설치되어 잘 노출되지 않은 작은 카메라들은 이미 무대를 향하고 있다. 간단한 탁자 위에는 강연자가 마실 과즙 몇 가지와 과즙을 담을 글라스 하나가 놓여 있다. 안락한 의자, 그 뒤편엔, 나중에 연사의 얼굴을 크게 비춰줄 대형 화면.

메타 스텔라 거주지역엔 -반경 1,200만 킬로미터의 원 안에- 수많은 행성의 모든 <도시>의 텔레비전 화면마다 대형 돔형건물을 보여 주고 있었다. 동화를 좋아하는 사람들은 자신이 하던 업무를 서둘러 마쳤다. 모든 것은 조용해졌다. 바람에 언제나 노출되어있는 2,000층의 대형 건물들도, 지하기지들도, 인공으로 조성된 저수지들 주변도 조용하기는 마찬가지다.

먼 우주 공간의, 소행성들 상공에서 급속히 달려가는 관측 우주정거장들에 사는 직원들도 마치 장중한 광경을 보기라도 하듯 아주 쾌활한 모습이다. 그들도 그 프로그램을 시청하고 있다. 수십억 개의 시선이 텔레비전 화면을 바라보고 있었다.

"야르코스! 야르코스! 야-르-코-스!"

"4소시간이 남았습니다. 전 우주를 여행하고 있는 작가 야르코스!"

"메타 스텔라의 초대 손님이자 동화의 거장 야르코스!"

"3소시간이 아직... 이 소시간이 아직..."

나중엔 전등 불빛들이 더욱 눈부시게 되었다. 대형 건물 안의 사람들은 자신의 눈이 부시자, 잠시 두 눈을 감아야 했다.

그리고 그들이 다시 눈을 뜨자, 작은 무대 위엔 한 사람이 서 있다. 야르코스.

"이 야르코스가 누구인가?" 오오르트가 물었다.

그 말을 한 남자는 일백 오십 살의 나이다. 정력이 넘치는 이 남자는 <위원회>를 지도하는 일을 수행하고 있고, 벌써 오랫동안 위원회 의장으로 활동하고 있다. 그는 메타 스텔라에서 가장 영향력 있는 사람이다. 그는 자신을 다른 사람들도 그렇게 보고 있음을 알고 있다. 그의 약간 통통한 신체 위로 거의 주름진 의복이 팽팽했다. 그는 자신의 아랫입술을 깨물었다. 이러한 그의 행동은 오래된 나쁜 습관이다. 그에겐 힘과 단호함을 엿볼 수 있다.

"이런저런 동화작가입니다. 우주를 떠돌며, 나중에 자신의 믿기지 않는 역사의 한 파편을 이용해 무지한 사람들이나 즐겁게 해 주는 그런 수천 명의 미치광이 중한 사람입니다!" 의장 비서인 알펜이 대답했다. 이 청년은 날씬하지만, 움직임이 아주 심해 잠시라도 가만히 있지 못하는 사람이다. 이 청년은 궁금한 것이 언제나 많아, 모든 일이 그의 관심사다. 위원회에서 이 청년을 이상형의, "일을 척척 해내는 사람"으로 평가해, 그를 의장 옆에서 일하도록 임명해 놓았다.

"그래... 그래도 위험인물인가?" 오오르트가 물었다. 그는 화면을 통해 대형 돔형건물 내부를 잘 볼 수 있다. 그는 청중의 박수 소리를 듣고 있다.

"그렇진 않은 것으로 알고 있습니다." 알펜은 고개를 내저었다. "저 이는 우주에서 적어도 40대시간단위(GUT) 이전부터 방랑하고 있다고 들었습니다. 저 이는 태양계 전체를 자유로이 여행할 권리가 있고, 그이 이름이 기피 인물 리스트엔 있지 않습니다." 오오르트는 응대하지 않았다. 그는 천천히 텔레비전 화면 앞에 앉았다. 벽을 꽉 차게 하는 천연색 점들이 그의 문 안으로 침투하고 있다.

226번 손님은 정보기의 소형 버튼을 건드렸다. 그러자 신호 전등의 빛이 소형 버튼 옆에서 곧장 켜졌다.

"어서 오십시오." 자동기기가 말했다. 자동기기의 목소리는 금속성도 아니고, 인공 소리도 내지 않았다. 그러나 손님은 그 목소리 주인이 기계인 것을 알고 있다. 그러나 그는 이 방식 말고는 달리 정보를 구할 방법이 없다. -이곳은 자동호텔이다.

"어느 채널에서 야르코스 동화 프로그램이 방영되니?"

"모든 채널입니다. 프로그램은 이미 시작되었습니다."

"고마워요. 이상."

그러자 그 기계는 더 말이 없었다. 손님은 대형 벽걸이 화면으로 다가가, 그 기기를 작동시켰다. 그러나 화면이 켜지기 전에, 손님은 창밖을 보았다. 깨끗한 공기 때문에 그는 이 〈도시〉의 빛이 멀리까지도 빛나는 것을 볼 수 있다.

"한때 아무도, 아무것도 이곳에 살지 않았다지. 암석들만 있었지. 공기도 없었구... 저 사람들은 자신들의 필요에 의해 모든 걸 건설해 놓았어. 그 일도 아주 -아주 오래전 일이 되어 버렸네..." 손님은 한숨을 한번 내쉬었다. 화면에 야르코스의 목소리가 들리자, 그는 화면을 향해 몸을 돌렸다.

야르코스는 자기 인생의 첫 3분의 1의 끝에 와 있고, 그런 나이이면 자신을 청년으로 부를 수 있다. 하지만, 우주는 60살의 야르코스 얼굴에 자신의 족적을 남겨 두었다. 그의 짙은 금발의 갈색 머리카락과 눈썹은 이제 소수의 사람만 가지고 있다. 그의 살갗은 메타 스텔라에 거주하는 사람들에 비해 다소 창백했다. 처음에는 조명에 눈이 부셨던 그도, 하얀빛으로 보기에는, 다른 사람들과 비슷한 모습이다. 그러나 나중에 그 빛은 조금 더 노랗게 변하자, 야르코스 얼굴은 이젠 갈색이 되어 있었다.

청중은 활기찬 반응을 보내고 있었다. 이 돔형건물에서는 많은 사람이 이 남자를 응시하고 있다. 많은 사람은 그를 더 나이 많은 사람인 줄로 믿고 있다. 중앙 정보국에서 송출된 가정의 텔레비전 화면에 비친 야르코스 사진은 수년 전의 모습인 것으로 추측되었다. 사람들은 야르코스가 그 사이 늙어버린 것으로 믿었지만, - 지금 그들은 똑같은 얼굴을 보면서-, 15년 내지 20년 전의 기계 기억에 기록된 모습과 같음을 볼 수 있다. 아가씨들은 야르코스의 주름을 비판적으로 관찰하고, 100살 내지 120살의 여자 중에는 자신의 입술을 한번 핥아 보는 이들도 있다.

이상한 열기가 그 여자들 몸에서 발산되고, 무의식적으로 뭔가 끌림을 느꼈다. 야르코스가 그들을 보자, 생물학적 본능이 되살아났다. 동시에 남자들은 이제 라이벌 한 명이 더 생겼구나 하고 살짝 느꼈다. 여자를 소유하고 싶은 원초적 감정은 위험신호를 건드리고 있었다. 그들도 눈을 찌푸리며 흥미롭고도 좀 걱정이 되는 눈길로 야르코스를 보고 있었다.

야르코스 옆에 젊은 여자가 서 있다. 그녀의 대담하게도 어깨까지 파인 옷에선 백금으로 된 실들이 최신유행처럼 유별나게 매달린 채 반짝거리고 있었다. 그녀의 머리카락은 새하얗게 물들인 채, 허리에까지 내려와 있었다. 황금 브로치에는 다이아몬드로 만든 별이 박힌 채 빛나고 있었다. 이 여자는 돔형건물의 프로그램 안내자 중 한 사람이다.

오랫동안 그녀 자신은 오늘 야르코스 프로그램을 안내할 권리를 얻느라 애를 많이 썼다.

그녀는 마치 아이 같고, 20살을 넘지 않았다. 그러나 그녀는 자신의 미모를 자신하고 있어, 청중들과 텔레비전 카메라들을 자신 있게 보고 있다. 그 얼굴에는 많이 갖추지 않은 지성미가 발산되고 있지만, 그녀는 이미 경험도 많다. 그녀는 이 대 살롱에서의 소란이 멈추기를 기다리고 나서 말을 시작한다.

"오늘, 아름다운 저녁에 여러분을 만나 뵙게 되어 반갑습니다. 저는 오늘 이 프로그램의 진행을 맡은 짜랄라 입니다. 여기에 오신 모든 분과 TV 시청자 여러분께 다시 한번 인사드립니다. 특별히 메타 스텔라의 다른 행성에 계시는 시청자들과 또 이 순간 저 멀리서, 이곳의 그림과 음성이 몇 분 뒤 도착하는 곳에 계시는 분들께도 특별히 인사드립니다. ....우주 여행자 여러분과 저 멀리 기지에서 일하시는 외로운 분들께도 인사를 드립니다! 오늘 우리는 용감한 한 인물을 만나려고 합니다. 자, 여기, 고명하신 여행가이자 동화작가 야르코스를 소개하고자 합니다!"

박수갈채가 진동했다. 야르코스는 수천 명의 사람을 보고는 나중에 자신의 두 눈을 감았다....

(...내 안의 지독한 긴장이 조금 풀리는군. 지금 처음으로 나는 <그것>을 말하게 되었구나. 이 사람들은 이해해 줄까? 걱정은 조금씩 사라지겠지. 끝내 정말 나는 걱정거리가 없어질 거야... 아마도... 이 사람들은 나를 믿을 거야.)

"야르코스, 동화를 들려 줘요!"

야르코스는 자신의 두 눈을 떴다. 조명이 꺼지고, 관람석 위도 이제 어두워졌다. 전등 빛은 -언제나 더 적게 - 무대를 향해서만 넘치고 있다. 그 희게 물들인 진행자인 아가씨는 어둠 속으로 사라졌다. -그녀가 무대를 떠났다. 이젠 그만 홀로 TV 카메라 앞에 남게 되었다.

"메타 스텔라 주민 여러분 안녕하십니까. 저는 오랜 탐험을 마치고 여러분을 뵈러 왔습니다. 유명하다는 소문은 -제가 압니다만- 저보다 앞서 도착했더군요. 여러분이 아시다시피, 10대시간단위(GUT) 전에 저는 아드리안-안개 지역을 발견했고, 나중에, 최초로 제가 가장 이상한 행성인 마리우스 위를 걸어가 보기도 했습니다.

아마 여러분의 기억-크리스탈 속에는 제가 몇 번의 범-은하게 동화경연대회마다 일등상을 휩쓴 점도 기록되어 있으리라 봅니다..."

"알고 있어요! 알아요!" 많은 사람이 외쳤다. 관람석 첫 줄에 앉아 있던 100살의 여자가 히스테리를 부리듯 씩씩거리며 말했다.

"야르코스! 야르코스! 여기를 좀 봐 줘요!..."

TV 카메라들이 즉시 그 여자를 비추었다. 옆에 앉아 있던 관중이 그녀를 조용하게 했다. 야르코스는 그 말에도 꼼짝 않고 있다. 그의 의식은 이미 다른 곳에 가 있다.

"오늘 저녁, 저는 여러분께 제 인생의 가장 신비한 탐험을 말씀드리고자 합니다. 정말 여러분 모두는 <모든 장르의 왕>인 동화를 듣고자 이곳에 오셨습니다. 여러분은 동화를 그렇게 부르지요... 그러나 여러분은... 동화가 아닌 것을 ....듣게 될 것입니다."

"어서 말씀해 주세요, 야르코스!" 동시에 20명의 목소리가 고함쳤다. "동화를!" 이젠 그의 눈은 조명에도 익숙해졌다. 야르코스는 숨을 깊이 내쉬고는 자신의 말을 시작했다.

2. 동화 테라

"오늘은 제가 테라(TERRA)에 대하여 말씀드리겠습니다."

오오르트는 그 말에 깜짝 놀라, 자신이 앉은 의자에서 몸을 움직였다. 알펜은 텔레파시가 통한 것처럼 자신의 심리상태가 변함을 느꼈다.

"예...?"

"또 저 테라 일을 꺼내다니..." 오오르트는 중얼거렸다. 그는 복부에 압박감을 느꼈다. 뭔가 알려지지 않은 원인으로 긴장감이 그를 억눌렀다. '무슨 까닭인가? ' 그는 자신에게 물어보았지만, 해답은 없고 나올 수도 없었다.

"제가 참고자료들을 불러내 볼까요? " 비서가 봉사하려는 듯이 일어났다. 그의 날씬하고 뾰쪽한 코 위엔 화면에서 나온 빛이 반짝였다.

"그래, 다른 기기로 해봐." 오오르트는 그 방의 모퉁이를 가리켰다. 그는 자신의 다리를 뻗고, 몸이 좀 마비되는 듯한 증세를 느꼈다. '150살은 150살이구나. 때로 무슨 병이 생기고, 몸도 여기저기 병도 나니, <이젠 쓸모없는 기관들을 내버려야 한다>고 그의 주치의가 늘 말해 왔지...'

대형 벽걸이 화면에서 야르코스 얼굴이 지금 아주 가까이 보인다. 동화작가는 말을 이어 갔다.

"저는 여러분이 뭘 생각하시는지 알고 있습니다. 사람들이 이미 이 일을 이야기했다는 걸요. 테라는 존재하지 않는다고 여러분 모두는 믿고 있습니다. -그래서 그 테라를 말하는 사람은 정말 동화만 말한다고요... 하지만, 오늘 저는 제가 발견한 또 제가 본 그 테라에 대해 말씀드리고자 합니다."

"참고자료가 나왔어요." 알펜은 말하고는 손가락으로 모퉁이에 자리한 기기의 빛 버튼을 건드렸다. 작은 화면 위로 녹색글자의 문장이 나타냈다. 그것은 길지 않았다. -중앙 정보국의 기록은 오늘 주제에 대해 몇 개의 문장들만 보여 주었다.

테라(TERRA)

십중팔구 신화 속의 행성 또는 행성 무리. 대중문학에서는 다음과 같은 다른 이름으로도 불린다. Bolthus, Earth, Dorado, Zemlja, Marsias, Erde, Tierra 등 (관련 항목을 보라). 몇 개의 과학적 이론(가설)은, 우주에 살고 있는 인류는 이 하나뿐인 행성에서 나왔다고 추측하기도 한다. 그런 의미에서 가장 자주 언급되는 곳이 테라이다. 하지만 이 테라는 지금까지 발견되지 않았고, 그 존재는 입증되지 않았다. 9603년의 탐사대가 마이란 은하계의 가장 최근 탐사였다.
<우주 신화학>과 <유일 행성의 인류 창세기>를 보라.

"우리는 뭘 해야 합니까?" 알펜은 물었다.

오오르트는 생각했다. '테라...테라? 바보짓이네. 그 일은 정말 위험하지는 않아, 아직은 위험하진 않군...' 그는 크게 숨을 한번 내쉬었다.

"좀 더 기다려 봐. 저 프로그램을 우선 보지."

"저 사람이 뭔가 흥미 있는 이야기를 할 것 같은데요." 비서도 좀 가벼운 마음으로 안락의자에 다시 앉았다. 화면에서는 야르코스가 동화 구연을 계속해 가고 있었다.

"언제나 나의 관심은 그 테라가 얼마나 먼 곳에 있는지, 즉, 그곳과의 거리였습니다. 왜냐하면, 그 거리는, 그 거리는 얼마인지 몰랐습니다. 생각해 보십시오. 한때 사람들이란 자신이 눈으로 보는 것만 거리로 인식해 왔습니다. 나중에 그들 중 몇 명은 자신의 눈으로 직접 보았습니다. 나중에 다른 몇 명은 방랑길에 오르기 시작했습니다. 그러나 다수의 사람은 언제나 똑같은 곳에, 그가 살던 곳에 남아 있습니다. 그렇게 해서 방랑자의 동화가 시작됩니다... 먼 방랑길에서 돌아온 사람은 많은 이상한 일과 믿기지 않는 일, 이 산 저 산 뒤나, 이 바다 저 바다 너머의 세계들을 이야기했습니다. 그러면 아이들은 직접 자신이 있는 곳에서 떠나 보고픈 마음이 생깁니다....

나중에 <우주>가 뒤따릅니다. 사람들은 수백만, 수억 킬로미터를 날아가, 새로운 세계들을 발견하고, 그런 곳

중에 많은 곳에 거주하게 됩니다. 지평선들은 믿기지 않을 정도로 넓기도 합니다.

 ...그리고 나는 그 지평선을 추적해 갑니다. 우주 비행사로, 탐험가로 불리는 나, 야르코스는 <무탕-은하계>의 15만 킬로미터 길이의 메탄가스 분출지대에서 반쯤 죽음의 상황에서 구출된 적도 있고, 동면기기 속에서 때로 124년간 아무것도 하지 못한 채 누워 있기만 했던 적도 있었습니다. 왜냐하면, 잠 깨우는 기기가 작동이 안 되었기 때문입니다. -이 순간에 우리 <우주>의 가장 먼 지점 중 하나인 블랙홀 <T-2401>에 가까이 가 보기도 했습니다. -그래서, 나, 야르코스는 여러분께 말할 수 있습니다.

 오늘 저녁 여러분은 모든 것을 잊어버리십시오. 여러분이 누구인지, 무슨 일을 하는지, 어디에 사는지도 잊어버리십시오. 오늘 저녁 여러분은 다른 세계로 들어가게 됩니다. 제가 여러분을 안내하겠습니다. 여러분, 저와 함께 가시는 거죠?"

 "그럼요!"

 "우리 함께 가요!"

 "안내해 주세요, 야르코스!" 청중은 그렇게 외쳤다. 곧장 야르코스의 개성에 그들은 반해 버렸다. 야르코스는 메타 스텔라를 한때 방문한 다른 동화작가들과는 달랐다. 그는 고함을 지르지도 않고, 옛 방식의 흥행처럼 주의를 집중시키려고도 하지 않았다. 차갑고 객관적인 그의 영혼의 저 밑에 열정이 불타고 있음을 사람들은 느끼고 있었다.

가정에서 자신의 TV로 시청하는 사람들에겐, 야르코스는 그렇게 효과적이지는 않았다. 그러나 오늘 저녁은 지겨워하지 않으리라고 시청자들도 확신하고 있다.

"나는 왜 여러분이 제 말씀에 주목하고 있는지 압니다. 왜냐하면, 여러분은 지루해 있습니다. 여러분이 비디오-크리스탈이나 텔레비전이나, 월등하고 다양한 기기들을 보유하고 있는데도 말입니다. 왜냐하면, 여러분은 서로를 지루하게 합니다. 여러분을 지루하게 만드는 것이 노동입니다. 삶도 그렇구요... 그 점을 생각해 보십시오. 그러면 내 말이 틀리지 않았음을 아실 것입니다. 정말 나는 여러분 내면에 있는 것만 말씀드리고자 합니다.

같은 방식으로 나는 이제 나의 길을 말씀드리고자 합니다. 여러분은 내 이야기가 언제나 현실의 경계에 남아 있다 해도, 여러 번 놀라게 될 겁니다. 내가 여러분 내면을 보듯이, 똑같이 나는 <우주>도 보았습니다.

여러분은 이 우주 공간을 이미 다 알고 있다고 믿고 있습니까? 우리 인간은 지금 10곳 이상의 은하에 거주해 있고, 우리는 빛처럼 **빠른** 배를 타고 여행도 하고, 수백 개의 태양계를 탐사해, 그들 중 다수에 우리는 이미 거주할 수 있게 해 놓았습니다...그런데, 우리는 이 <우주>를 제대로 알고 있습니까?

우주 내부에서 내가 날아가면서 항상 동면상태에만 있었던 것은 아닙니다. 나는 화면들 앞에서 잠자지 않은 채 오랜 시간을 보내기도 합니다. 처음엔 자주 여러 계측 기기에 각별한 관심을 가졌습니다. 그러나 나중에는 내 안전을 지켜주는 계측 기기들만 보게 됩니다. 나는 생각하고 연구해 갔습니다. 이미 알려진 은하계는 나는 가보지 않습니다. 사람들이 수천 번 탐사해간 그런 은하계엔 ㅡ나는 흥미가 없습니다. 우리 세계에서 아직 알려지지 않은 경계가 나에겐 흥분을 자아냅니다. 내가 생각하기만 해도 많은 시간이 필요한 곳들이 너무 많아, 나는 놀랐습니다. 모든 은하에는 공 모양의 별 무리들이 수백 개 있고, 이 별 무리마다 적어도 10만 개의 별이 있습니다. 그 별들 주위로 ㅡ100만 개의 행성, 소행성, 혜성, 성운, 별의 지대가... 오늘 주제와 관련하면 그 숫자는 무의미합니다. <10만, 100만, 10억> 이라는 낱말은 단순히 작은 숫자에 불과합니다. 정말 그런 숫자는 아무 의미가 없습니다. 과학자들의 두뇌에서조차도 이 낱말들을 대신하는 유일한 낱말인 <많음>이라는 것이 있습니다.

탐험가라면 그런 이유로 <우주>를 가까이서부터 그 부분 부분을 탐험하기도 합니다. 모든 곳에서 우리는 생명을 찾고 있습니다. 언제나. 만약 우리가 그런 일을 아무에게도 말해 주지 않은 때에도. 어느 낯선 별이나 행성에 다가가는 모든 우주 비행사는 무슨 <신호>를 보고 싶어합니다. 탐험가는 어떤 방식으로든지 <외계인들의 신호>가 그의 의식 속으로 들어오기를 희망합니다. 하지만, 1만 년 전부터 우리가 이 우주를 떠돌아다녔지만,

아무 데도, 어느 때에도 우리는 외계인들을 찾지 못했습니다. 아마 그들은 존재하지 않습니까...?"

"테라 이야기를 해 주세요." 어느 청년이 외쳤다. 곧장 대 살롱에서는 침묵이 사라졌다. 뒤편의, 발코니 위쪽의 젊은이들 집단은 리듬에 따라 외쳤다.

"테-라! 테-라!"

"테-라!"

"조용해 좀 해 봐요!" 다른 사람들이 질책했다. 이 사람들은 150살도 더 된 늙은이들이다.

"아마 그 외계인들은 존재하지 않는다고요?" 야르코스가 되풀이해 말했다. 창백한 웃음이 그의 얼굴에 나타났다. 편안하게도 그는 안락의자에서 자신의 몸을 바로 세우고는 말을 이어 갔다.

"이 질문에 나는 답해 줄 수 없습니다. 나도 진짜 외계인들을 만나지 못했습니다. 그러나... 나는 다른 종류의, 우리와 비슷한 ...외계인들은 만났습니다.

여러분은 테라에 대해 듣고 싶을 겁니다. 사람들이 사는 모든 은하에는 소위 행성이라는 것이 존재하지 않음을, 그 행성은 결코 존재하지 않음을 중앙 기억국마다 강조하고 있습니다. 캄브리오-태양계에 사는 어느 과학자가 20대시간단위(GUT) 이전에 주민투표를 시행했습니다. 그는 5만 명의 주민에게 질문했습니다. <당신은 테라 존재를 믿느냐?>고 말입니다... 물론 대다수 주민은 믿지 않는다며, 테라는 단순히 신화에 불과하다고 응답했습니다. 하지만 테라 라는 이름의 행성이 존재했다고, 아마 지금도 그 존재했음을 믿는 주민의 숫자도 상당히 높았습니다. 우리는 그 행성이 <별지도>에는 나타나지 않은 것으로 알고 있습니다. 우리는 1만 개의 세계를 잘 알고 있고, 이렇게 저렇게 알고 있습니다만, 그 세계들에는 테라는 없습니다. 그 행성을 방문한 우주선이나 탐험가는 하나도 없었습니다.

그러나 나는 옛 전설을 믿습니다. 여러분 중에 누가 <모겐스> 별에 대해 읽은 적이 있습니까? 우리가 알고 있는 이 <우주>의 모든 태양과는 부분 부분이 전혀 다른 방식으로 활동하는 그 별말입니다. 그 태양이 발견된 당시 이미 1,300억 년의 나이를 갖고 있었습니다. 그래서 그 태양은 우리 <우주> 전체보다 훨씬 더 나이가 많습니다... 과학자들은 처음에는, 물론, 초기 보고서들을 믿지 않았습니다. 애석하게도 우주의 이 기적을 발견해낸 인물은 우연히도 평범한 어느 화물-우주선의 직원들이었습니다. 이 발견 사실을 불신한 사람들은 그들의 발견을 기록으로 인정해주지 않았고, 그 탐험결과는 다시 잊힌 채 지나게 되었습니다. 좀 더 시간이 흐른 뒤, 그곳을 여행하던 어느 동화작가가 다시 그것을 발견했습니다... 지금은 일반적으로 널리 알려져 있습니다. 그 모겐스-별은 <다른 우주>에서 빠져나온 우주 물체라는 것 외에는 아무도 언제 어떤 상황에서 그 별이 자신의 고유세계를 떠나 우리 우주로 들어왔는지 모르고 있습니다... 그러니, 모겐스-별의 일은 모든 사람에겐 영원한 경고가 될 것입니다.

바로 그런 경우처럼 나는 이 테라에 관심을 갖게 되었습니다. 나는 우리 대세계의 경계에서 여행하게 되었고, 나는 믿을 수 없을 만큼 멀리 떨어진 거리로 날아가 보았습니다. 왜냐하면, 나는 테라를 정말 단순한 전설 이상으로 생각하고 있었습니다. 그 행성에 대한 기억이 1만 년 뒤에조차도 살아있다는 것은 불가능합니다. -만약 그 행성이 존재하지 않았다면. 그래서 나는 그 행성이 존재한 것은 틀림없다고, 실재하고 있다고 생각해 보았습니다. 테라에 이미 사람이 살지 않는다 해도, 테라는 존재합니다. 왜냐하면, 여러분도 알고 계십니다. 많은 사람은 한때, 모든 사람이 어느 작은 행성에서 온 존재라는 것을 강조했다는 것을 말입니다. 온 인류의 모든 선조는 어디선가 테라에 살았고, 만약 그 행성을 다른 이름으로 부르고 있다 해도... 하지만 나는 이 점도 알고 있습니다. 그 작은 세계는 아마 이미 멸망했을 거라고요. 만약 테라가 행성이라면, 그 행성은 자신의 중심 태양이 사멸해버려 지금은 죽은 물질 상태로 되어 있을 것입니다. -그런데도 왜 나는 그 행성을 찾게 되었을까요? 왜 내가 그 탐험을 시작하게 되었는지는 묻지 마십시오. 아마 지금 여러분을 여기 이곳에 앉게 한 것과 같은 감정이 나에게 그 일을 하게 했습니다. 여러분은 테라에 대해 듣고 싶어 합니다. 왜냐하면, 그 신비의 행성은 <여러분 안에 살고 -그래서, 그 행성은 존재합니다.> 나도 그 점을 믿고 있습니다. 물론 나는 이 우주 어딘가에 다시 그 행성의 흔적만이라도 찾을 수 있을지 걱정이 되었습니다…"

226번 손님은 자동호텔을 떠나, 비행기로 야간 비행을 했다. 저 아래로, 메타 스텔라의 중앙 위성의 표면에 차례차례 큰 빛 덩이들이 뒤따랐다. 이 <도시>는 끝이나 가장자리가 없다. -그러니 진정한 중앙도 없다. 차례대로 도로, 공터, 착륙장, 마천루의 빌딩 숲, 실험실, 스포츠 시설, 공장들이 보였다. 여기저기에 보이는 작은 공원들은 초록이고, 인공 호수의 물가에는 가로등이 빛나고 있다.

226번 손님은 지금 행성 전체가 야르코스에, 그 동화작가에 관심을 집중하고 있음을 알고 있다. 그렇게 이동하는 도중에 그 손님은 한 대의 다른 비행기조차도 보지 못했다. 도로도 텅- 비어 있었다. 이 순간은 모든 사람이 테라에 몰두해 있었다.

'테라 라고'… 226번 손님은 잠시 생각을 한번 하고는 나중에 이 도시의 지도를 내려다보았다. 작은 광선은 지금까지 온 길을 전자기기로 된 화상 화면에 표시해 놓고 있다. 지도 한 모퉁이에는 목적지가 초록으로 표시되어 있다. 이 기계의 두뇌는 그 위치를 벌써 입력해 있고, 그 비행기는 밤에도 직선으로 날아갔다. 얼마의 시간이 지난 뒤, 그 비행기는 하강하기 시작했다. 기계 목소리가 들려 오기 시작했다.

"승객님, 목적지에 접근하는 중입니다. 착륙을 명령해 주십시오."

"3488점 앞의 착륙장에 착륙하라. 내가 돌아올 때까지 그곳에 기다려라."

"알겠습니다."

226번 손님은 그 비행기가 희미한 장소에 착륙할 때까지 기다리고 있다. 가까이엔 어느 광장의 좀 못생긴 나무들이 서 있다. 그리고 땅에 반쯤 들어가 서 있는 시멘트 건물. 저 멀리서 창백한 빛이 반짝이고 있다. 아스팔트 위에는 발걸음만 외로이 들리고 있었다.

"...아마 우주의 고유의 별 하나가 테라를, 테라를 멸망시켰을까요? 여러분은 그 별에 무슨 일이 일어날 수 있는지, 일어나는지 잘 알고 계십니다. 내가 다음의 숫자를 말하는 것만으로도 충분합니다. 기온을 나타내는 온도 말입니다. 1,100만도, 9,300만도...3억1,500만도... 그리고 그 별이 죽은 뒤에 그곳에 무슨 시체 덩어리가, 즉, 밀집된 물질의 흉포스런 무더기가 떠다니고, 그것의 작고 작은 덩어리, 그 덩어리 한 개가 10톤 무게는 되지만, 정말 그것은 이론일 뿐, 그곳에는 그 무게를 재는 사람도 없습니다. 멸망한 별의 표면을 날아가 보려는 사람은, 그 사람도 그곳을 지배하는 거대한 중력 때문에 죽은 사람처럼 되어 버릴 수 있습니다... 불 타는 탄환이 행성들 위에서도 생명은 사망에 이르게 합니다. 나는 테라가 그런 운명을 가졌을까 걱정이 되었습니다.

처음에 나는 엉뚱한 구역에서 테라를 찾아보려 했습니다. 내가 우주 공간의 이미 아주 잘 탐사된 섹터들을 재탐사하는 일은 소용없는 일이었습니다. 하지만, 다소 덜 알려진 구역에도 그리 기회가 많지 않음을 나는 알게 되었습니다. 테라가 아직도 존재한다면, 지금도 그곳에 인간이 살고 있고 -그리고 만약 그곳에 사람들이 살고 있다면, 우리는 그 인간 존재에 대해 이미 오래전부터 알고 있었을 겁니다. 정보가 부족해 나는 그런 수수께끼를 이해할 수 없었습니다. 나는 상상을 초월하는 저 먼 곳으로 날아가 보기도 했습니다. 수십 년간 나는 동면상태로 지내면서 가게 되었습니다. 그러면서 내가 탄 우주선은 우주 공간의 저 머나먼 부분에 도착할 목적으로 빠른 속도로 달려갔습니다. 내가 그 우주선에 탄 채 말입니다. 나는 일광과 영원한 밤인 어둠의 경계에서만 착륙할 수 있는 행성들도 보았습니다. 왜냐하면, 여차하면 그 뜨거움이나 얼음 같은 추위로 인해 우주여행자들이 죽음에 빠지게 될 가능성이 높습니다... 그런 행성들은 테라가 아니었습니다. 나는 정역학적 중력이 작용하는 구(球)들도 셀 수 없을 정도로 많이 방문해 보고, 또 동역학적 중력이 작용하는 구에도 관심 가지게 되었습니다. 그래서 나는 소위 말하는 <자유 행성들>도 방문했습니다. 자유 행성들은 어느 별에도 속하지 않고 공간에서 자유로이 쾌속으로 날아다니는 것입니다. 그 자유행성은 고유의 빛을 갖고 있지도 않고, 빛을 다시 반사하지 못해, 차갑고 생명력도 없고, 까맣고, 거의 <보이지 않습니다>....그런 행성들을 나는 고뇌 속에 탐사해 보았습니다. 수십억 년 전에 얼음이 되어 버린 산들을 말입니다. 나는 강력한 빛을 가진 반사경과 인프라 추적장치와 바이오 추적장치들을 이용해 그곳들을 탐사해 보았습니다... 그 대형 틈새들과 분화구들도요... 어디엔가 내가 갑자기 폐허를 만나게 될 가능성이 있지 않을까 하면서요. 한때의 사람들과 운반 도구, 물건들, 길이 존재하던 곳들도...? 그러나 이 모든 것은 영원 시간 속의, 처음부터 죽은 세계였기에, 나는 가벼운 마음으로 여행을 계속했습니다.

나는 이 은하에서 다른 저 은하로 날아 가보기도 했습니다. <우주>는 나를 위해 언제나 더 많은 비밀을 밝혀 줍니다. 나는 긴 여행을 통해 그 우주에 대해 정말 많이 배웠습니다. 테라는 특정 태양계에만 존재할 수 있다고 나는 가설을 세워 보았습니다. 태양계를 지배하는 것은 중력입니다. 수천 개의 태양계를 지탱하고 있는 것은 더 크고, 상상할 수 없는 강력한 힘입니다. 그리고... 그런 구속이 끝나는 곳이 어디인지 누가 압니까! 우리가 알고 있는, 예측하는 <우주>가 다른 존재의 세계와 더 큰 <우주>로 연결될 것인가? 대 우주들이 있는 체계로...?

나는 이중별들도 보았습니다. 그곳에서 그 별 중 하나는 이미 블랙홀이 되어버렸습니다. 그것은 자기 생명의 끝에 이르렀고, 그 덩어리는 스스로 제 안으로 떨어지고, 그것이 밀집되어, 자기 동료인 다른 별의 물질에 달라붙게 됩니다. 나선형으로 급속히 추락하는 세계 같은 거대한 물질을 나는 보았고, 계측 기기들을 통해서 나는 공기 진동의 신호로 변조되는 뢴트겐-전파를 요란하게 듣게 되었습니다... 내 우주선은 때때로 그런 공포의 중력의 흡인력에서 겨우 빠져나올 수 있었습니다. 활동 별들의 중앙엔 수백만 도의 뜨거운 플라스마가 타고 있습니다. 원자들과 전자들의 핵들은 서로 연결되지 않은 채, 다른 물리 법칙에 따라 회전하고 있습니다.

작고 하얀 별들에서는 물질이 수십억이라는 기압의 영향으로 눌려 있었습니다. 그 별들이 우리에겐 낯선 세계이지만, 그래도 자기 나름의 삶의 규칙과 법칙을 갖고 있습니다...

나는 그런 법칙들을 배우게 되었습니다. 수천 년간 연구를 통해 밝혀낸 그런 법칙입니다... 하지만, 나는 테라의 자취는 찾지 못했습니다.

그 탐사 동안에 나를 도와준 것은 상상력입니다. 머 나먼 여행에서는 정말 낮과 밤이 존재하지 않기에, 이 우주비행사는 제 고유의 시간에 따라 살아갑니다. 우리 몸의 생물학적 리듬은 장거리 우주여행을 어렵사리 견디어내게 해 주었습니다. 그러나 그런 순간에도 두뇌는 활동하고 있습니다. 우주선의 여행자는 간혹-간혹 꿈과 비슷한 상태에 빠지기도 하고, 그 여행자 자신은 그의 생각과 꿈 사이의 경계가 어디인지 모르는 경우도 자주 있습니다... 나는 그곳에 거주하는 사람들이 광물질들을 아주 적게 가지고 있겠구나 하고 그런 행성을 상상했습니다. 그래서 그곳 거주민들은 자신의 태양계의 중앙별로부터 필요한 에너지를 전부 취해야 합니다. 그 전체 에너지량을 다 사용할 수 있으려면, 그들은 모든 기계를 태양광선-에너지에서 얻은 전력으로 움직여야만 합니다. 그리고 태양 빛의 대부분을 우주 공간으로 달아나지 않게 하려고, 자신의 태양계 주변에 그들은 종 모양을 만듭니다. 그렇게 되면 그들의 세계는, 즉, 한두 개의 가장 가까운 행성을 소유하고 있는 태양이 유일한, 폐쇄적 에너지 시스팀이 됩니다. 별에서 나오는 모든 에너지를 그 태양계의 지성적 거주자들이 다 써 버립니다. 그런 시스팀 바깥 세계는 이 방향에서 나오는 적외선 광선만 경험합니다. 그 삶이란 그 구(球) 안에 닫힌 채 이루어지고 있고, 그 구 안의 대각선 방향의 길이는 2억 내지 3억 킬로미터나 됩니다...

　<가장자리>를 침투하고 난 뒤, 나는 이상한 생각이 듭니다. 아마 테라에는 지금 아무도 살고 있지 않을까? 아마 그 거주자들은 테라를 무슨 이유로 떠난 걸까? 나는 그 테라를 가장자리 구역에서, 그래도 사람이 사는 지역에서 잘못 찾고 있는 것인가? 아마 테라 거주민 전체는 내부의 지역 어딘가에 살고 있고, 테라는 그 많은 비거주지역 행성, 자주 해가 비치지 않는 행성 중의 하나일까? 그 주변을 1년에 100번이나 무심하게 스쳐 지나갔을까? 이미 오래전부터 우주 공간에서 거저 바위들만 있고, 그 바위 표면에 아마 뭔가 자동으로 작동하는 우주 광선의 <등대>가 있는 그 행성들이었을까? 하는 생각들 말입니다.

3. 테라를 찾기 위한 우주 여행

하지만 헛되이도 나는 옛 기억-크리스탈들과 마이크로 필름도 찾아보았지만, 나보다 앞서 그 행성을 추적해 보려던 사람들은 실패했습니다. 모두 실패했습니다.

나는 그런 기억의 우물을 더 깊이 파 들어가 보기를 결심했습니다...

226번 손님은 대형 건물의 중앙출입구로 갔다. 사람이 다가서자, 빛이 번쩍하며 켜졌다. 그 손님은 어디에도 다른 사람을 보진 못했다. 경비원들은 -보통 일반적으로 고용된 사람들이라면 -확실히 야르코스의 동화를 듣느라, 보느라 열중해 있다.

대문은 자동으로 열렸다. 벽에 설치된 확성기에서는 이렇게 늦게 찾아온 방문자에겐 아무 질문도 하지 않았다. 그 손님은 알고 있었다. 메타 스텔라의 중앙 정보국은 항상 정보이용객이 많다. 공공기관은 밤낮으로 메타 스텔라 주민들을 위해 개방되어 있다.

그 손님은 1층 복도로 갔다. 나중에 손님은 벽의 안내판 앞에 서서 오랫동안 생각에 잠겼다. 엘리베이터에서 그 손님은 <마이너스> 6층으로 향했다. 그것은 지하로, 건물 밑의 어느 부분으로 향했다. 대형 열람실마다 비어 있다. 몇 개의 느린 청소기가 안락의자와 영사기들 사이에서 오르내리고 있다. 그 층의 끝에 다시 다른 문이 있다. 닫혀 있다. 표지판이 있다.

"연구원 허가증을 제시해야 계속 갈 수 있음"

226번 손님은 호주머니에서 작은 마그네틱 신분증을 꺼내, 그 통제 기계의 구멍 속으로 밀어 넣는다. 그 손님은 좀 신경이 쓰인다. -만약 자신의 속임수를 이 기계가 <알아차리기>라도 한다면?...그런데 어떻게 이 기계가 그걸 알아낼 수 있겠는가? 그러나 이 기계는 텔레비전을 시청하지 않는다. 그래도 이 기계는 지금 야르코스의 아주 옛날 연구원 시절의 신분증을 지금 제시하는 이 사람이 아주 중요한 문건을 조사하러 온 걸 알지 못했다. 그 기계는 야르코스가 바로 지금 TV 카메라 앞에서 강연하는 것도 모르고 있다...

화면에는 이젠 그 돔형건물 아래의 대 살롱을 비추지 않는다. 그 화면에 동화작가 얼굴만 꽉 차 있었다. 메타스텔라와 칼라-2 행성을 왕복 운행하는 화물우주선의 한 선원은 편안히 앉아 생각에 잠겼다. '저 야르코스는 정말 행운아구나. 저 사람은 자신이 원하는 대로 여행할 수 있으니. 저 사람은 등에 일천 톤의 광석을 싣고서 두 행성 사이만 뺑뺑이 치는 나처럼 돌아다니지 않아도 되고, 지루하지는 않겠어....그리고 얼마나 이야기도 잘하는가. 그는 새 낱말과 옛 낱말을 번갈아 사용하지만, 그래도 사람들은 그의 모든 생각을 이해하는구나. 공포스런, 소위 말해서 <음악 악보>로 마이크에 대고, 고함이나 질러대는 이 시대의 고래고래 고함을 지르는 놈들과는 차원이 다르네. 젊은이들이나 그런 놈들을 좋아하지. 누가 그들을 이해할 수 있어? 야르코스 -저 사람은 뭔가 달라. 그의 동화는 -전혀 다른 뭔가가 있어.' 약간의 부러운 듯한 태도로 그 선원은 이 순간에 그 <도시>의 대형 돔형건물에 들어가, 앉아 있는 사람들을 생각하고 있다. 확실히 그 청중은 야르코스가 가까이 있음을, 야르코스가 발산하고 있는 이상한 힘에 이끌린 채 아주 잘 집중하고 있다.

75살의 여성 고고학자 루나라가 자신의 좁고 불편한 집안에서, 온 벽면을 장식한 대형 TV 화면 앞에 앉아 있다. 그녀 얼굴에는 이제야 주름이 처음 생겨났지만, 예쁜 모습은 아니다. 굵은 팔뚝엔 광물질로 만든 팔찌가 출렁대며 소리를 내고 있다. 그녀는 글라스에서 뭔가를 조금 마셨다.

"야르코스... 저 사람으로선 쉽구나. 아니면 어려운가? 아마 내가 불공평한가 보다. 만약 그가 진실을 말했다면, 그럼 그의 탐사는 힘든 일이었네. 그리고 만약 이 이야기가 단순히 동화라고 한다면?...난 이미 <제4천년대의 자료들>에서 이미 지쳐 버렸어. 겨우 한번 나는 진짜 유적을 발굴하는 기회를 얻었지. 만약 테라가 존재한다면....나는 그곳을 방문하고 싶어. 그리고 그곳에, 영원히 남는 거야. 신체 장기들을 교체하고 신체조직을 재생시켜 죽음과 맞서는 것, 아주 빨리 또 오랫동안 일하는 것. 만약 정말 테라가 존재한다면, 정말 한때 그곳에 사람들이 살았다면. 확실히 사람들이 아직은 우주로 전혀 여행할 수 없었을 때의, 그런 시대의 자취들을 탐사하여 찾아내는 그 일은 정말 거룩하고 복된 일이야... 그러나... 그런 시대를 오늘의 사람들은 상상하기조차도 하기 어려우니."

고고학자인 루나라조차도 그런 시대를 상상못하는데, 살아있는 다른 사람들이야 오늘날 전혀 그 일을 이해할 수 없다. 그들 의식 속에는 인간과 우주라는 이 두 세계가 한때 서로 대립했음을 믿지 못할 정도로 하나로 되어 있다.

루나라 여사는 몸을 흔들었다. 그녀는 지금처럼 -야르코스의 얼굴을 화면으로 보며- 외로움이 크게 다가온 적이 한 번도 없었다.

모르델은 어린아이에게 주의를 환기하며 큰 소리로 말했다.

"조용 또 조심해야지"

"난 동화 싫어." 그 아이는 무시하듯 고개를 쳐들었다. 그는 바닥의 카펫에 앉아, 공 모양의 논리-놀이기구를 돌리고 있다.

모르델은 자신의 두 손으로 수염도 깎지 않은 턱을 받치고는 야르코스를 쳐다보고 있다. 창문을 통해 -화면 옆에- 저 멀리서 별들이 반짝거렸다. 그러나 빌빛은 도시 전기의 불빛 때문에 창백한 모습이다.

"아이는 내버려 두세요." 모르델의 아내 나리아가 신경이 쓰이는 듯이 손을 내저었다. 아내는 모르델을 쳐다 보지도 않고 물었다. "약을 갖다 드려요?"

"내가 직접 갖고 오겠소. 나중에." -그 노인은 중얼거렸다. 모르델은 화면에서 시선을 거두지 않고 있다. 야르코스의 표현은 의식의 심층부를 꿰뚫고 있다. 모르델은 느낀다. 자신 앞에 지금까지 몰랐던 심연이 열리고 있음을 느낀다. 그 동화작가의 목소리는 모르델의 수고를 대신해 주고, 모르델을 한번도 느끼지 못한 영혼의 상태로 끌어 올려놓았다. 그가 그리 젊지 않았음에도 불구하고 -그는 자신의 활동적인 시대가 끝나고, 그런 신호가 자신의 몸이나 자신의 가족도 느끼고 있다. 하지만, 그는 154살 이상은 되어 보이고, 건강을 위해 정기적으로 광선치료도 받고 있다. 야르코스 목소리를 통해 그는 이 세계를 벗어나, 자신이 아주 잘 지내온 다른 세계로 날아갔다. 지금은 증손자도, 아내도, 병마도 개의치 않았다. 그는 야르코스만 바라보고 있었다. 그곳, 기쁨의 바다에 불확실하고 까만 작은 섬이 하나 보였다. 노인 모르델은 눈살을 찌푸렸다. '어딜까...? 언제일까? 그런데 적어도 몇 번은. 확실히...'

"난 이전에 저 사람을 본 적이 있어요."

"무슨 소린가요? 어디서 당신이 저 사람을 보았어요?" 나리아는 조급해지며, 자신의 하얀 머리 묶음을 조금 떨기 시작했다.

"어디였지, 어디였지... 으음, 기억국에서요. 정말 그곳에서 난 마지막까지 일했지. 안 그런가요? 나는 가장 흥미로운 인물들을 기억해 두었어요. 난 저 사람도 기억해 두었어요." 그는 화면을 손으로 가리켰다.

"몇 명의 얼굴은 내가 30년이 지났어도 기억하고 있어요. 난 저 사람도 확실히 기억하고 있어요. 정말이라니까요."

"저 사람이 중앙 정보국을 방문했던가요? 비디오 잡지에선 야르코스가 메타 스텔라를 방문한 것이 처음이 아니라는 말은 하지 않았어요."

"한때 저 사람도 여기서 살았어요. 하지만 아마 그때 저 사람은 아직은 유명인사가 아니었어요." 그 노인이 반박했다. 나리아는 듣고만 있었다.

모르델은 계속 야르코스를 바라보며 시간이 더해질수록 필시 자신이 야르코스를 본 적이 있다는 확신이 섰다. 그는 이 행성에서, 바로 그 중앙 정보국에서, 소위 말해 <기억국>에서 직원으로 70년 이상 근무한 적이 있었다.

"...내가 가장 오래된 기념물을 찾아내기라도 하면, 그게 아마 가장 독특하고 적합한 길이 될 겁니다. 나는 전자 카달로그를 훑어보았습니다. 나는 수천 년간의 마이크로 필름 수백 건을 다 훑어보았습니다. 주의깊게 테라를 찾기 위해, 한때 출발한 적이 있던 탐사대들의 기록도 연구해 보았습니다. 조금씩 나는 추가로 여러 개를, 그러나 실제로 그리 유용하지 않은 자료들이었습니다. 테라와 관련해 아무도 뭔가 구체적인 것을 알지 못했습니다... 나는 이 은하에서 저 은하로 날아갔으며,

정보가 될 만한 자료들을 찾아내려고 했습니다. 상상해 보십시오, 친구 여러분 -내 손 안에 몇 권의 소위 <책> 이라는 것들이 들어있음을요. 여러분은 물론 그 <책>이 란 것이 무엇인지 거의 모르고 있으리라 봅니다. 진짜 종이에 찍힌 수많은 글자로 된 거대한 정보이지요. 그 책은 <페이지들>로 구성되어 있고, 사람들이 일일이 그 페이지를 직접 넘겨야 하고, 그 <책>을 통해 육안으로 정보를 찾아내기도 합니다...

그러나 그런 <책>들도 그리 도움이 못 되더군요. 그 런데, 한번은 그곳, 어느 측면의 은하에서, 거의 무의미 한 태양계 안에서 나는 어느 조그만 지방 정보국을 찾 아, 그곳 자료가 나에겐 아주 중요한 것이 되었습니다. 그곳 자료를 통해 나는 소문대로 -테라가 존재한다는 그 태양계에 대한 몇 가지 참고 자료를 발견했습니다. 아니면... 테라가 <존재했었다고> 할가요? 나는 그리 많 지 않은 참고 자료를 확보했지만, -만약 내가 그 자료 들을 실재하는 것으로 본다면, -그 자료들 덕분에 그 소용없을 탐사 여행의 회수를 줄여 주었습니다. 그런 식으로 이제 다시 출항하기 전에, 나는 우주의 일부 지 역들과 은하들과 태양계들 사이에서 방문지역을 선별할 수 있었습니다. 나는 테라가 확실히 <없을> 만한 곳을 알게 될 것입니다..."

4. 화면에 비친 작가를 기억하는 사람들

오오르트는 머리를 매만지고 있다. 그것도 그가 오래 전부터 지니고 있던 나쁜 습관이다. 그의 비서인 알펜은 이미 그런 행동은 그 위원회의 지도자가 어찌할 바를 모르는 상태임을 보여 주고 있음을 알고 있다. 그래서, 알펜은 마음의 준비를 하고 곧 닥쳐올 명령을 기다리고 있다.

"흠…" 그 노인은 중얼거리고는 입술을 깨물었다.

"네?" 알펜이 물었다.

"아니, 아무 것도… 하지만 지금 우리 위원들 소재 파악은 해두어야겠군." -주체가 분명치 않은 문장도 명령이다. 이를 알펜은 곧장 알아차린다. 그는 자리에서 일어나, 옆방으로 갔다. 한편 오오르트는 화면만 보고 있다. 비서가 곧 되돌아왔다.

"크로스는 우리 <도시>에, 이곳에 계십니다. 포티는 광산 사고 조사차 제34 소행성으로 어제저녁에 출발하셨습니다. 지금 그분은 우주선 비행 중입니다. 임마 여사는 이미 크세르케스-3으로 지난주에 여행을 떠나셨습니다."

"그럼, 그 위원과는 우리가 의논할 수 있겠군." 오오르트는 비서가 아닌 자신에게 무의미하게 말하고 있다. 알펜은 그 점도 이해하고는 조용히 기다리고 있다. 그러나 오오르트는 더 이상 말을 하지 않는다. 그 비서는 다시 제자리로 갔고, 두 남자는 각각 텔레비전을 시청하고 있다.

(...한 때 나는 믿고 있었어. 동화작가인 나는 사람들에게 뭐든 이야기할 수 있으리라고. 그런데 인생이 바뀌었어. 지금은 내 운명과 다른 사람들의 운명이 이 일에 달려있어. 왜 사람들은 솔직히 말할 수 없게 되었을까? 왜 없을까? -이 현대 시대에도? 언제나, 언제나 나는 다른 사람들을 걱정해야 하는가? 사람들은 오래전부터 말해 왔다. 내 등엔 테라의 무게를 지고 있구나. 이 일은 나의 의식을 압박하고, 족쇄가 되어, <그때>부터 나는 내가 말하고 싶은 대로 할 권리가 없다. 난 이젠 혼자가 아니야...)

"그래서 나는 우주로 여행을 떠났습니다. 나는 행성들을 둘러 보았습니다. 그 행성들에서는, 유일하게도, 거대한 바다만 보였습니다. 단단한 땅의 조각조차도 그 유체 아래에서는 보이지 않았습니다. 나는 "떠다니는 물체구나. 이것도 우연은 아니구나." 하고 생각했습니다. 물이 그 유체들을 간혹 덮어 버렸고, -그 유체는 한번은 암모니아수이고, 한번은 흘러 지나가는 메탄가스이거나, 나트륨입니다. 그런 행성들을 어느 탐험가도 다녀가지 않았습니다. 여러분이 한번도 방문하지 못할 그런 행성이 어찌나 많은지에 대해 생각은 한번 해 봅니까? 나도 그 행성들을 모두 방문하지는 못했습니다. 테라의 탐사자들은 알고 있습니다. 테라는 그런 상태의 행성이 아니고, 그런 상태가 될 수 없음을요. 나는 테라는 생명이 있는 행성일 것으로 희망을 가졌습니다.

탐험 중, 나는 위성들도 많이 보았습니다. 그 위성들 위엔 그 무의미한 중력 때문에 물이나 암모니아 가스는 사려졌고, 다른 가스들은 그곳에 없습니다. 나는 공기도 없는, 죽음 같은 세계들을 지나가 봤습니다. 행성들이 자신의 태양에 너무 가까이서 배회하는 걸 본 적도 한두 번이 아니었습니다. 그 행성들은 한쪽이 불타고 있고, 다른 한쪽이 얼음처럼 되어 버린 경우도 있습니다.

또 나는 글라우-은하계에도 가보았는데, 그곳은 아주 이상한 태양계들과 좀 이상한 행성들로 가득 있었습니다... 이런 우주의 부분 부분을 사람들은 간혹 볼 수 있습니다. 글라우-은하계에서는 -내가 아는 지식에 따르면- 나보다 먼저 4천 년 전에 그곳을 마지막으로 방문한 사람이 있었습니다. 어느 탐사대가 그곳 태양계 중의 한 곳만 방문했습니다. 그래서 내가 그곳으로 날아가면서, 나는 이런 말을 할 수 있게 되었습니다. 즉, 내가 본 것은 -아무도 <만물>의 처음부터 보지 못했다고요. 아마 이곳의 빛이 처음으로 '나'라는 사람의 눈 안에 비치게 되었습니다... 수십 억년전부터 태양들이 열을 발산하며 불타고, 별들이 생성했다가 이미 사멸하기도 했으며 -그리고 아직 아무도 그 별들을 보지 못했습니다... 아마 다른 생물들은, 만약 그런 것들이 존재한다면요, 그 생물들이 존재할까요? -나는 여러분께 묻습니다만, 확실히 여러분도 그 생물들을 만나지 못할 것입니다.

그런 종류의 탐사 여행 동안 가장 외로운 존재는 사람이 됩니다. 그 사람이 자신의 우주선 뒤, 어디선가 수천억 명의 동료를 남겨 두고 왔음에도 말입니다. 그곳, 낯선 우주에선, 그 사람만 외롭게 남아 있게 됩니다."

"야르코스, 뭔가 두려워하시나요?" 하얀 머리카락의 여자 진행자가 무대 위로 서둘러 들어왔다. 그녀는 쟁반에 신선한 음료수를 들고, 주변을 둘러보며 웃음지어 보였다. 청중을 향해... 테라를 향해서... 그녀의 동작마다, 순간마다 보여지는 것은, 그녀 자신도 무슨 역할을 하고 싶고, 이런 기회를 놓치고 싶지 않다. 야르코스는 벌써 한동안 이상하고 느린 어투로 말했다. 그는 언제나 가장 정확한 낱말을 찾아내려고 무진 애를 쓰고 있다... 아마 그가 자주 혼자 생활한 것 때문이리라. 메타스텔라 사람들은 더 빨리, 때로는 거침없이, 아무 생각도 없이 말한다.

아마 바로 그 점 때문에 그들은 야르코스의 다른 방식의 어투에 호의적이다. 사람들은 이미 매료되어 앉아 있다. 믿기지 않을 정도의 침묵 속에, 수천 명의, 수천 명의 사람이 말이 이어지기를 숨죽이며 기다리고 있다.

"예, 나는 두려웠습니다. 만약 대형모터에 힘이 빠지고, 그런 변화를 조절 기기들을 통해 알게 된다면, 나는 두렵습니다. 나처럼, 사람이 사는 세계에서 저 멀리 떨어진 채, 과거의 나처럼 그렇게 사람이 자기 기계들을 소중하게 여긴 적은 없었을 겁니다.... 내가 측면 로케트들을 작동시켜 항로를 수정해야 했을 때는 두려웠습니다. 만약 그것들이 작동되지 않을 경우엔... 나는 이미 망가진 조향-로케트들을 교체하려고 우주선의 외부 덮개로 로보트들을 내보내면서 나는 두려웠습니다. 나는 어느 태양계에서 내 우주선을 멈춰 서게 하는 때를 나는 두려워했습니다. -내가 나중에 다시 그 잃어버린 속도를 회복할 수 있을지에 대해서도요? 이런 것들은 제쳐 두고라도 더 길어만 가는 여행은 나에게 큰 두려움으로 자리 잡게 되었습니다. 만약 내가 지금 동면 기계에 누워 있게 된다면 -내가 언제 그곳에서 밖으로 나올 수 있을까?또는 그 기기에도 고장이 아주 드물게 일어납니다. 있을 수 있는 일이니까요. 만약 그런 일이 나에게 벌어진다면, -그러면 나는 우주에서 사라지게 되고, 영원히 나는 허공에서 쾌속으로 질주만 하고, 그리고 만약 한때 -아마- 사람들이 내 우주선을 발견해서 나포해, 그 안으로 들어와, 그 동면 기계를 연다면, 나의 시체는 -미이라만 찾게 된다면...? 그리고 만약 그렇지 않고, 다른 위험이 이 유일한 여행자를 위협할 수도 있습니다. 그 머나먼 "꿈"에서 깨어나는 우주선 여행자는 전혀 다른 인간이 되어버리는 수도 간혹- 간혹 있습니다. 그는 자신의 한 때의 기억을 계속 유지할 수 있지만, 그의 심리상태에 뭔가 변화가 있습니다. 그리고 혼자 있으면, 그런 변화는 알아차리지 못하게 됩니다.

그 우주선 안에선 그런 심리변화를 알려 주고, 지적해 주는 동료이자 거울이 없기 때문입니다. 그 유일한 우주 여행자는 미쳐버리거나, 아니면 심리적 환자가 되어 그 병을 조용히 앓고 있기도 합니다... 그렇게 어떤 식으로든지 파멸을 향해 달려갑니다. 기계는 인간 정신이 그 기계를 제어할 수 있을 때까지만 쓸모 있습니다. 만약 그런 제어가 중단되어 버린다면, 가장 복잡한 컴퓨터마저도 적이 될 수 있습니다. 그러면 그 컴퓨터는 이제 적이 됩니다. 적외선 광선으로 작동되는 기기들의 도움을 받아 자주 나는 별 무리 사이의 가스구름에서 생기는 별들을 관찰할 기회가 있었습니다. 우주 공간이 적외선 광선을 내보내는 여타 은하계들로 가득 차 있음을 여러분은 압니까? 그때에도 나는 두려웠습니다... 정말 바로 생성되는 이런 세계들에서도 뭔가 두려움이 있습니다. 그곳에서 나는 언제나 초대받지 않은 외계인으로 지냈습니다. 자연이 마련해준 이 모습은 나를 위해서가 아니지만, 이 모습을 사람이나 어느 다른 생명체에게도 보여 주지 않았습니다. 나는 그 거대한 자연의 일터에서 마치 뭔가를 본 것과 같았습니다.

똑같은 경우를, 나는 바로 형태를 갖춘 어느 태양계를 발견하고 나서, 다시 느꼈습니다. 나는 행성들이 어떻게 생성되는지 보게 되었습니다. 나는 밀집된 물질 구(球)들의 중력이 어떻게 커가는지, 그 구들이 모든 것을 어떻게 흡입하는지를 보았습니다. 그 구들의 표면 위로 우주 바깥에서 떨어져 나온 물체들이 마치 폭탄이 투하

되듯 떨어졌습니다. 그러나 그 구들은 너무 뜨거워 그 추락물질을 반쯤 녹여 버립니다. 무거운 금속들은 행성의 중앙으로 내려와, 바로 그때, 그 금속 중 몇 개에서 새로운, 맹목적인 생명이 시작되더군요. 즉 마그마의 용해 말입니다. 온 인생을 이곳에서 보낸 여러분들이야 세계들이란 하나가 아닌, 많다는 걸 상상조차 하기 어려우실 겁니다. 나는 우주를 떠돌아다니면서 가스에 갇혀 있는 뜨거운 행성들도 보았습니다. 그 활활 타는 큰 불덩어리를 지나가 본 사람은 아직 없습니다. 그런 종류의 위성에서는 모든 것은 녹아 버리고, 내 우주선도 마치 늪에 빠진 듯이 그 뜨거운 물질에 간단히 빠져버릴 겁니다.

원시 구름으로 둘러싸인 채, 나는 방금 생성된 젊은 행성들을 보았습니다. 그 행성들 주변에는 가벼운 가스와 헬륨과 수소가 떠돌아다녔습니다. 나는 행성들의 그 길고 긴 변화 과정의 아주 짧은 부분만 함께 할 수 있습니다....수소와 산소가 합쳐져 증기로 되었습니다. 한편 그 태양계들의 질소가 합쳐지면 바다 같은 암모니아 가스가 모든 걸 잠식해 버리더군요. 또 탄소가 더해지니, 그 행성들은 메탄가스 구름 속에서 떠다니는 것처럼 보였습니다. 다른 체계에서는 똑같은 진행 과정이 태양들로부터 너무 멀리 떨어진 채 벌어지므로, 물 대신 얼음이 만들어집니다. 암모니아 가스와 메탄가스의 합성물인 얼음은 그때까지 생성된 온 대륙들을 완전히 덮인 채 비쳤습니다...

나는 바로 그때, 고통 속에 있는 태양을 보았습니다. 그 태양은 이제 자신이 가진 모든 헬륨을 다 써버리고, 이젠 탄소가 되고, 대기는 급속히 커지게 됩니다. 그 가공할 열기로 인해 가장 인근의 행성 안에 있는 생명들은 모두 다 파괴해 버립니다. 지금 그 별의 광구(光球)는 인근 행성 궤도에 도달하자, 그 광구가 하늘의 온갖 사물들을 빨아들였습니다.

여러분이 아시다시피, 얼음으로 된 위성들과 물로 된 행성들이 존재합니다. 나는 영원한 무 생명체로, 저주받은 채 있는 행성들도 보게 되었습니다. 그 행성들은 자체 중력으로 가스를 자신의 표면에 가둬 두기에는 크기가 아주 작습니다. 그런 행성들은 대기층이 없고, 여유로운 물도 없습니다. 생성 때부터 별똥별들과, 소용없는 광선에 노출된 행성들이 죽은 채 우주 공간에서 배회하고 있습니다. 자연에는 헤아릴 수 없는 수십억 개의 비슷한 운명의 행성이 존재할 수 있는가요? …

나는 여러분이 이미 마음이 조급해 있음을 알고 있습니다. 여러분은 테라를 듣고 싶어합니다. 하지만 나는 이 일부터 먼저 말하고자 합니다. 여러분은 '내가 그때 두려웠는지' 물어 왔습니다. 그리고 나의 대답은 '예, 그렇습니다' 입니다. 우주에 떠다니면서 정말 제 눈으로 직접 봅니다. 우리가 인간의 생명이라고 하는 것은, 그런 200년간의 생명을 ㅡ간단히 말씀드려 ㅡ아무 의미가 없다는 것입니다. 그 생명이란 것은 시간과 먼 거리라는 계측할 수 없는 잣대이기에 아무 의미가 없다는 말입니다. 어느 현인이 이런 말씀을 하셨습니다. "작은 티끌 같은 소위 인간이라는 것은 이 시간 개념에서 자신의 모든 기계와, 때로는 자신이 스스로 만들어 놓은 세계들과 함께 하는 시간은 이 <시간> 속에서는 순식간일 뿐이다 라고요...." 그것은, 아마 내가 우주에서 혼자 여행하였기에, 자주 나는 우리 인간들이 이 우주에선 침입자들이라는 것을 느끼기도 합니다. 그리고 우리가 그 세계에 대해 더 많이 알면 알수록, 우리는 더 많이 <그 세계를> 우리의 가정으로 느끼게 될 것입니다. 우리도 그곳의 물질로 만들어졌고, 우리의 몸은 이 <우주도> 소유하는 그런 물질들을 갖고 있습니다. 그럼에도... 우리는 자주 부족함을 느낍니다. 아니면, 누군가는 부족함을 느낍니다.

만약 우리가 마침내, 다르거나, 비슷하거나, 또는 정반대의 생물을 만난다면, 아마 그때 우리 존재도 우리 고유의 의식 속에서 확실히 자리할 것입니다.

226번 손님은 지하의 맨 아래층 끝에 이미 와 있다. 그 가짜 마그네틱 신분증이 모든 장애물을 없애 주었다. 어느 측면에 있는 대형 강당에 들어선 그 손님은 정보제공 컴퓨터를 찾아내, 그걸 작동시켜 주변을 둘러보았다. 아마 누가 이 대형 강당을 관찰하고 있는가? 그 이상한 느낌이 피부에... 그러나 그 손님은 느낌의 실체가 동작하는 것인지, 어느 곳에 자리 잡은 채 작동하는 것인지 확인하지 못했다. 물론, 메타 스텔라의 중앙 정보국을 감독하는 이 기관은 비밀 카메라와 다른 기기들을 사용할 수 있었다. 그리고 만약 기밀 자료에 대해 접근하는 손님들의 명단을 누군가 기록해 둔다면? 모든 경우를 대비해서 물론. 아무 나쁜 감정 없이...226 번 손님은 여러 번 숨을 깊이 들이쉬었다.

"당신이 요청한 다큐멘트 자료들은 일반적으로 접근할 수 없습니다!" 컴퓨터 화면에 그런 문장이 나타났다. 거대한 건물엔 침묵만 있다.

"나는 특별 허가를 받아 왔습니다. 나는 TZ0111328번이라는 정보 자료가 필요합니다. 그 정보자료는 손으로만 전달받을 수 있습니다." -그 손님은 기판의 키보드를 두들겨 대답했다. 화면은 이제 어두워졌다. 사방 벽 어디선가에서 충격파들이, 그 기계의 중앙두뇌를 향해 급속히 달렸다. -그것이 어디에 있는지 누가 알고 있을까? 아마 이 건물에서는 전혀 알 수 없고, 이 대도시의 이 지역에서도 알 수 없다. - 지금 그 중앙두뇌가 답을 준비하고 있다. 그 중앙두뇌는 금지 리스트, 허가 리스트, 권한 부여 직원 리스트, 제공되는 자료 리스트들을 모은다.... 중요한 것은, 야르코스에게 한때 허락된 것을 누군가 다시 허락해 줄 것인가에 달려 있다. 만약 그 기계가 몇 년 뒤에, 그 자신의 유효성을 자동적으로 잃어버리지 않았다면, 중앙 기계 두뇌는 기록에서 그 유효성을 유지하고 있을 것이다. 당시 그 우주 비행사는 그것을 정리하는 걸 간단히 잊어버렸다. 정말 그 당시에는 별로 유명해지지 않았던 그 우주 비행사는 당시 메타 스텔라를 떠나 있었다. 그 비행사가 중앙 정보국 국장에게 마그네틱 신분증을 되돌려 주지 못할 정도로 그렇게 급히 그는 메타 스텔라를 떠나야 했다. 그 이후로 수많은 세월이 지나갔다. 그러나.....

화면에는 새로운 내용이 나타났다.

"입구에서 검증된 허가서는 유효합니다. 12번 대형강당에 가서 TZ-0111328자료를 물리적 형태로 보고 싶다고 요청하세요."

그 손님은 그제야 마음이 가볍게 되어, 숨을 들이쉬었다. 그러나 그 "요청하라"는 말은 다시 그를 혼돈에 빠뜨렸다. 자료를 요청하라니? 그 말은 그곳에 다른 기계가 기다리고 있거나, 아니면 어떤... 사람이 있단 말인가?

(나는 수천 년대의 원본 자료의 기록에서 어느 원소를 기술한, 다음과 같은 문장을 발견했었다. "이 원소는 테라의 시대 중 45억년 동안 분쇄되었다." 그 때문에 나는 우리의 한때의 시간 계산 방식에 따라 약 360 또는 간혹 24 대시간 단위 동안- 태양계의 중앙별을 한 번 회전하는 그 행성을 찾아 나서보기로 했지... 그런 관련 자료는 나에게 아주 유익했어. 내 이전엔 아무도 이를 주목하지 않았고, 아무도 이해조차 하지 못했어. 그리고 나는 지금 그 일도 이 모든 사람에게 이야기해줄 수는 없다. 아무에게도.)

5. 천왕성 238

"....천왕성 238을 보십시오. 그곳에서 1그램은 45억이라는 대시간단위동안에 0.5그램으로 변해 없어져 버립니다. 1초마다 12,5000개의 원자가 폭발하고 있습니다. 우리 인간은 이 <우주>와 똑같은 원자입니다. 우리는 별사람으로 태어나, 별사람으로서 우리 앞에 펼쳐진 세계들에서 방황하고 있습니다. 1천 개의 초신성들이 폭발하고, 그 잔유물이 태양들 속의 물질들과 합쳐집니다. 나중에 그 태양-별들이 행성들을 탄생시켰습니다. 그 행성들의 물질이 우리 몸도 만들었습니다. 우리 몸의 모든 부분은 별무리 사이의 공간에서 나왔습니다. 별무리 사이의 우주-존재들은 검은 공간의 무의미한 길들 위에서 흥분된 채 방황하고 있습니다. 우리는 우리의 목적지를 찾고 있지만, 우리가 언젠가 그 목적지를 찾을 것이라는 그런 확신이 부족합니다. 나는 머릿속에 그런 사고 관념을 갖고 여행을 시작했습니다. 나는 아직도 두 개의 은하계를 탐사해야만 합니다. 나는 아직 그 두 곳의 이름을 말씀드릴 수 없습니다. 하지만 나는 이렇게 말할 수 있습니다. 즉, 그 두 곳 중 처음 한 곳에서 나는 헛되이도 테라를 찾고 있었다는 말씀입니다...."

"그럼, 저 사람은 그 둘째 은하계에서 그걸 찾아냈구나!"-아카데미의 천지창조부 의장인 시데루스 교수가 신경이 쓰이는지 벌떡 일어나, 비디오 폰에 다가갔다. 넓은 집엔 큰 키의, 구부정한 중년 남자가 혼자 있다. 그의 아내와 성장한 딸들은 남반구로, 호수가 있는 휴양지로 여행을 떠나고 지금은 이곳에 없다. 지금 시데루스는 아카데미로 전화 연결을 열심히 시도하고 있다. 그는, 당직 비서조차도 이 야르코스 프로그램을 보느라 제자리를 지키고 있지 않음을 모르고 있다. 전화기 앞에 선 채, 그는 1분이나 허비했다. 또 다른 1분 뒤 -그는 이미 포기해 버렸다. -신호 전화기에서 그를 부르는 신호가 이제 왔다. 화면엔 오오르트 얼굴이 나타났다.

"안녕하십니까!" 오오르트가 그렇게 말하고는, TV-카메라를 통해 시데루스의 두 눈을 뚫어지게 바라보려고 애썼다. 그 아카데미 회원은 그 위원회 의장이 개인적으로 -자기 비서를 통하지 않고서 -또 더구나 가정에서 그와 대화하고 싶구나 하고 느꼈다. 지금까지 그 두 사람은 공식적 만남만 있었다.

"반갑습니다!" 시데루스가 대답했다.

"저 사람이 그걸 발견했다고 교수님은 생각하십니까?" 오오르트가 곧장 화제로 다가갔다. 그는 시데루스도 이 프로그램에서 연사가 한 마지막 문장 때문에 이 교수도 흥분되었음을 분명히 느꼈다.

"저는 그렇게 믿진 않습니다." 시데루스는 고개를 내저었다. "지난 수천 년간 많은 탐사대가 그걸 찾는 데 실패했습니다. 잘 조직되고, 대단한 탐사대였음에도 불구하고 말입니다... 야르코스가 지금까지 아무도 성공하지 못한 걸 해냈다니, 가능한 일이겠습니까?"

"그건 정말 제 전문 분야가 아닙니다." 오오르트가 대답했다. "그러나, 제가 확실히 아는 것은, 고양이가 드나들 수 없는 길도 새앙 쥐는 즐거이 드나든다는 말입니다."

"그럼 저 사람이 정말 뭔가 발견했다면..."

"아마도 그가 우연히 뭔가 발견했을 수도 있겠습니다."

"그런데, 만약 저 사람이 거짓말을 한다면요? 정말 프로그램 이름이 동화인데도요." 시데루스는 작은 탁자를 세게 쳤다.

오오르트는 일분간 주저하다가 대답했다.

"위원회 의장이자 은하계 정부 수반인 제겐 정말로 테라 문제는 관심이 없습니다. 아마 테라는 존재할 수도, 존재하지 않을 수도 있습니다. 이보다 더 중요한 것은 사람들의 반응입니다. 80억 인구를 걱정해야 하는 메타스텔라의 맨 위에 우리 위원회가 있습니다. 사방팔방에서 보고서들이 들어옵니다. 이곳뿐만 아니라, 우리 태양계 모든 행성 위에서도 삶이 거의 멈춰 버린 것 같습니다. 공용부지들이 텅 비고, 가장 중요한 에너지 중앙국들만 근무자들이 일하고 있습니다. 지금 거의 모든 사람은 저 텔레비전에 열중해 있습니다. 이런 유사한 일은 최근 우리에게 일어나지 않았습니다."

"저를 흥분하게 만드는 것은 저 동화도, 저 동화가 추구하는 지대한 관심도 아닙니다. 하지만 만약 저 테라가 정말 존재한다면요. 아니, 우리가 무슨 다른 이름으로 부르면서도...”

“원시행성이지요.”

“만약 그 원시행성이 정말 존재한다면, 의미 있는 변화가 사람들의 의식 속에 생겨날 겁니다.”

“저도 그 점이 걱정입니다. 그 때문에 이 사건은 위원회에서 이 일을 관심을 가지고 다뤄 볼 필요가 있습니다.”

“그럼, 의장님은 어찌하실 생각이십니까? 야르코스 프로그램을 이젠 중단시킬 수도 없습니다.”

“그가 다음 시간에 무슨 이야기를 하는지에 달려 있겠지요.”

“만약 그가 <동화만> 이야기한다면요...”

“두고 봅시다.” 오오르트의 목소리는 사무적이었다. “저는 교수님께 이런 요청을 하려고 전화했습니다. 필요한 경우 우리의 전문가가 되어 일해 주셨으면 하고요. 우리 위원회는 아마 더 많은 정보가 필요할 것입니다. 그럼 여기까지 하고, 그만 끊습니다!”-그리고 화면은 갑자기 꺼졌다. 시데루스는 창백해진 유리 화면을 좀 더 쳐다보다가, 천천히 자신의 자리로 되돌아갔다. 그는 다시 야르코스 얼굴을 쳐다보았다.

“...<만물은 ‘물질’에서 시작되었고, 그 물질은 오늘날까지도 존재하고 있습니다.> 이 문장을 아마 여러분은 한때 배운 적이 있을 겁니다. 기억이 납니까? 우리가 <우

주>의 물질에서 나왔다는 말입니다. 나는 여러분께 좀 전에 그 말씀 드렸습니다. 아마 그게 우리를 더욱 앞으로, 새 지식으로 달려가게 합니다. 우리는 언제라도 똑같은 물질로 만들어져 있는 그 모든 존재에 방문할 수 있을까요? 이 세계는 우리가 알고 있는 것보다 훨씬 더 복잡합니다. 테라에 대해, 우리는 그것이 존재하지 않는다고 믿고 있습니다. 거의 모든 사람은 그렇게 믿습니다. 여러분은 이미 우리 인류가 거대한 태양계에서 여러 행성에서 동시 진화했으며, 우주여행이 실현된 뒤에야 겨우 다양한 행성들에서 살아가는 거대 집단들과 만나게 되었다는 논리를 믿기조차 했습니다. 사람들의 피부색도 다양하고 그 언어들도 다양하다는 사실이 그 점을 입증해 주는 것으로 이해하고 있습니다... 그렇습니다. 언어들이 다양하다는 것이 무슨 의미가 있는가를 생각하는 것이 이상하기도 합니다. 그럼, 한 가지 이상의 언어가 존재했을까요? 정말 지금은 한 가지 언어만 존재하지요... 정말 여러 언어가 존재하던 시대도 있었습니다. 행성들 여럿이 동시에 출현했다는 이론은 -학문적으로는 <다행성의 출현>이라는 논리를 말하고 있지요.- 진실로 입증되지 않은 이론일 뿐입니다. 그 이론은 테라가 발견되면, 새로 정립되어야 하는 가설 중의 하나이지요... 테라를 탐사하는 사람이라면, 동시에, 외계인을 한번 만나 보고픈 희망이 있습니다. 인류는 수천 년 전부터 우주의 다양한 지역으로 전파를 보내 보았지만, 아무 성과는 없습니다. 헛되이 우리는 희망적일 것 같은 수백만 개의, 그곳 세계로 242메가헤르쯔의 전파를 쏘아 보냈습니다. 헛되이 우리는 생명이 있고, 사고할 줄 아는 존재들의 신호를 기다려 왔습니다. 그러나 어느 방향에서도 응답은 오지 않았습니다. 항성 천체가 고동치고, 고동치고 있습니다... 수천 명의 전파 천문학자가 외계문명의 탐구에 자신의 일생을 보냈습니다. 외계인들이 존재한다고 아직도 믿는 사람은 지금 거의 없다는 점엔 놀라지 마십시오. 앞으로 시간이 좀 더 지나면, 외계인들의 존재는 동화로만 남게 될 것이고, 진지한 학자들도 그 일엔 관심을 기울이진 않을 겁니다. 그래도 언젠가 우리가 낯설지만, 우리를 우호적으로 생각하는 다른 지성(知性)을 만나리라고 믿는 사람이 나 혼자일 것이라고는 보지 않습니다.

지금 내가 여러분께 말씀드리는 것도 다른 지성과의 만남 같은 것입니다. 오해하지는 마십시오. 내가 만난 것은, <외계인들이> 아니라... 거의 그런 종류의 사람들이었습니다. 예, 그렇습니다. 정말, 다른 사고방식을 만난 것입니다. 내가 여러분께 그 좌표들을 정확히 알려드리지 못하는 것으로 화를 내진 마십시오. 정말 나는 지금 동화를 말하고 있습니다. 그렇지 않습니까? 여러분은 그 점을 믿을 수도, 믿지 않을 수도 있을 겁니다.

(...나는 기꺼이 이 사람들에게 <그 점을> 말하고픈 순간도 때때로 생기거든. 그걸 믿지 않는 사람들이 직접 검토해보도록 해야지. 하지만 언제나 나는 자제력을 잃

으면 안 된다는 걸 명심해야 해. 나는 내 것 아닌 것을 퍼뜨릴 권리가 없다. 저 조명들이 내 눈을 방해하지만, 난 저렇게 나를 보고 있는 사람들을 보고 있어. 나는 모든 사람이 나를 주목해 있는 것에는 익숙해 있어. 이상하게도 -저 사람들은 동화를 들으러 왔지만, 진실을 듣고 싶을 거야. 하지만 만약 이 사람들이 그 진실을 듣는다면, 그 때문에 저 사람들이 더 행복해지지도 않는다. 사람들은 언제나 자신이 받을 수 있는 것보다 더 많은 걸 가지려고 하지. 그런 감정이 우리를 수억 년간 달리게 했고, 우리를 우주의 영원히 불안한 씨앗들로 내몰아 왔어...)

나에게는 목표가 되는 점이 2개 있습니다. 내가 <그 우주>에서 테라를 찾았다고 믿는 두 곳의 "의심이 가는" 지역이 있었습니다. 물론 테라가 그 2곳 중 하나가 아닐 수도 있습니다. 처음의 태양계에서 내가 찾던 행성과 아주 비슷한 행성을 찾았습니다. 그곳에는 대기가 있고, 아주 중앙의 별 주위를 크게 회전하면서, 동시에 한번 자체 회전하는 그 행성은 그렇게 오래, 정확히 이루어졌습니다. 그곳으로 날아가면서 나는 감동에 휩싸였습니다. 나는 전파기기 앞에 앉아, 21센티미터짜리 수소 파장들 위에서 많은 전파신호를 연속적으로 보내는 시도를 해 보았습니다.

그러나 응답이 없었습니다. 나는 주변 궤도를 선택해 그 행성 표면에 바이오 추적장치들을 쏴 보았습니다.

그곳엔 여러 가스, 자유로운 물이 있고, 대기 아래서 충분하게 높은 온도가 유지되고 있었습니다. 그래서 그곳에는 사람이 소유한 것과 같은 알부민 존재물에서 생명이 나올 가능성이 컸습니다. 그러나 나는 희망에 부풀어 기다렸지만, 나중에 그 장치들에서는 그곳에 아무 생명이 없다고 보여 주었습니다. 그래도 나는 내 우주선을 더 근접해, 큰 소음을 내며, 그 행성의 한 대륙으로 내려가게 되자, 나의 심장은 목에까지 차올라 뛰었습니다.....

"위원회를 소집해야겠네." 오오르트가 다시 일어섰다. 그의 몸 깊숙이 어디선가 오래전부터 앓아 오던 지병이 숨어 있다. 이젠 그 몸속 기관은 자체 재생을 통해서는 회복시키지 못할 정도다. 그래서 그 기관을 이식하지 않으면 안된다. 의사들의 말은 -물론- 틀리지 않았다. 그리고 바로 그 점이 그의 신경을 날카롭게 했다. 위원회 의장인 오오르트는 다른 사람들과 마찬가지로 약한 신경조직을 가진 합성 인간인가? 메타 스텔라에 수십억 인구가 살고 있지만, 그들도 오오르트와 다르지 않는가?

그 남자는 다시 입술을 깨물었다. 그는 손가락이 하얗게 변할 정도로 의자를 한번 눌러 보았다. 그랬다. 그는 수술을 겁내고 있지만, 이젠 수술할 시점도 결심해야 할 것 같다. 그는 주위 사람들에게 자신이 병들면 업무 수행(지도)이 마비될 것이라고 말해 왔다. "내가 권한 대행을 신임하지 않아서지." 하지만 진실은 그 의장의 머릿속에 숨어 있다. 그래, 그것은 두려움이다. 그가 죽음을 걱정하지 않아도 된다. 오늘날 환자들은 수술 잘못으로는 죽지는 않는다. "그런 수술은 늘 하는 일입니다." 의사들은 손을 내저었다. 아픔도 이젠 그를 위협하지 않을 것이고, 정말 그가 수술받으면, 그 수술의 순간에 잠만 자면 될 것이다. 그는 아무것도 느끼지 않을 것이다. 아무것도 라고....? 그럼 왜 그는 두려워하는가? 그는 <대불확실성>을 두려워하는가? 그가 깨어나지 못하는 것, 수술 뒤에 생명이 중단되는 것을 -의사들의 미사여구에도 불구하고? 그는 정말 <살아 있어야만, 생존해 있어야만 한다>.

알펜은 방금 지난 30분 동안에 바로 그런 일이 일어날 것을 예측하였기에 지금은 그리 많이 놀라진 않았다. 야르코스가 "테라"라는 말을 발설할 때마다 그 의장은 불쾌한 감정을 표현하고 있었다.

"당장 위원님들을 소집하겠습니다. 언제 회의를 시작하시겠습니까?"

"먼저 저 대형 돔형건물책임자인 국장에게 전화 연결해 봐. 야르코스 프로그램이 중간에 휴식 시간이 있는지 물어보세요."

그 만큼이면 알펜에겐 충분했다. 그는 호출기기를 프로그램해, 나중에, 연결된 사람들이 화면에 나오도록 했다. -그는 오오르트가 무슨 의도를 갖는지 아주 궁금했다. 그는 테라와 관련된 조사를 명령할 것인가 아니면...야르코스를 조사하라고 명령할 것인가?...

 정말 내 자신조차도 내가 뭘 찾는지 모르고 있었습니다. 정말 곧장 나는 그 행성이 테라가 아닌 걸 보게 되었습니다. 그곳에는 사람들이나 다른 생물이 살 수 있었다 해도 텅 빈, 죽은 세계였습니다. 대기에 약간의 산소만 들여 보내면, 그곳에 80억에서 100억 명까지의 사람이 살 수 있을 겁니다... 그러나 나는 혼자였습니다. 공중의 내 우주선으로 나는 어디든지 날아갈 수 있어도, 나는 그 아무 곳에서도 고등 생명의 자취는 보지 못했습니다. 원시 동물들, 식물들이 전부였습니다. 그래서 나는 무슨 생각에 고통스러웠습니다. 아마 이 작은 세계는 그래도 죽지는 않았겠지? 우리가 어떤 방식으로도 경험하지 못하고, 한 번도 듣지도 보지도 못한 생물들이 존재할 수 있습니다. 여기엔 정말 과학자들도 참석해서 제 말씀을 듣고 계시리라 봅니다. 또 이분들은 제가 하는 말을 비웃을 수도 있습니다. "그리고 기기들을 이용하면?" 그래요, 정말, 그런 기기들이 우리의 불구가 된 감각기관들의 연장해주는 도구가 되고, 그런 기기 없이는 우리가 이렇게 오랫동안 살아갈 수도 없습니다. 하지만 나는 우리가 측정 가능한 전파를 보내지 않는 생물들이 존재할 수 있음을 믿고 있습니다. "그럼 그 생물들은 질량이 있던가요?" 과학자들은 다시 미소를 지을지도 모릅니다. "나는 동화작가로서 그 점에 대해 "모른다"고 대답하고자 합니다. 나는 비이성적으로 상상할 권리가 있습니다. 그래서, 이젠, 나는 계속, 계속 강연을 해 갈 것이니 경청해 주십시오... 언제나 나는 믿고 있습니다. 즉, 우리는 지금 우리가 처해 있는 환경보다 모든 분야에서 훨씬 더 낫고, 더 아름답고, 더 완전하고, 더 크고, 더 진화된 그런 낯선 세계들을 찾을 수 있으리라고 말입니다.

때때로 우리조차도 그 외계인들이 자신의 목적을 위해 태양계뿐만 아니라 은하계 전부도 변형시킬 수 있다고 믿고 있습니다. -정말 그들은 그렇게 할 시간이 있었습니다. 그들은 우리보다 수십억 년 앞에서 자신의 계획을 실현하려고 노력을 시작했으니 말입니다... 그러나 아마 그 일은 전혀 다른 상태로 되어버렸습니다. 우리는 신호들이나, 건물들이나, 너무 큰 문명의 산물들을 기대하고 -찾고 있었지만, 그동안 우리는 백 번이나 그런 것을 스쳐 지나가 버렸습니다. 왜냐하면, 그들은 거대하고 차갑고 우리가 죽었다고 생각하는 그런 행성들에서 살고 있기 때문입니다. 그리고 만약 그들이 오늘날의 우리보다 더 현명하다면요? 그리고 만약 그들이... 존재했다고만 한다면, 무슨 일이 있었겠는지 생각해 보십시오. 만약 그들이 자신들의 진화 과정 전부를 이미 끝냈다면, 그 진화가 이제 끝나버려, 생물과 함께, 기술의 산물들과 함께 한 그들의 문명이.... 이미 파괴되었다면? 정말 온 세계들은 그 끝없는 우주에서 자취도 남김없이 사라질 수도 있었습니다....

그리고 만약 그런 일도 일어나지 않았다면? 만약 이

<우주>에서 뭔가 우주 사회가 존재하지만, 우리가 그 사회의 구성원이지만 그곳 건축물들을 볼 능력이 없다면? 만약 우리가 그 사회의 우주선이나 식민지나, 움직임이나 행동들을 전혀 밝혀낼 수 없다면요. -왜냐하면, 그들이 지신의 사회구성원들과 다른 사람들을 전혀 만나지 못하도록 온 힘을 기울여 방해하고 있기 때문이라고 한다면요. 그것은 그들 형편에서 보면 의식적 행동일 수도 있습니다. 그 원인은....? 아마 -역사적 원인이 있을 겁니다. 아마, 과거의 어느 시점에 그들은 무슨 다른- 우리와 다른 뭔가 제3의 문명을 만나, 그로 인해 비극으로 끝나버렸을 수도 있을 겁니다. 아니면, 그들은 자신의 진화 과정 때문에 의식하고서, 이 만남을 통해 <우리가> 멸망할 수도 있다고 예측할지도 모릅니다. 아니면, 아마 그들은 한 번도 아직 다른 세계 사람들을 만나지 못했지만, 오래전부터 우리 존재를 알고 있을 수도 있습니다. 그러니 -바로 그 점 때문에- 그들은 우리를 너무 두려워하며 지내기 때문입니다. 정말 수천 년 전부터 그들은 숨어 살았거나, 아니면 그런 공포 때문에 그들 사회 전체가 이미 먼 곳으로 이주해버렸을 수도 있습니다. 아니면 그들은 끊임없이 떠돌아다닐 수도 있습니다. 아마 그들은 우리를 원시적, 원시-생물로 알고, 믿고, <우리에 대한 두려움>이 그들의 전체 문명의 원동력이 되었을지도......

나는 이런 추측을 계속해 볼 수 있기를 바랍니다. 그러나 나는 그 임무를 여러분께 드리고자 합니다. 나중

에, 댁으로 돌아가셔서, 한번 숙고해 보십시오. 어쨌든 나는 그 이름도 모르는 행성에서 그런 생각을 가지게 되었습니다.

 내가 나의 목적지에 도달하지 못했다 해도, 정반대로 -내가 내 인생에서 일정 시간을 허비했다 해도 -나는 아주 편안한 기분을 가지게 되었습니다. 왜냐하면, 그 행성은 나의 열정을 없애지 못했고, 정반대로, 나에게 새 힘을 주었습니다. 나는 믿었습니다. 이미 우주에는 아무도 간섭하지 않는 장소들인, 그 사람들이 있을 수 있는 장소가 아직 존재합니다. 우주에서는 -이미 나는 그 점을 잘 배워 두었습니다만, -하나의 독특한 예로, 아무것도 존재하지 않는다는 것입니다. 모든 것 하나에서 둘, 셋, 천, 수십억이라는 숫자의 양이 나올 수 있습니다. 만약 정말 그런 행성들이 있다고 한다면, 아마 테라에 대한 전설은 거짓을 말하고 있지 않겠지요?

 나는 그곳에서 태양이 떠오르는 광경을 보게 되었습니다. 그 태양 빛은 순식간에 전체 대기를 밝히더군요. 처음에는 상부 지역들을, 나중에는 하부의 지역들까지요. 그건 일대 장관이었습니다. 빛이 만물을 비출 때는 그 생명 없는 풍경마저도 살아있는 듯했습니다. 나는 그곳에 머물고 싶은 마음이 간절했습니다... 내가 그렇게 들뜬 모습이 아니라면, 내가 언제나 더욱 멀리, 더 새로운 욕망이 나를 밀치지 않았더라면요...

 그래서 나는 다시 출발했습니다. 그 일은 오래전에 일어났습니다. -여러분은 그때 아마 태어나지 않았을 것입니다. 정말 나는 그 수많은 광년 동안 내가 수상하다고 생각한 둘째 태양계에 더 가까이 가기 위해 애를 썼습니다. 확실히 메타 스텔라조차도 그때 다르게 보였습니다. 나는 이제 직접 제 몸의 상태를 동면상태로 바꾸고는, 대우주 공간을 여행하듯 헤쳐 나갔고, 수백 년이 아무 변화 없는 세계들에서 지나갔습니다. -그러나 나는 늙지 않았습니다.... 내가 동면에서 "깨어났을 때"도 <우주>는 변함없는 것처럼 보였습니다. 그러나 나는 그게 그저 외양이라는 것을 알고 있습니다. 수백 년 동안 아무 일도 일어나지 않은 것 같은 이곳에서도 -순식간에 우리 눈에 잡히지 않는 거대한 변화들이 일어납니다. 우주에 산재되어 있는 식민지 지배자들 집단이나 새로운 거주자들을 찾아 나선 탐사대원들은 이미 행성 자체에 생명을 가져다주는 별이 오래지 않아 없어지는 그런 행성들을 스쳐 지나가야만 한다는 걸 알고 있습니다. "오래지 않아"라고 -우리는 말합니다. 에너지를 나눠주는 태양이 수백 년간만 빛을 방출하는 곳에 우리는 거주를 시작합니다. 너무 조심스러운 이야기인가요? 아니면 우리 인간이라는 종은 아직도, 수백 년이 지난 뒤에도, 더 살게 된다고 우리가 믿는다면 너무 낙관적 태도인가요?

하지만, 우리는 <눈>과 <귀>로, 우리 스스로 아직 한 번도 살아 본 적이 없고, 아마 수십만 년 뒤에조차도 도달하지 못하는 그곳에서도, 그 <공간>을 보고 들을 수 있음은 분명합니다. 나는 사람들이 점유하고 있는 우주공간 지역의 경계들을 넘어 여행을 충분히 많이 했습니다. 하지만, 나는 거의 모든 태양계에서 사람들이 만들어 놓은 우주의 전자관측기기 같은 것을 발견할 수 있습니다. 그리고 나는 알고 있습니다. 내 배가 항해 중이라는 것도 보도되지 않음도요. 관측기기들은 나의 배를 관측하고는 배의 질량과 속도를 탐구하고, 그 기기들은 내가 항해하고 있는 배가 어디서 와서, 어느 방향으로 계속 날아가는가를 계산해 낼 수 있습니다. -그리고 그런 자료들을 어딘가로 송출합니다. 어디선가 그 자료들을 기록했고, 오늘날까지도 기억-크리스탈에 그 기록을 보존해 놓고 있습니다. 언제든지 그런 참고자료들을 열람해 볼 수도 있습니다. 승리에 휩싸인 인류는 우주에서 앞으로 여행을 통해 새 세대들에게, 우리가 조금씩 조금씩 획득할 수 있고, 접근할 수도 있는 <우주공간>의 대부분을 점유할 것이라고 설명합니다. 그리고 여러분은 <전진>이라고 외칩니다. - 하지만 여러분은 그 <전진>이라는 첫 외침이 어디서 일어났는지에 대해서 생각해 보셨습니까? 다시 말해 그 출발점이 어디인가 하는 점입니다. 우리는 어디서 우리의 길을 시작했던가요? 정말 여러분은 물리 법칙들은 알고 계시고, 모든 효과는 유일한 점에서부터 출발한다는 점도 알고 계십니다. 인류가 우주로의 이주 여행을 어느 시점에 시작했을까요?

수만 명의 과학자가 그 일에 관여해 왔습니다. -오래전부터. 그러나 오늘날- 아무도 없습니다. 그 수만 명의

학자가 받아들여야 하고 -받아들일 수 있는 설명을 발견치 못했고, 오늘날의 우주진화론이나, 인류학이나 천문학조차도 과거에 관한 연구를 포기해 버렸기 때문입니다. 사람들이 이렇게 묻기만 할 뿐입니다. <우리 이전에는 무엇이 있었을까?> 하지만 아무도 이제는 더 묻지도 않습니다. <우리 뒤에는 무엇이 있을까?> 그 때문에 사람들은 테라에 대해 잊어버렸고, 바로 그 때문에 그 테라를 찾으려고도 하지 않습니다."

6. 베타-2 위성에 있는 우주천문대

"알펜!"

"네?" 오오르트 의장의 비서가 자리에서 벌떡 일어났다. 그는 이미 그 위원회 의장의 호출을 기다리고 있었다. 오오르트는 옆에서 그 비서를 지켜 보고 있다. 알펜은 그 의장의 강한 옆모습을 보았다.

"소집대상자 전부를 연결하기 전에, 먼저 <우주천문대>로 전화를 걸어 주게. 우주천문대는 베타-2 위성에 소재하고 있을거야..."

"알고 있습니다."

"...지난 200대시간단위 동안, 우주 공간에서 우주선들의 움직임을 우리에게 알려줄 정보를 찾아보게."

'그건 어려운 일이지만, 시도해 봐야지.' 그리고 비서는 자신에게 말했다. 그는 비디오 폰으로 다가가면서 생각해 보았다. '이 사안은 이상해, 아주 이상해, 뭔가 제대로 굴러가지 않아.' 그는 오오르트를 존경해 왔으나, 오늘 처음으로 그는 자신과 오오르트 두 사람 사이에 벽이 생겼음을 느꼈다. '아마 그 권위에 대한 자각이 눈멀게 했는가...? 아쉽게도 <지금> 그가 <메타 스텔라 은하>에서 가장 중요한 인물이다. 그런 영광의 자리도 아주 무상한 것이다. 사람들은 그를 언제든지 해임할 수 있다. 그 해임에 관한 법률에 한 걸음만 접근하면, 지금의 특권도 충분히 해지해 버릴 수도 있다.' 비서는 한숨을 한번 쉬고는 우주천문대로 비디오 폰을 눌렀다.

226번 손님은 자신이 손님이 아니라, 지금은 강도라고 하는 편이 맞다. 그는 한때의 그 "전문 분야"에 대해 들은 적은 몇 번 있다. 강도들이란 다른 사람이 가진 물건에 강제로 접근하여 이것저것을 빼앗아 가버린다. '정말, 지금 바로 그 일이 일어나는구나.' -손님은 생각했다. -'나도 다른 사람들의 영역에 들어선 강도이고, 나도 뭔가 훔치고자 한다.'

그러나, 손님은 곧장 뭔가 다른 생각도 들었다. '내가 갖고 가려는 것은 정말 저 사람들, 메타 스텔라 사람들이 갖고 있으면 안돼...'

양심의 목소리는 사라져 갔다. 손님은 복도에 있는 다른 문을 향해 다가갔다. 그 문은 제12번 대강당으로 향해 있지만, 닫혀 있다. 그 손님은 벽에 부착된 하얀 버튼을 눌렀다. 전자센터에서 그 명령을 인지했음을 알리는 작은 전구가 반짝였다. -그러나 그 문은 열리지 않았다. '고장난 문인가?' 그 앞에 선 손님은 다시 목에 뭔가 압박감을 느꼈지만, 좀 전까지만 해도 그는 이미 목표에 가까이 와 있음을 느끼고 있었는데, 갑자기 나타난 장애물에 깜짝 놀랐다.

손님은 다시 그 버튼을 연거푸 누르기 시작했다. -이곳 어디에나 수백 년간 작동되던 터치식 개폐 장치들을 없애고, 대신 아주 구식의 버튼이 있음을 알고는 신경이 예민해졌다. 손님은 불쾌감도 들었다. 벽에는 그것 말고는 다른 무슨 개폐기는 없기 때문이다. '이상하게 사람들이 한때 건축했구나. 이 문서보관소도 뭔가 원시

시대처럼 보이구나. 만약 이 문서보관소를 방문하는 과거사 열람자들이나 연구가들이 많고, 또 만약 이곳에서 화재라도 일어난다면 그 사람들은 이런 문으로 피난해야 하는가?'

손님은 씁쓸한 마음으로 긴 복도를 되돌아 가니, 안내용 컴퓨터가 한 대 있었다. "제97번 문이 열리지 않아요. 점검해 주세요!" 그러자, 다시 시간이 좀 흘렀다. 손님은 자신이 내린 명령을 받은 이 기계 두뇌가 어떤 진행 과정을 거칠까 생각해 보았다. 아마 그 기계두뇌에는 기계공학 분야도 포함하고 있을 것이다. 다양한 채널로 된 중앙 기계 두뇌가 하부의 중앙 두뇌로 에너지를 통제하고, 건물 통제하는 명령을 보낸다. 어디선가 단지 1초 만에 이 대형 건물의 에너지 수준이 점검될 것이고, 동시에 그 조절장치들은 즉시 에너지를 운반하는 케이블과 튜브들의 모든 단계를 즉시 점검해 본다. 10초이면 전체 통제 프로그램이 가동되고, 나중에 그 중앙 기계 두뇌가 스스로 제97번 문이 열리는지 시도해 본다. 지금 그 두뇌의 행동은 두 가지로 되었다. 하나는 그 문이 열리는지 아닌지를, 또 다른 하나는 그 시스템이 그 상황을 신호로 나타내는지 -아니면 그 문이 무슨 이유로 열리지 않은지, 예를 들어, 누군가 그 기계 두뇌에 좀 더 앞서서 못 열도록 명령을 입력해 두었을 수도 있다. 226번 손님은 바로 그 점을 가장 걱정하고 있다. '만약 그렇게 되어 있다면, 그럼, 자신이 찾고 있는 자료를 얻지 못할 것인가?'

그 손님은 조금 놀랐다. 왜냐하면, 제3의 상황이 벌어졌기 때문이다. 화면에 나타난 정보는 제97번 문은 기술적 손상으로 인해 작동이 안 된다고 말하고 있고, 손님에겐 제96번 문을 통해 들어가라 하고, 그 문은 지금 열려 있다고 말하고 있다.

손님은 좀 마음이 가벼워졌지만, 낭패감은 아직 떠나지 않았다. 그는 바삐 다시 그 건물 아래층의 복도로 갔다. 손님은 다른 문엔 관심이 없고, 두 눈은 제96번 문만 찾고 있다. 두뇌의 어디선가 경고 메시지가 진동하고 있다. 시간이 얼마 남아 있지 않다는 것을.

시간은 조금 남아 있었다.

"...나는 다른 방식으로도 그 세계를 볼 수 있을 겁니다. 만약 내가 그것을, 예를 들어, 2100-2700 옹그스트롱[2] 사이의 자외선 전파로 본다면, 만약 그림으로 나의 두뇌에 정보를 보여 준다면, 내가 두 가지 시각의 차이점을 어떻게 설명할 수 있겠습니까? 어떤 경우에도 언어로, 가장 완벽한 언어로도 불충분합니다. 그에 맞는 정확한 낱말들이 부족합니다... 그리고 만약 내가 모든 사물의 물리적으로 존재하는 윤곽들 대신 전파를, 뢴트겐 전파를 보내게 된다면요? 만약 적외선 파장에서 내가 내 주변에 일어나는 일을 <느낄 수> 있다면요? 만약 내가 온도만 볼 수 있다면요? 만약 내게 무슨 소음만으로 듣기라도 한다면? 어떻게 우리가 공감하겠습니

---

2) *역주: Angströms: 약 1나노미터.

까?....

나의 이런 질문들에 대해 놀라지 마십시오. <그곳>에서 돌아온 나는 지금 모든 것을 다르게 보고, 모든 것을 다른 방식으로 느낍니다. 그리고 자주 나는 자신이 무력하구나 하고 믿습니다. 여러분에게나 어느 다른 은하계에 사는 사람들에게 내가 경험한 바를 어떻게 이야기해야 할까요? 테라가 나의 사고방식을 바꾸어 놓았습니다. 그 행성은 나의 사고방식을 확실히 바꾸어 놓았습니다. 테라는 경고하기도 하고 방어하기도 합니다..."

"그 이야기 좀 해주시오!" 완전히 백발인 어느 늙은 여성 관객이 외쳤다. 뒷좌석의 젊은이들은 떠들어 대고 있었다. 누군가 길고 날카로운 휘파람을 불러 댔다. - 아마 그는 다른 청중이 조용히 해주기를 원했나 보다. "야르코스! 야르코스!" 몇 명의 아가씨는 괴성을 질렀다. 좌석 열 사이로 아이들이 앞으로 달려 나왔지만, 진행요원들이 그 아이들을 제지했다. 많은 사람이 일어섰다. 그 소란은 동화작가의 음성을 압도하고 있다. 조명 색깔은 아주 붉게 되고, 온 대형 돔형건물이 지금 무슨 이상한 빛으로 샤워하는 것 같고, 더욱 침착한 청중은 눈살을 찌푸리며 서로 쳐다보았다.

"야르코스!..." 갤러리에서는 약 200명의 사람이 박자에 맞추어 외치기 시작했다. " 야르- 코스! 야르- 코스! 야르코스 말-해- 줘!"

하얀색 머리의 아가씨 짜랄라가 무대 위로 달려나갔

다. 여러 번 그녀는 무슨 말을 하려 했으나, 소용이 없었다. 짜랄라는 화가 난 채 거의 울고 싶었다. 하지만 화장한 얼굴이 걱정되어 눈물을 참고 있었다.

야르코스는 침착하게 있다. 천천히 그는 이곳에서 <별의 넥타르>라고 부르는 밝은 녹색 액체를 글라스에 조금 부었다. 글라스 아래에서 작은 반점들이 떠오르기 시작했고, 액체는 하얗고 노란 거품을 내더니 다시 초록색으로 변했다. 반사경들은 갑자기 색깔을 바꾸었다. 지금 이 대형 돔형건물은 오렌지 색처럼 노랗게 변했다. 이젠 모두가 잠잠해졌다. 그 남자는 천천히 넥타르를 들이켰다.

"선생님이 인프라로 보시든, 뢴트겐으로 보시든 그 점은 중요하지 않아요....계속 이야기해 줘요!"

"정말 선생님은 그곳에 살아 보셨나요? "

"경계가 어딘가요, 야르코스?" 질문은 아주 크게 들려 왔다. "어디입니까, 경계가 된 곳이...?"

동화작가는 그들이 암시하는 바를 알고 있다. 동화와 현실의 경계라... 그는 쓸쓸하게 웃었다. 그의 굳은 얼굴이 약간 부드러워졌다. 두 개의 잔주름이 그의 코에 나타났다. 그는 청중을 쳐다보았다. 그는 자신의 의식 저 아래의 TV-카메라를 잊지 않고 있다. 만약 그가 지금 뒤돌아보면, 그는 이 대형 돔식 건물의 10분의 1만큼 큰, 초대형 화면 속에 있는 자신을 발견할 수 있을 것이다. 그러나 그는 그런 일에 이미 익숙하여, 그냥 기다릴 뿐이었다.

짜랄라는 말을 꺼내, <사람들이 확실히 좀 평온을 유지할 수 있는> 휴식 시간이 가까이 와 있음을 알려 주었다... 그러나 아무도 그녀의 말을 경청하지 않았다. 외침은 아주 요란해졌다.

"야르코스! 야르코스!" 청춘남녀는 환호하고 있었다.

"그래, 그렇게 저 사람은 테라에 가보았구나." 화물우주선 선장은 만족한 듯이 의자에 앉았다. 그 화물 우주선은 메타 스텔라에서 4,200만 킬로미터 떨어진 상공의 우주공간에서 지금 쾌속 질주하고 있다.

"확실히 저이는 그곳에 없었다구요!" 여자 우주 비행사인 몸집이 큰 흑발의 여자가 화를 내며 손을 내저었다. "저이는 동화만 말할 뿐이라구요, 보지 못하였나요?"

"나는 다른 의견이야." 선장은 그 여자 동료직원을 쳐다보지도 않고 말했다. "그걸 이해해 보려고 나는 충분히 많이 우주에서 방황했어요. 때로는 내가 <인간거주지역>의 경계 바깥으로도 가보았어요. 야르코스는 머나먼 은하계들을 여행해 보았으니, 난 그 사실을 그의 말을 통해 느낄 수 있어요."

"선장님은 느끼고 계신다. 느끼고 계신다고요..." 그녀는 자동 음료 기구에서 커피를 가져와, 자기 의자로 가서, 다시 그 자리에 앉았다. 그때야 그녀는 다시 화면을 바라보았다.

"난 저이를 믿지 못하겠어요."

"그런다고 사실이 바뀌진 않지요." 그 선장은 철학적으로 말했다.

"저이는 우리를 원시인으로 취급해요. 저 대형 돔형건물 아래 저런 작가들은 바보 같은 것들만 다 믿고 있어요. 하지만 저이는 동화를 말할 뿐이라구요..." 그녀는 중얼거렸다.

그 대장은 응대하지 않았다. 자신이 옳다고 믿는 그 선장은 뭔가 기대하며, 계속 TV 화면을 쳐다보고 있다.

모르델은 증손자에 대해 생각하지 않았다. 아내 나리아에게도 그는 그 일에 대해 말할 수 없으리라는 것도 알고 있다. 아내는 그런 종류의 일엔 그리 관심이 없다. 아마 그녀는 주제가 뭔지도 이해하지 못한 것 같았다.

모르델은 그때까지 한번도 느끼지 못한 강한 욕망을 느꼈다. 그는 지금 두 눈을 감고 <우주 공간>에 있는 자신을 생각해 보고 있다. 그의 몸은 초고속 비행 자체였다. 그는 자신의 주위 도구들도, 티타늄으로 만든 큰 벽도, 아무것도 느끼지 못했다. <그 스스로가 우주 공간의 배였다>. 믿지 못하는 최고속으로 그는 적막 같은 어둠 속에 날아가면서, 은하들이 그의 뒤로 남게 되고, 아득히 먼 태양들은 앞에 거의 보이지 않고, 벌써 그 태양들은 뒤편으로 사라진다. -그는 영혼의 저 아래, 어딘가에 그 점을 불가능하다고 느끼고 있다. -하지만 그는 놀라지 않는다. 그는 아주 잘 지내고 있다. 세계들은 그의 우주선 주위에서 시시각각 변하고, 따뜻한 바람이 그의 온몸을 어루만져 주고 있다. 그런 것에 대해 그는 최근에 읽었을 뿐이다. 정말 몇 년 전부터 그는 사방이 벽으로 둘러싸인 곳에서 지내고 있다.

그를 휘감고 있는 것은 측정하기 힘든 욕구였다. 이곳에서 더 멀리, 더 멀리로...! 메타 스텔라와 비슷한 행성들이나, 또는 거대한 건물들이 전 표면을 점유하는 그런 행성들이 없는 곳으로, 또는 그가 끝없는 사막을 바라볼 수 있는 그런 곳으로, 또는 저 <인간 거주지역>의 경계로 여행해 보는 것. 모래폭풍들이 동시에 그 행성의 절반 위로 세차게 불고, 화면에서의 인공적인 그림이 아니라 실제 모습인 곳으로 가보고 싶고, 거대한 회색 바위 위로 낯선 진짜 바다를 보고, 또 그 바위의 가장자리를 넘나드는 저 거대한 바다 파도의 힘을 발로 직접 느낄 수 있기를. 저 폭풍우가 몰아치고 천둥 번개 치는 하늘을 보며 고함이라도 마음껏 질러 보는 것이 최고 좋을 것 같았다.

'나는 그곳에 꼭 한번 가 봐야지' 하고 그는 느꼈고, 자신이 열망하는 꿈을 안고, 자신은 아직 그 다른 세계와 작별하고 싶지도 않다. 그러나 납덩이 같은 의식은 그를 저 아래의 지금 시간의 -이곳의 현실로 그를 끌고 내려옴을 느꼈다... 아니, 아니, 그는 인생이 그렇게 지나가는 걸 기다리고만 있을 수 없었다. 그는 어디론가 꼭 여행해 보고 싶고, 마침내 뭔가를 보게 될 것 같았다... 지금까지의 경험과는 전혀 다른 방식으로 경험하고 살아가는 것. 이제까지 낭비된 그만큼의 세월. 아직 사람이 한 번도 살지 않았던, 아득하고도 야만적이지만 진짜 행성을 발견하게 되는 것. 아내 나리아도 그와 함께 여행할 수 있었으면 좋겠다. 그러나 만약 그녀가 원하지 않으면, -그는 자신의 아내를 놔두고 혼자서라도 떠날 것이다. 그 점은 스스로 확신했다.

"당신은 들었어요? 저 사람이 테라를 찾아갔다는 말요!"

"동화를 하고 있는데요 ...!"

"정말 저 작가는 동화작가일 <뿐>이라는 것이 이해되어요?"

"어떤 사람들은 모든 걸 실제 일어난 일로 믿기도 하지요..."

"내 말 잘 들어 봐요. 야르코스가 무의미한 말을 하고 있진 않아. 저이의 얼굴을 한 번 살펴 봐요!"

"난 저이를 보고, 지금도 보고 있어요. 그런데 날 더러 뭘 보라구요? 우주 방랑자라는데."

"저이가 우리에게 이런 동화를 말한 첫 사람은 아니지요."

"...또 우리가 열심히 들어온 동화를 말해 주는 첫 사람도 아니지요."

"저이는 저 일을 직업으로 살까요?"

"사람이라면, 가장 중요한 건, 현명하게 사는 거지. 사람이라면 어디까지가 진실이고, 어디부터가 진실이 아닌지를 명쾌하게 알아야만 해요."

"그럼, 당신은 그 점을 알아요?"

"토론하지 말아요, 여보. 그게 지금 중요해요?"

"나는 그리 믿어요. 이 일은 중요해요."

"지금까지 당신은 그런 의견이 아니었거든요."

"지금까진 아니지만, 이젠 그렇게 될거요. 로보트들만 자기 의견을 바꾸지 않지요."

"그것 좋은 표현이군."

"야르코스가 동화를 말한다고 난 되풀이해 주장하고 싶어요. 여보! 내가 그걸 얼마나 자주 계속 말해야 알아 듣겠어요?"

"당신이 그렇게 원하고 싶을 만큼, 하지만 그는 뭔가...내 내면을 움직이게 했어요."

"당신에게도 그런 움직일만한 요인이 있나 보지 뭐?"

"놀리지 말아요. 그이의 이야기를 들으면, 난 이곳을 떠나, 멀리 여행할 필요성을 느껴요."

"흥미로운 이야기네요... 그건 나도 생각해 봤어요."

"그 큰 문은 닫혀 있지 않았어요."

"당신은 정말 아무것도 이해하지 못하나요? 메타 스텔라는 폴립과 비슷해. 이곳은 나를 질식하게 하고 있어."

"자, 여보, 그만하면 되었네요!..."

"현명의 한계는..."

"그런 쓸데없는 일은 내버려 둡시다."

"동화란 -예술이지요, 그렇지요? 그 때문에 동화들을 들으면 내면의 생각들을 깨워주지요."

"내 의견으로는 그 동화는 우리의 일부 생각을 깨워

놓은 것 같아요. 야만적인 생각들을…"

"내가 무슨 이야기를 시작했는지 당신은 잊어버렸군요. 내 말은요, 야르코스가 테라에 가 보았다는 거요."

"그건 정말 동화라구요."

"그런데 만약 그이가… 진실을 이야기했다면요?"

7. 동화와 현실의 경계

"...제 말씀을 좀 들어보십시오...조용! 좀 전에 여러 분 중에 어떤 분이 내게 이런 말씀을 물어 오시더군요. <야르코스, 그 경계가 어디에요...?>라구요. 그 질문에 나도 지금 자극이 되는군요. 여러분은 동화작가인 내가 수많은 은하를 이미 여행해 보았음을 잘 알고 계십니다. 그것은 어떤 의미에서는 상업적 직업입니다. 나도 내 우주선과 여행에 필요한 식량과 모든 것을 이 일을 통해 충당해야만 합니다. 어떤 사람은 자신의 직업으로, 나는 동화라는 직업으로, 이런 것으로 나는 먹고삽니다. 내가 여러분이 이해하시도록 그 말을 이미 했습니다. 수많은 은하에서 내가 모험해 본 이야기를 이미 말한 바 있다고요. 흥미롭게도 거의 모든 곳에서 사람들은 나에게 묻습니다. '야르코스, 그 경계가 어디입니까?'... 그러나 사람들은 나의 동화들과 현실의 경계만 궁금해 하는 것이 아니었습니다. 수많은 사람이 비슷한 문제들에 대해 고민하고 있었습니다. 우리 대세계에는 수십억 개의 생물이 존재하는데 -그 생물들 사이에 경계가 어딘지, 그 경계가 일반적으로 존재하는지에 말입니다.

그리고 이 우주에서도?... 삶과 죽음의 경계가 어디입니까? 시시각각으로 일천 개의 태양으로 구성된 수소덩어리가 불타 없어지고, 그 붉음의 거대한 존재도 한때 부풀어져 있던 일천 개나 되는, 태양 주변의 행성들을 태워 버립니다. 그 행성들을, 자주 지금까지 -벌써 수십억 년 전부터 -그 태양들로부터 생명이나, 또는 단지 생명의 <가능성>만 받던 생물들의 그 독특한 세계를 말입니다. 별이, 지금은. 그들을 죽이는 주체가 되어버렸습니다.

친구 여러분, 경계가 어디냐고 묻지 말아 주십시오. 어디에서나 생명이 시작될 수 있고, 어디에서나 살아 있는 모든 것은 사멸할 수 있습니다. 유기 분자들로 구성된 생명체들이 생명을 자신 안에 품은 채로 이 우주에서 방황하고 있습니다. 사람들은 그것의 경계를 지을 수 없고, 그것들은 이미 사방팔방으로 퍼졌고, 그들은 알려지지 않은 목표를 향해 쾌속으로 날아가고 있습니다. 그들 중에는 전혀 프로그램이 안 된 채로, <아직도> 죽어 있는 세계로 말입니다...

우리가 많이 찾기를 바라고 있은 그곳에는 -작게만 존재할 수도 있습니다. 우리가 찾던 것이 적으리라 믿던 곳에서는 -우리가 셀 수 없이 많은 양을 발견할 수도 있습니다. 수소 원자에는 유일한 양자와 유일한 전자만 있습니다. 하지만 그 만큼이면 충분합니다. 아주 충분합니다. <우주>에서는 수소가 영원하고 또 타는 물질입니다. 10억 년 전부터 그 수소는 <만물>을 태우는 원동력을 만들어 냅니다...그 시간도 당분간만 우리를 막게 될 것입니다. 어디선가 어느 별이 작아져, 믿지 못할 정도로 작아서, 아주 작게 되면, 수십억 개의 전파신호를 발산하면서 난폭하게 회전하면 그것이 -그것이 그렇게 <어제>가 만들어졌고, 그런 식으로 <오늘>이 생기고,

그렇게 <내일>이 만들어집니다. 경계란 없습니다. <어제>는 저 끝없는 과거로 다시 뻗어 있고, 바보들만이 그 어제에 대한 무슨 경계를 상상하지요. -하지만 우리는 알고 있습니다. 중성자별들도 뭔가 다른 것으로 탄생되고, 그래서 <그 물질>만 끝이 없고, 형태들도 끝이 있습니다. <내일>도 우리는 경계를 만들 수 없고, 미래도 끝이 없습니다. 그리고 만약 <오늘>도 다양할 수 있다면 그 오늘이 무슨 가치가 있습니까? 이 순간 -그렇습니다. 이 순간 여러분 모두가 나를 바라보고 있을 때, 이곳에, 그리고 여러분의 집의 텔레비전 앞에서 여러분은 <오로지 나>를 바라보고 있고- 그러나 이 순간도 <오로지 시간은 한 개가 아닙니다!>

우리는 다른 차원의 시간도 존재한다는 것을 이미 알고 있습니다. <우주>에는 아직 측정할 수 없을 만큼 많은 놀라움도 있습니다... 다른 시간에서는 물리 법칙들, 진행 과정들이 다르게 보이고, 다른 동시대들에서는 생물들은 믿기지 않을 정도의 다양한 생명체들을 만들어 냅니다...

우주 공간에서도 'X-용량' 만큼의 양이 있습니다. 그것의 가장 -다양한 모습들을 우리가 발견하도록 기다리고 있습니다. 하지만 정말로 나는 틀린 말씀을 드린 것 같습니다. 그들은 우리가 발견하기를 기대하고 있는 것이 아니라, 그들은 단순히 <존재하기만> 하고 있습니다. 우리가 다양한 시간과 다양한 차원을 넘어서 그들에게 다가가, 그것들의 성질들을 밝혀낼 것입니다. -그러나 그들은 우리 없이도 존재하고 있습니다. 그리고 그 점을 잊지 마십시오! 우주 여행자는 그런 것을 생각하게 됩니다. 이 <우주>는 인간 없이도 존재해 왔고, 이 우주는 이 인간 <이 없는 시대 이후>에도 존재할 것이라는 점을 우리가 알고 있지만, 간혹 생각해 보게 됩니다. 그런 곳들의 대부분은 이미 인간 없이도 존재해 있습니다. 자주 우리는 자신이 <만물>의 주인인냥 생각하고 있습니다. 정말 우리는 아주 불쌍한 피그미족과 같은 존재에 불과한데도요. 우리가 발견하고 실행해 놓은 모든 것도 이 우주의 상태를 거의 또는 전혀 변화시켜 놓지 못했습니다. 헛되이 우리는 그 많은 은하계와, 수백 개의 행성을 점유하고 있습니다. 우리가 사용하고 있는 우주선들이나 에너지들, 전파들, 주파수들, 전자들이나 우주 공간의 도시라는 거인들은, 지금까지 우리가 알게 되고, 밝혀 왔고, 건설해 왔던 모든 것은,-<우리 스스로 무엇이 되었던 것은> -그것은 정말 아무것도 아닙니다. 정말 우주에서는 그것들이 아무 변화도 없습니다. <그것>을 경험할 수 있을 정도로, <그것>의 크기 위에 측정될만한 아무 변화를 하지 못했습니다. 이 세계에서 소위 <인간>이라 부르는 단백질-생물의 존재는 지금까지 괄목할 만한 것이 못됩니다....

　우주천문대의 정보기기들은 그 질문에 응답하지 못하고 있었다. 그 기계들은 유용한 정보를 주지 못했다.
　알펜은 그 천문대 근무자에게 비디오 폰을 걸었다. 화

면에는 중년 여자가 나타났다. 비서인 그녀도 야르코스의 동화프로그램을 텔레비전을 보고 있었음을 추측할 수 있었다. 그녀는 알펜이 불평하는 소리를 듣고는, 미안한 듯한 미소로 대답했다.

"알펜 비서께서 요청한 것은 불가능합니다. 과거 2백년의, 더구나 아무 필요한, 특정한 관련 자료들 없이는 말입니다. 이쪽 기계들조차도 장애물이 몇 개 있습니다. 저희 우주 관측기기들은 밤낮으로 작동하지만, 이 기기들의 관측 영역엔 한계가 있습니다. 그 기기들은 지금은 385메가-광년까지는 <볼 수> 있지만, 더 이른 시기에 대해선 최대 한계가 더 가깝다고 할 수 있습니다. 이 기기들은 관측한 존재들을 연구하고, 이 기기들의 기억기기에 특징적인 중요한 참고자료들을 저장해 두기도 합니다. 하지만 우리가 과거의 한때 여행한 우주선 항로를 찾으려면, 그 비행의 특정 날짜, 그 우주선의 목적지, 또 그 우주선의 증빙 코드나 신호체계를 알아야만 합니다. 이 세 가지 참고자료가 확보되면 추적의 성공 가능성은 가장 높습니다... 두 가지만 알고 있으면 우리는 그 추적의 성공을 완전히는 기대할 수 없습니다. 이 기계들은 수십억 개의 참고 자료를 추적하기 시작하지요... 그 작업이 계속될 겁니다. 여러 시간, 여러 날, 여러 주간 동안요...하지만 경우에 따라선 -지금같은 경우에 -그 추적하고자 하는 물체에 대해 전혀 참고 자료가 없을 때는, 그 우주선이 <어느 때엔가> <어느 곳>에 날아갔다는 정도로서는... 이 모든 것은 절망적인 일로 보입니다."

"그 참고자료들이, 우리로선 그렇게 중요한 자료들이, 기억기기 속 어딘가에 확보되어 있지만, 우리가 그것들을 지금 확보할 수 없다니 나는 화가 납니다!"-그리고는 알펜은 입술을 꼭 다물었다.

"모든 문마다 열쇠가 필요합니다." 그녀는 더욱 평온하게 말했다. "이 경우 몇 가지 긴급 관련 자료들이 열쇠가 될 거예요. 만약 기억 기기들이 충분히 정확한 질문을 받지 못하면, 그 기기들은 결코 그것에 대한 대답을 주지 않습니다."

"알았습니다." 알펜은 자신의 이마를 찌푸렸다. 그는 자신의 명성을 지키기 위해 무슨 말이라도 지금 해야함을 알고 있었다. "그럼, 위원회에서 그 참고자료를 확보하도록 해야겠군요."

"좋아요. 저희는 언제나 위원회를 위해 봉사할 준비가 되어 있습니다."

알펜은 이미 그 말은 듣지 않고, 비디오 폰을 끄고는 몸을 돌렸다. 그때야 그는 오오르트가 가까이 서 있음을 주목했다. -그러나 비디오 폰의 카메라에 그가 보이지 않도록 한 채. 확실히 그는 모든 대화를 듣고 있었다. 그가 불만스럽게 자기 머리를 흔들고 있었기 때문이다.

"....전파들을 작동시켜 나는 내 우주선 앞의 우주 공간을 탐사해 보았습니다. 내가 보유한 기계들은 별들 사이의 가스들이 자체 발산하는 주파수대인 21센티미터 짜리의 전파를 발생해 보았습니다. 그러면 그 전파들은 모두 이온-구(球)를 통과합니다. 나는 이 모든 것을 보았지만 아무것도 보지 못했습니다. 나는 아득히 먼 나선형을 향해 쾌속 항진하였고, 화면엔 그곳 세계들이 나타났지만, -그 기기들은 은하들과 태양계들로 밀집된 채 죽은 물체들만 보여 주었습니다. 이 우주의 고아는 다른 어느 곳보다 더욱 외로워 보였습니다. 이 고아는 무슨 신호든지 보고 싶고, 누구와도 만나 보고 싶었습니다... 그 점을 나는 테라를 향해 날아가면서 그 나선형 구조 속에서 느낄 수 있었습니다. 우리 말고 <누가> 여기에 살고 있는가? 때로는 무슨 비밀 신호들이 있습니다. 오리엔투스 우주선에서 무슨 일이 있었는지 여러분이 기억하고 계십니까? 그 우주선의 기간 요원들이 광선으로 메시지를 보내오기를, 그들이 낯선 문명과 맞닥뜨렸다고 말입니다. -그러나, 나중엔 아무 신호도 더는 보내오지 않고, 그 우주선은 블랙홀에 빠진 것처럼 사라져 버렸습니다. 그리고 수 세기에 한 번 경험할 수 있는 몬트세라트- 효과는요? 때로 날아가는 행성 하나가 자신의 속도를 바꾸었습니다. 몇 사람들은 이를 보고는 인공 지성이 그 속에 존재하는 증거라고 예측하기도 했습니다... 하지만, 만약 <그들이> 존재한다면, 그들은 우리에게서 숨은 채 있습니다. 내가 그렇게 자주 <외계인들>에 대해 말하는 것에 놀라지 마십시오. 나는 그 사람들을 알고 있을 따름입니다. 정말 우리 존재도 무슨 목표를 가져야 합니다. 우리는 아직 그런 목표를 알고 있지 않습니다. -그러나 아마 그들은 알고 있고, 그것을 우리에게도 알려줄 것입니다. 아마 우리도 <그 끝없는 가족> 안에 속해 있지요? 다른 물질의 기초 위에서 다른 형태로, 다른 시간과 공간에서 살면서, 늘 변하는 우주 생물의 거대한 가족 말입니다.

　그러나 나는 또 다른 것을 말하고자 합니다. 괜찮겠지요? 그럼, 나는 내 우주선이 날면서 테라를 발견할 수 있기를 강력히 바랐습니다. 그런 희망이 이제 나의 목표가 되었습니다. 그리고 나는 어디선가 그곳이 있으리라고 열렬히 믿어왔습니다. 내 스스로 동면상태에 돌입하기 전에 -정말 머나먼 길이 나를 기다리고 있었습니다. -다시 나는 생각에 잠기게 되었습니다. 아마 나는 사멸된 위성을 발견하게 될지도 모른다고요. 한때 우주시대의 초기에, 소문엔 우리 인간이 이런 이론 즉, 모든 문명은 1만 년만 존재할 수 있고, 그 이후에는 그 진화된 기술로 인해 그 문명이 멸망한다는 걸 믿고 있었습니다. 이 행성을 파멸로 이끈 것은, 무슨 무기를 가졌거나, 무슨 오염 때문입니다. 우리는 오늘날 이미 그런 바보 같은 논리에 대해 웃을 뿐입니다. 정말 그것을, 우리 선조들이 자신의 행성을 바로 떠나면서, 믿었겠습니까? 만약 그 선조들이 한 개의 행성에만 거주했다고 한다면요...그 문명들은 자기 행성을 떠나, 우주 공간에서 여행하고 흩어져, 더 많은 행성에 언제나 거주하게 됩니다... 그런 방식으로 이주해, 그 문명은 파멸하지 않을 수 있습니다... 만약 어느 행성이 오염되면, 그 거주민들은 간단히 자신의 행성을 버리고, 생명 조건이 적응할 수 있는 다른 행성으로 이주하면 됩니다. "쓰고 버립시다"라는 광고를 여러분은 알고 있습니다. 그렇지요? 그런 광고를 우주에도 적용해 볼 수 있습니다...그래서, 사람들은 모든 재앙을 극복하며 살아올 수도 있습니다. 그런데 테라는 아직도 살아있을까요?

나는 들뜬 마음에, 몸을 뒤척이며 동면상태에 돌입하기 전에 머뭇거려야 했습니다. 머지않아 나는 <잠들게될> 것이지만, 그동안 무슨 일이든지 일어날 수 있었습니다. 아마 이 우주선이 나와 함께 침몰해 버릴 수도있고, 나는 이제 더는 이 세계를 볼 수 없을지도 모릅니다. 이제 더는....그래서 나는 이제 두려웠습니다."

관람석에서는 다시 무슨 소리가 들려 왔다. "그 여행의 끝에 무슨 일이 있었는지 말해 주세요, 야르코스!"

"테라를 찾았어요, 못 찾았어요?"

수많은 사람이 출입문 쪽에까지 가득 차 있고, 좌석이이미 꽉 차, 앉을 곳이 없었다. 그들은 천천히 출구로향하고, 조명들은 지금 하얗게 비추고 있다. 무대만 초록의 광점이 있다. 야르코스는 피곤했지만, 쉼 없었고,그 때문에 사람들은 긴장감을 늦추지 않고 있음을 잘알고 있다. 그는 되도록이면 휴식 시간을 늦추어 보려고 했다. 동시에 그는 이 프로그램의 둘째 부분의 처음에 어려운 일이 닥칠 것을 알고 있다. 휴식 시간 동안사람들은 토론해 보고, 회의론자들은 -임시지만- 거의 쾌재를 부를 것이다. 닥쳐올 둘째 부분의 처음에 더 많은 <불확실하다고 주장하는 사람들이> 똑같은 자리에 앉게 될 것이다. 다시 그는 그들을 이전의 영혼 상태로 만들어 놓으려면 무진 애를 써야 할 것이다...

"...하지만 나는 우리도 생물학적 생명의 지속적 연장에도 불구하고 영원히는 살 수 없다는 생각이 들었습니다. 우리 인간은...? 언젠가 모든 영광이 지나가 버릴 것이고, 이 우주에서도 그렇게 될 것입니다. 크고 뜨거운 별이 조금씩 작아지고 차가워지듯이, 나중에 그렇게 이미 몇 킬로미터 직경의 구(球)가 되고 나중엔 블랙홀이 되고, 그래도 그 별은 여전히 작아집니다... 마침내 그 별의 전체물질을 바늘 끝에 올릴 수 있을 정도가 됩니다... 하지만 그런 변형은 아직도 끝나지 않았고, 그것의 질량은 변하지 않았지만, 그 크기는 더욱 줄어듭니다. 한때 인간은 -인간이 지금 이 우주 공간에서 뻗어 나가듯이 -똑같이 자취도 없이 사라진다는 생각을 여러분들은 해본 적이 있습니까?

나는 여러분의 눈에서 놀라움을 봅니다. 정말 더 앞부분에서 내가 전혀 다른 방식으로, 거의 정반대로 말했음으로 인해서요. 이 이중성은 벌써 처음부터 우리와 함께 있어 왔습니다. 나는 그런 이중성으로부터 벗어날 수가 없고, 한편 우리는 우리 존재의 목표를 아직 못 찾고 있었습니다. 그런 목표를 나는 아직 알지 못합니다. 나는 <아직도 못 찾았다>고 말했습니다... 여러분은 이 말 속에 얼마나 많은 희망이 숨어 있는지 느낄 수가 있습니까? 우리는 현명함이 <아직> 부족합니다. 정말 우리가 이 이상한 세계에서 어떤 임무를 가지는지 조차도 모르고 있습니다. 한때 우리를 절망에 빠뜨린 것은, 우리가 아직 우리와 독립적으로 작동되는 거대한 기계의 한갓 나사못에 지나지 않고 -더 이상의 아무것도 아니라는 자각이었습니다. 우리 존재에 대해 전혀 무관심한 거대한 기계의 일부라는 것입니다. 아주 아주 오래전에 생존했던 철학가들이, 자신들을 유물론자라고 주장하던 철학가들이 입증했던 것을 이해하는데 오랜 시간이 걸렸습니다. 즉, 이 <자연>에는 합목적성은 없고, 이 전체로서의 <자연>은, 어떤 종류의 생물이라도 (우리는 뭔가 지성적 생물로, 예를 들어, 인간과 같은 것이라고 말해 둡시다.) 결국, 진행 과정의 목표에서조차도, 끝에서는 뾰족한 나중에 방향성이 있는 나사처럼 되는 것에도 전혀 애쓰지 않듯이 말입니다.

나는 동면 기기 안으로 들어가 누웠습니다. 나는 두려운 마음이 들었지만, 나는 동면에 들어갔습니다. 요즈음 우리는 <시간>과 <생물학>을 속여야만 이 <우주 공간>을 이길 수 있도록 해 두었습니다. 죽은 사람처럼 위장하여 우리는 이 <우주 공간>을 지나고 있으며, 그 우주 공간에 대해선 무관심한 채 남지만, 반면에 <다른 사람들에겐> 실제적으로 많은 시간이 지나고, 많은 시간이 흐릅니다... 시간이라는 파라독스도 우주 비행 동안에는 우리를 도와줍니다. 그 때문에 우리는 시간조차도 이미 정복했다고 믿으려고 합니다.

그래서 나는 여행을 계속하게 됩니다. 나는 기꺼이 내가 가진 꿈들에 대해 여러분께 이야기하는 중입니다만, 우리도 정말 이런 것을 알고 있습니다. 사람이 동면에 들면 꿈도 꾸지 않습니다. 그의 의식은 잠자고 있지만, 꿈은 꾸지 못합니다. 그는 이 세계 바깥에 있습니다. 마치 이 우주 밖에서 그가 계속 날아가고 있는 것처럼 말입니다.

....오랫동안 나는 그런 상태로 날아갔습니다. 나는 아주 먼, 옛날의 이야기꾼이 하던 방식대로 지금 이렇게 말하고자 합니다. 그 여행은 10만 개의 낮과 10만 개의 밤동안 계속되었습니다. 그러나 나는 그곳에 밤이 없었다고는 말하지 않습니다. 그 시간 자체도 아무것도 아니지만, 동시에 그 시간은 아프게도 존재하고 있습니다. 자동기계들이 나의 상태를, 건강을, 우주선을, 안전을 보장해 주고 있었습니다. 이런 모든 일에도 불구하고 - 동면하고 있는 사람은 조금 죽은 채 있습니다... 정말 그는 자신이 언제 정상적으로 깨어나는지도 모릅니다. 정말 언제나 대재앙이 닥쳐올 수 있습니다.

그리고 내가 의식이 돌아왔던 때도 있었습니다. 그 기계들이 나를 깨웠습니다. 내 여행의 목표에 가까이 다가왔기 때문이었습니다."

8. 위원회에서의 격론

청중은 숨을 죽인 채 앉아 있었다. 출입문 쪽에 서서 경청하던 사람들도 조용히 있었다. <침묵>이 한 마리의 커다란 회색 깃털 새처럼 이 대형 돔형건물 위로 자리하고 앉아, 이 안의 모든 사람을 자신의 날개 속에 품고 있었다. 그들은 침묵을 느낄 수 있고, 서로 서로의 침묵을 느끼고 있고, 그 침묵은 생각들로 가득 찬 채 기다리며, 그들에게 속해 있었다.

그러나 그때, 야르코스는 두 손을 뻗어 자리에서 일어났다.

"우리 조금 쉬었다 하지요. 피곤해서요."

그러자 환상이 깨지는 일천 개의 한숨이 날았고, 곧장 외쳤다.

"아직 안돼요!"

"야르코스, 지금은 안돼요?"

"계속 이야기해 주세요!..."

그러나 하얀색 머리의 아가씨가 그런 휴식시간을 기다렸다는 듯이 급히 무대의 가장자리에서 나타나, 가장 가까이 있는 카메라를 향해 웃음을 지었다.

"여러분께서 들으셨듯이, 야르코스는 피곤하십니다. 우리는 정말 휴식시간들을 마련해 두었습니다... 30분 뒤에 다시 만나 뵙도록 하겠습니다!"

그녀는 자동으로 제공되는 뷔페 식사와 안락한 휴식공간들을 여전히 언급하려고 했지만,- 그녀의 목소리는 이미 주변의 소란에 묻혀 버렸다. 대강당에서는 몇분 전의 침묵에 대한 기억은 없어져 버렸다. 사람들은 자리에서 일어났고, 오랫동안 앉아 있는 게 얼마나 고역인지 지금에야 느꼈다. 어느 노인은 아주 불편해, 마이크를 통해 당직 의료요원을 찾고 있었다. 그 돔형건물의 빛은 매 순간 바뀌고, 출입구로 나가던 사람들의 얼굴에는 초록, 노랑, 오렌지 색, 하얀색 빛이 떨어졌다. 야르코스는 이젠 무대에 더 머무르지 않고, 그의 자리는 비어 있었다. 그 위로 조명이 조금씩 꺼져 갔다.

"비디오 폰의 다른 번호에 대한 무슨 소식이라도 있는지?" 오오르트가 물었다. 알펜은 대답 없이 벽의 화면들만 보고 있었다.

 크로스 신호가 맨 먼저 <도착한> 것에서 알 수 있듯이, 크로스는 이곳, 이 <도시> 안에 있었다. 크로스는, 소문에 따르면, 203살의 남자이고, 그의 나이는 얼굴을 보면 알 수도 있었다. 화면에 나온 그는 얼굴만, 주름이 가득 찬 얼굴만 보였다. 미용 전문가들이 벌써 두 번 그를 <성형해> 놓았지만, 둘째 수술한 지 약 20년이 지났다. 그런 시간 경과는 인공 바이오 피부로 된 표피층에서조차 주름이 생기게 마련이다. 더구나 알펜은 사람들이 일반적으로 비밀에 부쳐지도록 애써 주는 것도 - 메타 스텔라 지도자 중 한 사람인 크로스를 화제로 삼는 것이니- 즉, 크로스가 오래전부터 특별한 기구에 의지해야만 살아갈 수 있고, 실제로는 거동도 못하며 살고 있다는 점도 알고 있다. 그 때문에 크로스는 비디오 폰 카메라를 얼굴에만 초점을 맞춰놓고 있다. '크로스는 오래전부터 악의를 갖고 있어. 흑심을 품고 있어.' 라고 알펜은 생각했다. -'그 병이 그런 흑심조차도 유발하는 것일까?'

날씬한 포티가 34번 행성에서 자신의 위치를 알려 왔다. 기기들은 아주 잘 기능하고 있어, 그쪽에서 보낸 화상은 우주에서 보낸 것과 같은 좋은 화질이다. 위원들 가운데 포티는 우주공학 학위를 갖고 있고, 메타 스텔라에서도 이 포티라는 남자를 우주물리학 문제의 전문가로 인정해 놓고 있다. 그와 오오르트, 둘 사이는 일반적으로 그리 껄끄러운 관계는 아니었다.

임마 여사는 크세르케스-3에 가 있었다. 임마는 120살은 더 들었고, 그래도 충분히 정력적으로 메타 스텔라의 사회문화 행사를 지도하고 있었다. 검정 머리카락이 동정을 불러 오는듯한 얼굴을 덮고 있고, 그녀의 좁은 두 눈은 유심히 오오르트와 알펜을 쳐다보고 있다. 그러나 임시로 아직 말을 꺼내지 않고 있다.

이때, 초대받은 전문가인 시데루스가 잠시 어디론가 자리를 뜨고 없었다. 아카데미의 자동탐사기구는 마이크를 이용해 그를 비디오 폰 쪽으로 부르고 있다. 정말 오오르트와의 대화가 끝난 뒤, 우주학 분야의 대장인 시데루스는 아카데미로 비행기를 타고 가 버렸지만, 비행기에서 돌아오는 길에 그는 야르코스 프로그램을 시청하고 있었다. 마침내 제4화면이 반짝이기까지는 1분이 더 흘렀다. 오오르트가 그때 말을 시작했다. "시데루스, 당신은 이 일에 대해 언급할 준비가 되어 있나요?"

시데루스는 이 말에서 야르코스 이야기라는 걸 명확히 알 수 있다.

포티와 임마도 그 점을 잘 알고 있다. 그러나 크로스가 1초도 안 되어 방해를 놓았다. "

무슨 이야기를 하려는 거요, 오오르트?" 크로스가 날카로운 목소리로 물었다.

그 <참석자들은> 곧 크로스의 심사를 알아차리고는 그들이 이미 이번 모임이 쉽진 않겠구나 하는 것도 느꼈다. 얼마 전에 시행된 선거에서 크로스 자신이 이 위원회 의장으로 선출되지 못한 사실을 잊지 않고, 크로스는 최근 회의마다 트집이었다.

'크로스는 오오르트를 젊은이 정도로 믿고 있군.' 알펜은 생각했다. 알펜도 크로스를 좋아하진 않지만, 너무 규율을 잘 지킨다. 그리고 알펜이 이 위원회 일원이 되기에는 너무 젊다. 그러나 알펜은 그 위원회 일원이 되는 자격으로 가는 길의 첫 장애물을 이미 극복해, 위원회 의장 비서가 되었다. 수많은 사람이 그 점 때문에 그를 부러워하였다. 그 비서 직위는 보통 먼 곳으로 10년-15년간 나가서 근무한 뒤, 즉, 메타 스텔라의 <변방>으로, 가장 멀리 있는 행성들 지역으로 파견되어, 그곳에서 몇 개의 주요 직책을 수행하고 난 뒤에 오를 수 있다. … 나중에 그 위원회의 위원 후보는 점차 메타 스텔라의 내부구역으로, 마침내, 중앙행성으로 귀환해,

나이도 80내지 100살 정도 되어 -마침내 그의 이름이 최고위급 지도부의 후보자 중 한 사람으로 이름이 오른다. 사람들은 그를 <위원회 업무를 잘 파악하는 유경험자>로 평가해 줄 것이다... 알펜은 이런 자신의 꿈에서 깨어나, 주변의 기기들을 쳐다 보았다. 모든 것은 기술적으로 정상이고, 보안 장치들도 제대로 작동되고 있다. 전자코드 기기들은 자주 위원회의 위원들이 가진 기기로 연결되었다. 우주에서 도착된, 이해되지 못한 신호 뭉치를 그런 기기들이 암호를 푼다. 그 때문에 위원회는 자유롭게 또 <개방된 채> 자리에 함께 할 수 있지만, 외부인들은 이 위원들의 비디오 폰을 도청하거나, 몰래 시청할 수 없다. 알펜은 침착했다. 그는 외부인이다... 아직은. 그도 이 위원회 일원이 될 그때는 벌써 초기의 위원들을 기억할 사람들은 소수가 될 것이다. 그래 정말이다. 자동적으로 메타 스텔라의 <황금책>(벌써 오래 전부터 더는 책의 모습이 아니고, 기억-크리스탈 시리즈로 되어 있음)에 그들 이름이 자동으로 기록될 것이다. 그리고 사람들은 3차원 사진들 옆에 이름과 함께 경력도 읽게 될 것이고, 똑같이 영원한 -매일 업데이트되는 일이기에- <메타 스텔라의 크리스탈 백과사전>에서도 읽을 수 있을 것이다.

"무슨 이야기라뇨? 야르코스에 관해서지요!" 오오르트가 곧 대답했다.

"그자가 누구요?" 크로스가 물었다. 사람들은 그가 모르는 체하는 것으로만 추측된다. 그가 그 동화의 밤에 대해, 우주적인 텔레비전 프로그램에 대해 듣지 못했다는 것이 확실한가...?

"헌법에서는 위원들 모두에게 메타 스텔라 사회의 사건과 과학의 사건들을 끊임없이 관찰하도록 규정해 놓고 있습니다." 오오르트가 위협적인 표정으로 언급했다. 그러고는 그 의장은 기꺼이 덧붙여 말했다. "아마 누군가 그 점을 잊어버렸으면, 그런 사람은 위원으로 계시기에는 부적절한 인물이지요." 그러나 그때 크로스가 말을 끊었다.

"오, 당신은 지금 그 광대를 이야기하는군요?"

아무도 <광대>라는 낱말의 뜻을 모르고 있었다. 크로스는 옛날 표현을 자주 사용한다. 알펜은 몇 단어들이 전혀 존재하지 않는데도, 크로스만, 그 낱말들을 고안해 쓰고 있다고 추측했다. 크로스에 대해선 모든 것도, 그 점까지도 의심할 수 있다.

그래, 그들은 그 낱말을 이해하지 못하지만, 그 경멸조의 말투임은 분명했다.

임마 여사가 곧장 말을 시작했다.

"동료 위원님, 저 야르코스는 많은 은하를 방문했고, 그는 동화작가로, 여행가로 알려져 있습니다."

"예. 정말 <동화 작가라>! 우리 위원회가 언제부터 그런 류의 작가들에 관심을 가져왔던가요? 얼마 전에는 아우루스-은하에서 온 무슨 <소리꾼>이라며, 그가 무슨 작품을 다양한 크리스탈 악기들에 의존하여 처음에는 음악이라 했다가 나중엔 심포니라고, 당차게 명명해 귀를 아프게 했던 적이 있었지요...! 만약 내가 제대로 기억하고 있다면, 우리 위원회가 그때 그 일을 의논하려고 모이지 않았나요? 그때 우리는 그 소리꾼의 프로그램 때문에 절망감을 느끼진 않았습니다. 그런데 지금은 왜 이 일이 여러분을 아프게 합니까? "

크로스는 잘 알고 있었다. 이 특별 회의를 생각해 낸 사람은 확실히 오오르트라는 것을. 이 두 사람은 적어도 백 년간 이미 서로를 잘 알고 있다. 더구나 크로스는 오오르트가 쓸데없는 군더더기 말을 처음 꺼내, 위원들을 피로하게 한다는 점을 알리고 싶었다.

그러자 오오르트가 받아들였다.

"좋습니다. 크로스. 이젠 이 일을 의논해 봅시다. 나는 야르코스라는 저 낯선 사람이 크로스가 언급한 그 소리를 만드는 작가와는 달리, 정말 저 작자는 자신의 프로그램에서 메타 스텔라에 중대 변화를 끼치지도 않고, 끼칠 수도 없습니다."

"심리적 위기감 이야기인가요?" 포티가 물었다.

"물론입니다. 바로 그 점 때문에 나는 걱정이 됩니다. 그가 지금까지 말한 것으로도 이미 소동을 불러일으킬 만한 성격이 되어버렸습니다."

"광대인데도..." 크로스는 단정적으로 되풀이 말했다. 잠시동안 불편한 침묵이 이어졌다. 이젠 임마 여사가 말을 꺼냈다.

"나는....나는 그 사람을 두려워하지 않아요. 다양한 동화작가들이 자주 우리를 찾아오지요. 내가 아주 어렸을 때, 나도 그 사람들에 관심이 많았어요. 나는 그런 동화작가의 손이라도 한 번 잡아 보려고 그 프로그램이 끝난 뒤, 대강당으로 맹렬히 뛰어 가보기도 했었지요..."

"나도 그런 적이 있었어요." 포티가 고개를 끄덕였다. "나는 바르데- 태양계에는 3개의 행성이, 즉, 버뮤드-1, 2, 3이 있고, 그들 가운데 삼각지대가 있고, 그 공간은 소문대로라고 하면 6차원으로 변해, 그 <버뮤드-삼각지대>에선 우주 비행선들이 사라진다고 이야기해 주던 그 동화작가를 아주 좋아하기까지 했습니다."

"멍청한 이야기요." 크로스는 외쳤다. "이 야르코스도 똑같은 허풍쟁이에요. 그도 동화를 말할 뿐이고, 우리 사회는 그런 동화를 믿지도, 받아들이지도 않습니다."

"크로스, 당신은 틀렸다구요." 오오르트는 이젠 거침없었다. 전에는 크로스가 계속 그의 경력을 훼방하였고, 그러자 이 위원회 의장은 예측했다. 크로스가 지금도 몰래 그와는 다른 견해로 제시하려고 한다. '하지만 메타 스텔라의 의장은 나야.., 그가 아니야!' 오오르트는 만족한 듯이 생각했다. 동시에 그도 화가 점점 커졌고, 지금에야 마침내 -외부인들은 이 사람들의 대화를 들을 수 없다. -그는 자신이 생각하는 것을 말할 수 있게 되었다. "저 야르코스는 정말 우주 여행자입니다. 그 점이 그와, 우주를 간혹 탐사하거나 전혀 탐사해 보지 않은 다른 동화작가들을 구분하는 가장 큰 차이점입니다. 그러나 야르코스는 기나긴 세월동안 우주에서 예외적으로 살아오고 있고, 더구나, 그는 가장자리에서, 인간거주지역의 경계를 넘나들고 있습니다..."

"그 점은 물론 아무것도 입증하지 못합니다." 급히 임마 여사가 말했다.

"그들이 무엇을 증명해 주어야 해요?" 크로스는 다시 아무 것도 모르는 듯이 말했다.

"그가 진실을 말한다는 것을요." 오오르트의 짧은 문장이 끝나자, 깜짝 놀란 듯한 침묵이 이어졌다.

이제 크로스조차도 화제가 무엇인지 모르는 것처럼 행동할 수도 없었다. 그러나 그는 쉽사리 해결책을 찾아냈다. "우리 법률엔 누군가 진실을 말하는 이유로 불이익을 당하진 않습니다."

오오르트는 침을 한번 삼키고 주위를 둘러보았다. 그러나 그는 알펜만 쳐다보았다. 다른 사람들은 단지 그 기기들이 비추는 수천 개의 광점이다.

"임시로 이 점, 즉, 야르코스가 테라에 대한 동화를 하고 있다는 점에 대해서요." 크로스는 포위망 안에 쓰러지지 않으려고 조심하면서 말을 시작했다.

"그게 범죄행위인가요?"

"아뇨. 범죄행위는 아니지요. 하지만 지금까지의 청중 반응이 이 주제가 아마 더 많은 사람에게 흥미를 가져다줄 것이라는 점이고, 그러면 그들에겐 그 일이 중요하게 여겨질 것이고..."

"그럼, 야르코스가 주제를 아주 잘 선정했군요." 크로스의 문장은 이젠 새로운 바늘이 되었다. 오오르트는 자신의 말을 아꼈다.

포티가 오오르트를 도와주러 나섰다.

"우리는 그 동화시청자들이 신경을 너무 날카롭게 한다는 점을 걱정합니다. 오늘조차도 많은 사람이 테라의 존재를 믿고 있습니다. 20대시간 전에 <은하 간의 고문단>이 그 행성은 존재하지 않음을 확인해 주었는데도, 테라 관련 이론은 단순한 억측에 불과하다고 이미 말했음에도 말입니다..."

"은하 간의 고문단은 별들의 <고르-중간자>들의 존재에 대해서도 똑같은 의견을 제시했습니다. 나중에는 그 일은 그럼에도 존재가 밝혀졌습니다. 일전에 그 고문단의 똑같은 고위급의 신사 숙녀들이 선언했습니다. 소위 보르사코프-상수(常數)는 과압력과 과밀도에서도 변하지 않습니다. -그런데 이제, 지난해에도 그들은 미노르-소성(小星)에서 일어난 물리적 진행 과정은 바로 그와 정반대 견해를 입증해 주었습니다..." 크로스는 차례로 논박 자료들을 쏟아 냈고, 즐거움을 숨기지 않았다. 그런 자료들로서도 그는 오오르트에 반대하며 행동할 수 있다. 의장은 네째 화면을 쳐다보았다. 시데루스는 의장의 시선을 이해하고 말을 시작했다.

"의장님께서 저를 과학전문가 자격으로 참석하라고 요청하셨습니다. 제가 다른 방향에서 이 문제를 조명할 수 있도록 허락해 주십시오. 과학자들은 테라가 존재하지 않는다는 주장을 강하게 하고 있습니다. 그들 중 몇 명은 더욱 용감하게 말하기도 합니다. 테라는 인간의 원시적, 마술적 믿음의 살아 있는 심리적 잔존물이며 사이비 현상이며, 또한 테라에 대해 말하는 사람들을 정신병자로 부르기도 합니다. 아무 책임감 없는 작자들은 테라를 동화의 소재로 자주 선택하기도 합니다. 그렇게 해야만 자기들이 대단한 청중을 끌어모을 수 있다고 아주 잘 알고 있기 때문이기도 합니다..."

크로스는 이젠 마지막 문장도 듣지 않고, TV카메라를 쳐다보고는 중간에 끼어들었다.

"그럼, 상황은 분명하군요, 안 그런가요? 테라는 존재하지 않습니다. 야르코스는 환상을 이야기한 것뿐이고, 청중은 그걸 감사하고 있고, 그러면 끝이군요. 우리 회의의 다음 의제는 무엇인가요?"

알펜은 고개를 돌려 버렸다. 알펜 자신은 알겠다는듯이 그 의장이 그의 미소에 주목하는 걸 원치 않았다. 저 크로스 자체가, 사람들이 한때 말했듯이, 악마다.

다시 크로스는 오오르트에 반박하는 일에 성공했다.

9. 96번 문에 선 손님

의장은 입술을 깨물었다. 이 행동은 그에게서 최대로 신경이 날카로워져 있음을 나타냈다.

"다른 토의안건은 없습니다. 야르코스 일이 전부입니다. 내가 보기엔 크로스께서는 이 일을 이해못하는 것처럼 가장해 말씀하시는군요. 우리는 두 가지 임무가 있습니다. 하나는 야르코스가 테라의 무엇을 알고 있는가 하는 점과, 다른 하나는 그가 아는 지식을 메타 스텔라 주민들이 알아서는 안 되도록 그의 일을 막는 일입니다."

"왜요?"

그 점을 물은 이는 크로스가 아니었다. -임마 여사의 동그란 두 눈은 화면을 가득 채웠다. 임마 여사가 묻기를 되풀이했다.

"왜 우리가 그의 일을 막아야 합니까? 우리 법률에 따르면, 모든 사람은 남녀를 불문하고 자신이 원하는 바를 믿을 수 있도록 허락하고 있습니다. 결국, 정반대 의견을 말하고자 하는 것은 아닙니다. … 더구나 나는 오오르트 의장과는 좀 더 다른 견해를 갖고 있어요. 처음에 당신은 테라가 존재하지 않는다고 말씀하셨어요. 그러나 지금은 야르코스가 테라에 대해 <얼마나> 아는지 알고 싶어하구요. 나는 다른 문제를 제기하고자 합니다. 그가 그 존재하지 않는 행성에 대해 얼마나 알 수 있는가 하는 점입니다."

오오르트는 이 이원회의 다른 사람도 그와 다른 의견을 말하고 있음을 알았고, 임마 여사도 개인적인 이유가 아니지만 반대의견이다. 즉, 임마 여사는 실로 진지하게 의심이 생기기 시작했다. 오오르트는 크로스의 아이러니한 입장보다는 그녀 의심을 더욱 두려워했다.

복도 끝에서 손님은 오른편으로 돌아, 황급히 96번 문을 찾아보았다. 시계를 한번 보았다. -벌써 많은 시간이 흘렀다. 그러나 지금은 더욱 세심한 주의가 필요한 시점이고, 지금 이 일은 이젠 중요해졌고, 아주 중요한 일이 되어 있다.

96번 문은 다른 문들과는 전혀 다르지도 않았다. 그 손님은 옆에 있는 하얀 버튼을 만지고는 갑자기 생각이 났다. '97번 문이 안 열린 것도 나쁘진 않았어. 확실히 97번 문은 사람들이 자주 사용하고 있는 문이구나. 그래서 작동이 되지 않는구나. 아마 과거의 어느 연구자가 이 복도로 마침내 오기까지는 길고 긴 메가 시간 단위가 지나갔구나. 중앙컴퓨터가 문이 작동되지 않는 것을 전혀 몰랐다는 사실은 아무도 오랫동안 중앙컴퓨터로 이 문의 폐쇄 사실을 보고한 적이 없음을 나타내는구나.' 동시에 그 손님은 다시 두려움에 휩싸였다. 만약 97번 문이 열리지 않았다면, 똑같이 96번 문도 열리지 않을 수도 있겠구나... 손님은 숨을 죽인 채 그 문의 죽음같이 까만 플라스틱 벽을 관찰해보았다. 다행히 그 문은 움직였고, 조금씩 벽으로 천천히 밀려갔다.

그 문이 열리자, 전등불이 자동으로 켜졌다. 내부는 전통 양식의 대강당이다. 그곳에는 독서용 탁자들이 몇 점, 안락의자가 몇 점, 마이크로필름 판독기. 아주 구식의 네발 달린 의자가 여럿 보였다.

손님은 모험적인 비디오 필름을 기억해 냈다. 만약 그 문이 닫히고는, 완벽하게 다시 열리지 않으면,.... 출구가 없어 빠져나가지 못한다면! 지금에서야 이곳에서 그 손님에게 폐소공포증이 엄습했고, 그는 황급히 의자 하나를 집어, 그것을 문틈에 놓아두었다. "그래, 난 이젠 나가는 일엔 문제가 없어." 어느 필름 열람 기기 중 한 곳에선 작동되지 않는 화면이 <그 여자> 손님 모습을 비추고 있었다. 허리까지 갈색인 긴 머리카락, 긴 다리를. 나중에 그녀는 자신의 시선을 돌려 대강당 내부를 관찰하기 시작했다.

야르코스는 오늘 하루 자신에게 제공된 방에서 휴식하고 있었다. 안락의자는 푹신하고 편안했다. 지금 그에게 생각 하나가 떠올랐다. '이런 안락의자에 앉아 본 적이 얼마나 많았던가?' 그는 연구소에서, 전실에서, 마그네틱 철도 안에서, 비행기 안에서도 앉아 본 적이 있다. 그리고 줄을 매단 채 여러 우주선 안에서도... 그는 주변을 둘러보았다. 출입문 위의 시계가 휴식시간이 끝날 때까지는 아직 몇 분이 더 남아 있는지를 보여 주고 있었다. 17. 16.

피곤함은 그의 몸이 아니라 그의 두뇌에 자리하고 있

다. 그 두뇌에 휴식을 주려고 그는 몇 가지 일상적인 정신 체조를 하고는 숨을 깊이 쉬었다. 복도에서는 주최 측에서 조용히 기다릴 것을 요청하는 말과 열광 팬들의 말이 뒤섞여 들려 왔다.

그는 -"팬"이라는 말이 얼마나 이상한 옛말인지 생각해 보고는 -웃음을 지었다. 그 열광 팬들에겐 야르코스의 개성은 중요치 않고, 그가 하는 이야기만 중요하다. 또 그가 무슨 이야기를 할지, 테라에 대해서도....

그는 자신의 두 눈을 감은 채 수증기를 머금은 하얀 구름을, 그 구름 위로 뜨겁고 - 무작정- 불타오르는 장면을 머릿속에 그려 보았다. 두 개의 산 사이의 좁은 계곡에 숲이 하나 있었다. 모든 것은 황금빛을 받아, 깎아지른 암벽엔 붉거나 -갈색이거나 -노랗거나- 오렌지색으로 색깔을 바꾸어 가는 -큰 광원이 비치고 있다....

외부 소란은 더욱 높아졌고, 어떤 남자와 여자가 신경질적으로 싸우고 있다. 야르코스는 그 싸움 속에서 자신의 이름과 <거장>이라는 낱말만 이해할 수 있었다. '저 열광 팬들이 아주 간단하게 나에게 높은 직책을 선사하는구나. 거장이라니 -무슨 일에? 또 누구의? 많은 사람이 이 <우주>에서 떠돌아다니고 있고, 동화작가들도 부족하지도 않은데. 하지만, 원시적 거장들처럼 그도 제자들을 적어도 한 명은 둘 수 있을 것이다. 그는 두 개의 전문분야에서 충분히 많은 비밀이 있으니, 그는 가르칠 뭔가가 있을 것이다. 그러나... 그가 그렇게 어렵게 알아낸 것을 낯선 사람에게 지금 줄 것인가? 아무도 그에게 가르쳐 주지 않았기에, 많은 경우에 그는 실수하기도 했다. 자주 그는 바로 그 경험 부족 때문에 위험에 빠졌지 않았던...?

아마 그에게 아들이 있다면, 아니면 딸이 있다면, 그 비밀은 자기 고유의 피로 전수한다면, 그런 전수는 아프지도 않고, 더 작아지지도 않을 것이요, 그러면 그 비밀은 더는 비밀이 아니다. 그리고 그는 자기 아들에게 뭔가를 선물로 줄 수 있을 것이다. 그런데 정말 야르코스는 아무것도 소유하지 않고 있고, 가진 것이라고는 비밀뿐이다...두 눈을 감고 나니 그는 자신의 머릿속에 누군가의 얼굴이 떠오르는 것 같았다. 그래, 그 점도 그는 앞으로는 생각해야 돼. 그는 아직 아들이 없지만 가질 수는 있을 것이다. 아무 장애가 없다.

숫자들은 무정하게도 서로 뒤쫓고 있다. 그는 이제 4분 정도 여유가 있다. 야르코스는 자리에서 일어나, 숨을 들이쉬고는 몇 가지 신체체조를 했다. 그는 자신이 말할 프로그램을 이어나갈 준비가 다 되었다. 무슨 소리가 확성기들에서 나오자, 그는 태연스럽게 웃으면서 요청이 오기를 기다리고 있었다.

"정말 우린 뭔가 의심이 갑니다." 오오르트가 말했다. "그와 관련된 의심을요. 정말 테라는 존재하는가, 아닌가? 하는 것 말입니다."

시데루스는 깜짝 놀랐다. 그는 그 점을 예상치 못하고 있었다. 이 순간 그 의장이 등 뒤에서 그를 공격하고 있는 것 같았다. 만약 그런 상황이라면, 왜 이곳으로 그를 불렀는가...? 그러나, 무슨 말을 하기도 전에 크로스가 비웃으며 비난했다.

"의장께서 의심한다. 의심을 한다니요...? 허-허!"

오오르트는 즉각 대응했다.

"정확히 말씀드리지요. 이 <우주>의 수십억 개의 행성 중에 인간이 생활하기에 적당한 행성이 하나 존재할 수 있고, 그걸 어느 능수 능란한 광대가 찾았는데, 그 행성을 '테라'라고 이름짓고, 그 행성의 존재에 대한 입증자료들을 들고 이곳에 왔습니다.... 그는 쉽게 청중에게, 그곳이, 지금 사람이 살지 않는 그 행성이 <바로 그 테라> 였다고 믿게 하려는 겁니다."

"그런 것은 언제나 일어날 수 있어요." 임마가 어깨를 으쓱했다.

"그것은 아무도 방해할 수 없지요." 포티도 동의를 표했다.

"그리고 만약 그가 진짜 테라를 발견했다 해도 그게 왜 나쁜가요?" 물론 이 말을 제기한 사람은 크로스였고, 그는 화면들을 차례대로 쳐다보았다. 그와 함께 대화하고 있는 사람들은 이 날카로운 시선이 두뇌까지도 침투하겠구나 하고 느꼈다.

오오르트가 황급히 대답했다.

"수천 년간 우리는 그 행성 존재를 부정해 왔습니다. 그리고 그렇게 하는 것도 이유가 없진 않습니다. 인류는, 공동의 기원을 자각하고 있음에도 불구하고, 몇 개의 은하 속에 수많은 태양계에 산재해 있습니다. 사람들은 서로 싸우지도 않았습니다. 그리고 미래에도 그런 것은 정말 벌어지지 않을 것입니다. 정말 어느 곳에도 무기나 다른 파괴 도구들을 생산하지 않고, 그런 목적으로 준비하는 사람들도 존재하지 않습니다. 생명 공간이나 에너지가 부족하지도 않습니다. -이 모든 것은 모든 사람에게 끝없이 개방된 <이 우주>에서 무한정으로 획득할 수 있습니다. 그러나 테라는 -그렇습니다. 정말, 테라 자체가 의식을 뒤엎는 사상을 가지고 있습니다. 사람들이 무리를 지어 우리 인류의 과거에 대해 흥미를 갖는 것은 불필요합니다. 우리가 그런 과거를 통해 알고 있는 것은 수많은 증오뿐입니다...."

그가 무대로 다가서자 모든 조명의 전등들이 켜졌다. 소란스러움이 극에 달했다.
"야르코스! 야르코스!"
"이야기를 더 해주세요!"
"그 뒤 어떻게 되었나요? 선생님은 그 행성을 찾으셨나요?"
청년들이 위에서 소리쳤다.
"테라! 테라! 테라!"
하얀색 머리의 아가씨는 무대의 가장자리로 걸어갔다. 장밋빛과 오팔 같은 초록의 빛다발이 그녀를 비추고 있고, 나중에 색깔을 조정하는 연출가는 번개처럼 재빨리 모든 다른 색깔을 없애고, 초록빛만 남겨 두었다. 그녀 얼굴은 지금 다른 세계의 얼굴 같았다. 그녀 자신도 그 점을 자각하고 있다. 왜냐하면, 그녀가 효과를 높이기 위해 낮은 목소리로 궁금한 듯이 말을 시작했기에.

"자, 우리는 다시 자리에 함께하게 되었습니다. 새 힘을 지니고서 말입니다. 그렇지요? 제가 여러분께 기쁜 마음으로 알리게 된 것은, -야르코스께서도 이제 원기를 회복하였다는 것입니다. 여러분 앞에 가장 위대한 동화작가께서 서 계십니다. 이제 계속하여 주실 것을 부탁드립니다. 야르코스...!"

"...어느 순간 나는 잠에서 깨어났습니다. 기계들이 나를 깨워 주었습니다. 내가 탄 배가 그 여행목적지에 가까이 왔기 때문이었습니다.

나는 <우주>의 그 지역에 대해 여러분께 무슨 말씀을 드릴 수 있을까요? 아니면 내가 여러분께 아무것도 발견하지 못했다고 할까요? 아니면 여러분이 절대 찾지 못했겠지 라고 그렇게 소곤소곤 말할까요...? 물론 나는 자색 성운들이나, 삼각형의 은하들이나, 내부가 빈 행성들이나, 메탄가스 속에서 유영하는 도시들이나, 우주에서 물방울처럼 쾌속 주행하는 그 얼어 있는 존재들에 대해 <동화>를 말씀드릴 수 있습니다... 온 행성을 뒤덮고 있는 하나뿐인 나무에 대한 동화를 말씀드릴까요? 위에서 보면 동물들이 자신들을 둥근 분화구들처럼 위장한 채 있는, 50킬로미터 지름의 다차원 동물에 대해 말씀드릴까요? 눈 덮인 곳을 자신의 불덩이로 영원히 움푹 파이게 하는 불과 같은 존재를 말씀드릴까요? 눈으로는 직접 볼 수 없는 문명들, 우주 공간에 날아다녀도 적외선 빛으로만 보이는 도시들을 동화로 말씀드릴까요? 나는 단도직입적으로 말씀드리고자 합니다. 나는 여러분께 테라가 어디에 존재하는지 말씀드리지 않겠습니다.

그 자동기기들이 나를 깨우자, 처음에는 무슨 일이 일어났는지 알 수 없었습니다. 여러분 중에도 이미 이런 감정을 알고 있는 분들이 있습니다. 동면에서 깨어난 뒤 처음 몇 분 동안은 사람이 아직은 몽롱한 상태입니다. 그 사람은 자신의 머리 위에 있는 신호기들에 눈길을 처음 보냅니다. -경보등이 켜져 있지나 않은지 하고 말입니다. 내가 그런 경보상태에서 깬 적이 몇 번 있었습니다. 제 말을 믿어 주십시오. 그것은 공포였고, 곧장 죽음에 대한 두려움으로 닥쳐옵니다.

그러나 그날은 그런 경보가 울리지 않았습니다. <그날이라?>...그것도 이 우주에서는 쓸모없는 낱말이 되겠습니다. 물론 우리는 시간을, 그 시간을 잴 필요가 있습니다만, 우리는 시간을 모르고서는 우주에서의 우리 움직임이나 속력을 계산해 볼 수 없습니다. 혼자뿐인 우주 여행자가 이 <우주 공간>의 어딘가에서 깨어났을 그때, 처음에 그 사람은 시간을 전혀 느끼지 못합니다. 그 사람은 <대우주>의 <중앙>에 있고, 주변이 암흑에 덮인 채로 모든 게 거의 움직임이 없는 것처럼요. 그런 침묵도 두렵습니다. 그 순간 모든 것이 다 일어날 가능성이 있음을 그는 믿게 됩니다. 그가 죽었을 수도 있고, 다른 차원으로 이미 변환된 의식은 더욱 가짜의 삶을 꿈꾸고 있을 수도 있습니다...

그러나 나중에 그 우주 여행자는 의무적으로 먹어야 하는 의약품을 복용하고 또 샤워를 한 번 하면 -이미 익숙해진 물건들이 손안으로 미끄러져 들어오고 이미 익숙해진 작은 세계가 그를 에워싸고 언젠가 몇 번, 이미 그의 것이던 그 주변 물건들이 그 사람을 둘러싸고 있고 -두뇌에서는 이제 갑자기 모든 것이 이전의 것을 회복합니다. 그 <시간>은 다시 그의 두뇌에서 자신이 있어야 할 자리를 다시 차지합니다.

그러나 나는 그런 것에 대해선 말씀드리고 싶지 않습니다. 샤워하고 난 뒤 나는 운전석으로 급히 갔습니다. 처음에 화면에 나타난 광경은 나에겐 별로 흥미 없고, 정말 내가 보고 있는 우주의 그 일부분은 그 우주의 다른 지역들과 전혀 다르지 않았기 때문입니다. 나는 충분히 큰 은하의 한 나선 구조를 보게 되었습니다. 나는 그 은하계에 얼마나 많은 나선 구조가 있는지 여러분께 말씀은 드리지 않겠습니다. 나의 배는 이미 그 나선 구조의 길이의 절반 이상을 통과하고 있었습니다. 어디선가 멀리서 두 개의 다른 은하가 반짝이고 있었습니다.

나는 그 태양계로 다가갔습니다. 나는 그 태양계를 쉽게 찾지 못했습니다. 정말 그 지역에서는 수많은 태양과 이중별들이 있었습니다. 나를 도와준 것은 맥박계였습니다. 그 맥박계들은 믿기지 않을 정도의 속력으로 자신의 축을 중심으로 돌아가고 있었습니다. -1초에 백 번이나 회전하는 그런 정도였습니다! 그런 현대적 <빛 탑들>이 나를 안내해 주었습니다. 우주에서 나는 그런 빛탑들과 옛 별 지도의 도움으로 방향을 잡을 수 있었습니다. 지금 나는 그것을 손에 쥔 채, 그곳 자료들의 위치정보를 내가 컴퓨터에 알려 주었습니다. -그런데 나는 길을 잘못 들게 되었습니다. 더 정확히는 -처음에는 그 찾던 태양계를 스쳐 지나갔고, 나는 그곳이 <바로 그것>이라는 것을 몰라보게 되었습니다. -나중에야 나는 우주선을 정지시켜, 되돌아 가보았습니다.

맥박계들은 계속 신호를 보내고 있고, 나는 생각에 생각을 거듭하게 되었습니다.

맥박계들은 지난 수천 년 동안 -그렇게 나의 별 지도도 오래된 것이었지만 -그런 우주 공간의 빛 탑들은 자신의 위치들을 그렇게 많이는 바꾸지 않았음을 알게 되었습니다....어느 컴퓨터의 도움을 받아, 그 일을 연구하고 난 뒤, 나는 이해했습니다. 지난 수천 년간 자연적으로 은하계 전체가, 그 나선 구조들이, 그 태양계들이 자연적으로 이동해 있었음을 파악하게 된 나는 그 차이들을 보정하고는 수백억 킬로미터의 거리에서 나는 다시 그 태양을 목표로 하게 되었습니다. 나는 다시 그 태양을 향해 날기 시작했습니다.

내가 가고 있는 그 길이 올바르다는 것을, 그것을 간접적으로 알려 준 것은 무슨 일이 계기가 되었습니다. 레이다 중 한 개가 그 태양계의 둘째 행성 옆에 Z-전파

신호를 가진 금속물질을 발견했다고 내게 알려주고 있었습니다. 그 레이다에서는 그러고는 즉시 나중에 다시 그 물체의 위치를 잃어버렸지만, 나는 이미 그 좌표를 목표로 정했습니다. 사람들은 그 인공 관측 위성들을 <Z-전파 신호들>이라고 이름을 지어 그렇게 부릅니다. 그 일에 의심하면서 나는 그렇게 오랫동안 조종해가면서 마침내 그 둘째 행성으로 날아갔습니다. 쉬운 과업이 아니었지만, 주변은 수많은 별로 가득 차 있고, 소행성들도 그곳에서 쾌속으로 날고 있었습니다.

나는 그들과 닥칠지도 모를 갑작스런 충돌을 걱정하기도 했습니다.

좀 뒤에야 나는 그 둘째 행성에 도달하여, 그 행성 주변을 선회하며 그 행성을 자세히 관측해 보기 시작했습니다.

(...정말 나는 그때 내가 느낀 점을 이 사람들에게 이야기해 줄 순 없어. 양손으로 나는 조향장치 안의 방향타 가장자리를 꽉 쥐고 있었지. 그 행성은 잘 보이는 구름에 둘러싸인 채 하얗고, 뭔가 나에겐 속삭이고 있었지. "바로 저기구나!" 나는 내가 틀린 줄을 몰랐고 알 수도 없었지. 기기들이 그 표면 상황을 나타내 보이기 이전에 모든 것은 마치 <살아 있는> 것처럼 보였어. 나의 심장은 크게 뛰고 있었지. 만약 <그들이> 생존해 있기라도 한다면, 그들이 이곳에 살아있기라도 한다면?...)

"...그 행성은 동쪽에서 서쪽으로, 적도와 궤도 사이에는 각도를 3도 차이로 유지한 채로 회전하고 있었습니다. 레이다 전파로 나는 진지하게 그 표면의 산맥의 높낮이를 탐색했습니다. 기온을 재는 자료 기기가 무슨 숫자를 알려 주었을 때, 나는 깜짝 놀랐습니다. 아래 그곳은 기온이 약 500°(도)였습니다.... 한때 저곳에 사람들이 살고 있었던가요? 가스 성분도 사람이 살 수 없는 환경이었습니다. 한때 인간이 탄소산화물을 마셨다는 것이 틀린 것인가요?

그래도 나는 착륙을 시도했습니다. 대기 상층부에는 거대한 폭풍우가 맹렬했지만, 행성 표면은 평온했습니다. 나는 넓은 평원들과 끝없는 분화구들 사이의 바위들 위에 서게 되고, 내가 입은 우주 유영복은 그곳의 열기를 차단해 주는 것을 이해했습니다. 또한 내가 틀렸구나 하고요. 가까이서 날아다녔던 그 Z-물체는 그 태양계의 이 둘째 행성과는 아무 공통점이 없었습니다. 그것은 그냥 우연히 우주에서 달리고 있었습니다. 그러나 바로 이 지역에서요?... 그 일은 나를 편안히 내버려두지 못했습니다. 그래서 결국 나는 다시 날아올라, 계속 탐험해 갔습니다. 다가온 다음 행성은 아름다운 푸른 색깔이었습니다. 간혹 나는 비슷한 것을 들은 적이 있습니다. 부론-태양계에 그런 행성이 발견되었다는 것을요. 푸른색은 방대한 가스층을 말하고 있습니다.

그래서 나는 그곳으로 날아갔습니다. 그러나 내가 있는 곳에서 수백만 킬로미터나 더 멀리서 뭔가 이상한 일이 일어났습니다. 내가 아직 시간이 좀 있다는 걸 알고서 나는 조종간을 자동으로 작동해 두고는 식사하러 그 자리에서 일어났습니다. 나는 서두르지 않았습니다. 나중에 다시 그 조종석으로 돌아가 보니, 내가 이번에는 그 셋째 행성도 이미 지나쳐 버린 것을 알아챘습니다. 처음에 나는 그 자동조종장치가 내 명령을 잘못 알아들었거나, 아니면, 내가 그것을 틀리게 프로그래밍했구나...그렇게 믿고 있었습니다... 그 자동기기는 이 배를 태양계에서 더 멀리로 아주 잘 안내해 주고 있었습니다. 그 중앙별에서부터 우리는 적어도 2억5천만 킬로미터만큼 떨어져 있었습니다. 나는 그 기계가 잘못되었는지 알아보았지만, 프로그램과 실제 운항상태는 정상이었습니다. 다시 나는 우주선을 회전시켜 자동조종기기에 똑같이 프로그램하고는 다시 그 화면 앞에 앉았습니다. 나는 무슨 일이 일어날지 -궁금해졌습니다.

이제, 나는 나의 육안도 믿고 싶지도 않았습니다. 나의 명령에도 불구하고 내 장치는 내 우주선을 다시 한번 그 행성을 지나쳐 버렸습니다. 무슨 알지 못하는 힘이 그 기기들에게 이 행성을 인식하지 못하도록 해놓은 것처럼 말입니다...

나는 지금까지와 전혀 다른 흥분을 맛보았습니다. "곧 나는 그것을 찾을 거야." 나는 큰 소리로 말해 왔고, 나는 외치기도 하고, 내가 타고 있는 우주선의 금속 벽들을 향해 내 말이 메아리치게 하였습니다.

"나는 <그것>을 찾았어!" 그리고 나는 그 기구들에 눈길을 고정한 채 고함을 지르기도 했습니다. 모든 것은 마치 <외부에서> 그 자동조종기기로 명령한 충격파들이 도달한 것처럼 그렇게 보였습니다. 내 우주선의 기기 몇 개는 나의 명령을 바꿔 버렸습니다... 더구나, 만약 내가 찾던 테라가 아니라 해도, -의심에 여지없이 나는 무슨 문명을 찾아낸 것이지 라고요. 외계인들일까...? 아마 그 외계인들은 고도의 기계문명의 수준에 도달해 있어, 내 우주선 방향도 그런 사건들에 연루되어 있음을 입증해 주고 있었습니다...

지도에서 보면 -가장 최신 별 지도에 따르지만! -그 행성뿐만 아니라, 그 은하의 전체 나선 구조 속에서도 사람이 거주하는 행성은 한 곳도 보이지 않았습니다. 마지막 탐사대가 1천6백 년 전에 이 지역을 여행하였고, 그 우주 여행자들이 그 태양계의 제6 행성, 제7 행성만 탐사했습니다. 그 지도들에 따르면 맨 먼저의 여러 <방문>도 이상하게도 이 행성은 피해 가버렸습니다. 아마 그 진기하게도 편향시키는 -이탈시키는 시스템이 그 당시 작동되었기 때문이었을까요...?"

10. 고고학자 루나라

　루나라 고고학 여교수는 자리에서 일어나, 창가로 다가갔다. 루나라는 이제 야르코스의 두 눈을 쳐다볼 수 없구나 하고 느꼈다. 그녀의 두 눈과 두뇌는 이젠 쉬고 싶다. 하지만 여교수는 텔레비전을 끄진 않았다. 이젠 가장 흥분되는 순간이 다가올 것이고, 여교수는 이 모든 것을 어쨌든 보고 싶기 때문이다. 이젠 무감각해져 있던 두 발도 조금씩 힘을 되찾았다.

　여교수는 창을 통해 빛을 보고 있다. 메타 스텔라의 하늘엔 천연색 빛들이 비치고 있었다. 밤 풍경은 이상하리만큼 평온하고, 비일상적일 정도로 움직임이 없다. 도로의 차들도, 항공기들도, 어떤 종류의 교통수단도 움직임이 보이지 않다. 1천 개의, 1만 개의 창문은 지평선까지 불이 켜진 채로 보였다.

　"다른 곳에선 다른 사람들이 지금, 이 창가에서 마찬가지로, 그 다른 사람들도 밖을 쳐다보고 있겠지. 그러나 우리는 서로를 볼 수도 없어. 우리는 서로를 볼 수는 없어."

　'야르코스는 동화를 말할 뿐이다. 아마 그가 그렇게 쉽게 은하들 사이에서 날게 되었다는 것은 거짓이야. 그래, 정말, 그가 원한다면, 기술적으로 그것은 가능하고, 날아 볼 수도 있다. 수십억의 사람은 이미 그 똑같은 일을 해 보았다. 그들은 별들 사이에서도 지금도 날아다니고 있다. 때로 그들은 진짜 모험을 하기도 한다. 그들은 뭔가 발견하기도 하고, 위험에 빠지기도 하고, 그 위험에서 빠져나온 소식을 전하기도 하고, 죽기도 한다. 그러나 만약 야르코스가 정말 테라에 갔다 왔다고 하면...'

여교수는 차가운 손을 뜨거운 이마에 갖다 대었다. 여교수는 지금처럼 그렇게 강하고 아픈 느낌을 느낀 적이 없었다. 그녀는 이곳을 벗어나야만 한다는 것을. 루나라의 그런 욕구는 저 바닷속에서 분출되는 화산처럼 뜨거웠다.

"메타 스텔라는 점차 나를 질식해 놓을 거야." 여교수는 큰 소리로 말했다. 이 집도 -이 벽들도, 가구들도, 3차원 그림들도 -침묵하고 있었다.

"이곳이 나를 질식시킬 거야." 루나라는 되풀이하며 말했다.

"...내 우주선의 각종 기기들이 갑자기 제멋대로 작동해 버렸을 때, 나는 <그 행성>으로부터 겨우 100만 킬로미터만큼만 떨어져 있었습니다. 모든 계측기가 이곳저곳으로 움직였고, 여러 가지 상황이 불가항력임을 보여 주고 있었습니다. 나는 알게 되었습니다. <모두>가 동시에 기능이 정지될 수는 없음을요. 이곳에는 뭔가 외부의 힘이 작용하고 있었습니다...

급히 나는 이 우주선의 조종 단계를 수동으로 전환해 버렸습니다. 내가 대부분의 기기작동을 정지시켰지만, 나는 다른 기기들도 믿을 수 없었습니다. 갑자기 레이다 화면도 바뀌었습니다. 그 푸른 행성은 처음에는 화면에서 흩어지더니 나중엔 작은 점이 되어버리더니, 끝내... 그 행성은 사라져 버렸습니다. 그 점을 연결해 주는 레이다 화면들조차도 빛의 신호가 없어져 버렸습니다. 조절 기기들이 혼돈상태에 빠지자, 나는 절망감을 느껴야 했습니다. 그러나 나는 고집이 있었습니다. 내 우주선 외벽에 장착되어 있던 간단한 TV-카메라들을 통해 나는 그 행성을 똑똑히 볼 수 있었고, 그 행성은 사라지지도 않았고, 계속 존재해 있었습니다. 자연스럽게. 그것은 내 앞에서, 중앙별의 빛에 따라 반짝거리며 회전하고 있었습니다.

나는 무슨 일이 일어났는지 이미 예상이 되었습니다. 누군가 이 행성과 관련된 정보들을 -이 행성 가까이 여행하는 우주선들의 각종 기기들을- 속이고자 하는 의도들이 있었습니다. 정말 지금까지는 <그들은> 쉬운 임무를 수행하고 있었습니다. 대부분의 우주선들은 자동기기들로 안내되고, 은하의 경계에서 쾌속으로 날고 있었으니, 당시의 우주선 요원들은 대다수가 동면상태에 빠진 채 날아가고 있었습니다. 아니면 갑판에서 단 한 사람의 근무자가 <생생하게 뜬 눈으로> 근무하고 있었지만, 내 개인의 경험에 따르면, 그렇게 외로이 근무하다 보면, 사람은 많은 것을 발견하지 못할 수도 있다는 것입니다. 기계들은 특별한 경우가 생겼을 때만 사람에게 경고를 보냅니다. 그리고 만약 외부의, 교묘하게 마련된 일련의 충격파로 전체 기기들을 잘못 작동하도록 만들어 버리면 이상 징후들을 포착하지도 못하게 됩니다. 왜냐하면, 가장 진보된 기계들이라도 그런 사건으로부터 자신들이 지성적인 활동을 만났다는 것을 이해하지 못하기 때문이지요. 우주에서 여러 기기에 도달한 충격파들은 다른 기기들 전부 또는 부분적으로 속이게 됩니다. 그 거짓 지시자료들은, 아마도 언제나 자연의 오차 범위 안에 있는 경우엔, 우주선 내 자동 조향장치의 방향타는 경보음을 울리지 않습니다. 그런 정도로는 기간 요원들을 깨우지 못하고, 반응하지도 못합니다.

그러나 이 경우에 <그들은> 어려운 임무도 수행하고 있었습니다. 내 배의 <기간요원들>은 동면상태에 있지도 않고, 바로 내가 그 지역에서 무슨 확실한 물체를 찾고 있던 중이었습니다....

시간이 흐르고, 노력도 보태졌습니다. 그 행성과 나는 이미 보는 것만으로도 만남이 이루어졌습니다. 그 밖의 다른 기기들에선 그 행성은 간단히... 존재하지 않고 있었습니다! 믿을 만한 기기들이 부족하였지만 나는 어렵사리 내 우주선의 방향을 잡을 수 있었습니다. 거리를 재는 레이다 전파들이 날아가, 그 행성에 부딪혀 되돌아 왔습니다. -그러나 그렇게 하는 몇 초간에도 전기-마그네틱 파장에도 확실히 뭔가가 일어났습니다. 그 전파의 90%를 간단히 그 뭔가가 삼켜 버렸고, 아마 그 행성을 그런 목적으로 건설된 덮개가 에워싸 있는 것 같았습니다. 그 <단단한 덮개들은> 특히 마그네틱 구(球) 공간들은 전기-마그네틱 전파들을 강력히 반발시켜 되받아 버립니다만... 여기의 것은 정반대로 활동하여 그것들을 집어삼켜 버렸습니다. 그래서 그 덮개는 <푹신>했습니다. 그 레이다에 연결된 컴퓨터는 처음에는 <작은 우주물체들이 흩어지고 있음>이라는 말을 화면에 설명해 두고는, 4초 지난 뒤에는 그 컴퓨터는 그 정의를 바꾸어 나에게 이렇게 다른 설명을 하는 것이었습니다. <배 앞이 비어있는 공간입니다.>라고요. 하지만 나는 <넌 거짓말을 하고 있어>하고 중얼거리고는 그런 경우를 위해 바로 우주선 안에 비치된 다른 레이저 측정기를 작동시키는 버튼을 눌렀습니다. 그때부터 나는 기능이 정지된 레이다들을 보아야만 했습니다.

레이저도 이상하게 작동했습니다. 해를 주지 않는 폭이 좁은 전파가 그 행성을 향해 쾌속 질주하더니, 진짜 거리를 재는 대신에, 5초 동안 그 레이저 광선은 3개의 다른 거리를 표시하고 있었습니다. 90만, 5만, 그리고... 영(0)킬로미터. 나의 두뇌는 전광석화처럼 빨리 이 상황을 분석해 보았습니다. 그 우주의 보이지 않는 방어체계에, 레이저 광선이 기대하진 않았지만, 도달했습니다. 그 집중된, 폭이 좁은 전파는 그 시스템을 아주 쉽게 2번이나 통과하게 되었습니다. 최초로 그곳으로 갔다가, 이곳으로 되돌아온 셈입니다. 나중에 그 기계 두뇌는 그 사건에 대해 알게 되었고, 1과 1/2초 뒤에 -좀 늦어진 -그와 똑같은 방어체계의 둘째 전기-마그네틱으로 된 <큰 벽>을 작동시켰습니다. 이것도 그 전파들을 집어삼켜 그렇게 거짓 거리측정 정보를 내놓게 했습니다.

그러나, 처음의 거리는 정확했습니다. 그래서 그 순간의 내 우주선은 그 행성으로부터 90만 킬로미터 떨어진 채 있었습니다. 그럼, 어디에 그 방어체계의 벽이 있을 수 있겠습니까?

황급히 나는 바로 카펠라-은하를 내가 방문했을 때 입었던 전파방지 특수 유영복을 입었습니다. 그 헬멧과 유영복은 내 몸 주변에서 고유의 전자-마그네틱 방어공간을 유도해줍니다. 나는 그 옷이 나를 지켜줄 것으로 희망했습니다. 하지만 나는 조금 두려웠습니다. -만약 그 낯선 전파가 이 옷에 침투하기라도 한다면 -나는 장애자가 될 수도 있고, 어떤 경우에는, 생명을 잃을 수도 있습니다.

나는 <그들이> 믿을 수 있도록 내 우주선을 자동 동작 상태로 다시 바꾸어 놓고, 그렇게 해서 그 행성을 속일 수 있게 되고, 그렇게 하여 나는 그 행성을 스쳐 지나가는 것처럼 되었습니다. 그렇게 해서 연이어 10분이 지났습니다. 나는 내 안에서 지금까지 위험한 상황과는 다른 이상한 긴장을 느끼게 되었습니다. 나는 냉정한 기분을 되찾고, 급히 나는 지금까지 헤쳐 나온 위험한 순간들을 기억해 내었습니다. 언젠가 온드라드-태양이 내 우주선을 끌어당긴 경우도 있었습니다. 그때 나는 내 이마 위로 식은땀이 나는 걸 느꼈습니다.... 프라에스-달들 사이에서 나는 갑자기 출몰한 거대한 별똥별과 충돌했습니다. 그때 내 우주선은 4분의 3이 파괴되고, 핵 모터는 망가져 버렸습니다. 그때 나는 그 지역에 오염된 핵 쓰레기를 남기게 되었습니다. 그때부터 붉은 글자로 된 경고들은 사람들에게 프라에스-달들 쪽으로 비행하지 못하게 했고, 그 때문에 1천 년 동안 그 지역은 접근 금지된 채 있을 겁니다. 어찌할 수 없었던 나는 SOS 전파신호를 보냈고, 어느 다른 우주선 구조대가 마침내 나를 발견하기까지 16년간 기다려야 했습니다. 그때 나는 죽음에 가장 가까이 다가가 있었습니다...

그러나 지금도 나는 그 행성에서 너무 멀리 떨어져 있었습니다. 그 기기들은 이젠 작동되지 않았습니다. 나는 그 행성에 더 가까이 다가가면 내 우주선의 가장 기본적인 메카니즘마저 작동하지 않을까 두렵기도 했습니다. "저 사람들이" 여전히 내게 무엇을 할지 누가 정말 알겠어요?...

내가 결정하는데 몇 분이 아직 남아 있었습니다. 아니면 내가 그 신비로운 행성들과 그곳의 방어체계를 둔 채 지나가야 하고, 결코 돌아오지 않거나 -아니면 내가 위험을 감수해야 하는가 하는 점입니다. 만약 내가 그냥 스쳐 지나가기를 결정한다면 -나는 지금까지 전혀 무의미하게 여행했고, 무의미하게 나는 시간과 에너지를 허비해 버렸습니다. 나는 계속 테라를 탐사할 수 있을 겁니다... -그러나 정말, 나는 언제나 바로 이 행성이 바로 '테라'구나 라고 더욱 확신하게 되었습니다...

그러나, 내가 위험을 감수한다면, 나는 죽을 수도 있습니다. 갑자기 나는 생각에 잠겼습니다. 나는 혼자구

나. 혼자라는 것은 아주 좋은 일입니다. 유용했습니다. 우주에 살고 있는 수천억 명의 사람들 사이에서 한 사람조차도 내가 고려해야만 되고, 나에게 어떤 형태로든지 연결된 사람이 아무도 없었다는 점이 바로 그때, 그곳에서는 유용했습니다.

하지만 그 결정은 쉽진 않았습니다. 그리고 나는 이젠 아주 적은 시간이 남아 있구나. 이젠 이런 생각조차 해볼 겨를이 거의 없었습니다. 나는 내 앞에서 푸른 행성과 작동되지 않는 기기들을 보았고, -나에겐 고집이 생겨났습니다. <저런> 작자들이 나를 방해할까요? <그들은> <나를> 속이고 방해하려고 하다니? 그 일로 나는 우주를 탐사해 왔고, 그 일로 인해 나는 이 행성을 찾아 나섰는데, 그 일로 나는 그만큼 고통받게 되었으니 말입니다.

나는 그 행성과 평행하게 쾌속으로 날아갔고, 정말 그 방어체계와 옆으로 평행하게 충분히 빠른 속도로, 거의 초속 26~30킬로미터로 말입니다. 긴장한 나는 손에 그 조종 기기들을 잡았습니다. 아니, 내가 실수하면 안 되기 때문입니다. 나의 계획은 간단했습니다. -나는 그렇게 희망했고 -그렇게 간단히, <그들도> 나의 의도를 알아차리지 못하게 하는 것입니다. 그들은 전적으로 생각하고 있을까요? 만약 그 방어체계 뒤에 뭔가 생물이 있다면, 아마 그 시스템은 자동으로 작동되었지만, 그 생물들은 -인간들은 -이미 오래전에 사멸했거나, 이주해 버릴 수 있었을까요?

나는 육안으로만, 본능만 믿을 수 있게 되었습니다. 나는 아마 가장 적당한 순간이 오기를 기다렸습니다. 그 행성은 이미 가까이 있고, 나의 배는 보이지 않는 방어체계를 거의 건드리게 되었습니다. 그 체계는 정말 그곳 어딘가에 있었습니다. 만약 누군가가 내 우주선의 움직임을 포착하고 있다면, 15소시간단위 뒤면 나는 측정될 수 없는 먼 곳에서 어딘가에서 사라져 버릴 것입니다....

황급히 나는 조종기기를 옆으로 돌렸습니다. 그러자 방향 로케트들이 곧장 빛을 발하자, 내 우주선은 방향이 바뀌었습니다. 거대한 힘을 얻은 이 우주선은 그 행성을 향해 나아가게 되었습니다. -그렇게 내가 원하는 대로 말입니다. 짧은 활모양으로 내 우주선은 선회하더니, 나의 몸에 느껴지는 대응하는 여러 힘은 위험했습니다...

나는 잘 계산하고 있었습니다. 곧 나는 그 방어체계 속에 있게 될 것이라고 말입니다. 마그네틱 계측기는 아무 트릭이 없고, 정말 실제 상황만 보여주고 있습니다. 지금까지의 1.5로 있던 계측기기가 45로 곧장 커졌습니다. 그것은 아주 큰 폭의 증가였고, 그만큼의 자성 증가는 자연적 원천으로는 전혀 나올 수 없었습니다. 나의 우주복은 여전히 그런 자성도 막고 있었지만, 거의... 나는 뜨거움을 느꼈고, 입을 꽉 다문 채 나는 그 행성을 향해 조종기기를 당겼습니다. 그리고 새 로케트들이 불을 뿜었고, 그 우주선은 거의 신음소리를 냈습니다. 나중에....

 나중에 내 우주선은 뭔가로부터 거의 자유로운 것 같았고, 갑자기 그렇게 지니고 있던 힘이 중단되어 버렸습니다. 나는 그 행성을 향해 곧장 바로 날 수 있었습니다. 이제 나는 그 행성에 다가서게 되었습니다.

 먼저 로켓들의 작동을 중단시키고, 나는 그 로켓들이 이젠 필요하지 않았습니다. 그러나 모터도 멈추어 섰습니다. 그때 나는 그 상황은 정말 위험하구나 하고 알게 되었습니다. 알지 못하는 힘이 열을 생산해 내는 기기들을 못 쓰게 만들고, 적외선 센서들이 그런 전파들을 향해 날아갔습니다. 나는 느꼈습니다. 내 목에 차가운 항아리에서 물이 쏟아지는 것 같이 말입니다.- 나는 이젠 영원히 그 모터를 작동시킬 수 없다면, 무슨 일이 일어나겠습니까?

 배는 이젠 대기권 내에 있었습니다. 가스층이 비행을 조금 방해했고, TV-카메라 앞에는 크고 하얀 구름이 여럿 나타났습니다. 나는 표면을 향해 수직으로 날아갔습니다. 모터들은 이젠 작동되지도 않지만, 나의 배는 충분한 속도를 여전히 유지하고 있었습니다. 나는 알게 되었습니다. <그들이> 나를 대항하는데 가장 적은 시간이 필요하도록 어떤 식으로든지 나는 그 행성의 표면에 다가가야만 한다는 것을 알고 있었습니다. 그리고 만약 가까이 가게 되면, 나는 투항할 수도 있을 겁니다. 만약 내 우주선이 먼저 폭발해 버리지 않는다고 한다면요.

 정말 나는 <그들을> 놀라게 했습니다. 그러나, 그 놀라움은 오래 가진 않았습니다. 레이저 전파가 갑자기 나타났습니다. 나는 그 전파가 우주에서 나온 것인지 아니면 그 행성에 나온 것인지 확인은 못 했습니다. 그리고 그때 그것에 나는 전혀 관심이 가 있지는 않았습니다. 나는 그 전파로부터 피난할 수도 없는 채로 나의 우주선은 한 방향으로만 -내 우주선의 맨 앞 주둥이 부분을 아래로, 표면으로 향한 채 쾌속으로 항진했습니다. 레이저 전파들은 내 우주선 철갑도 뚫고 들어 왔습니다. 그들은 아주 강력한 전파를 보내 왔습니다. 공기가 곧장 우주선에서 빠져나갔고, 다행히 나는 벌써 오래전부터 유영복을 입고 있었지요. 그런데 그 나쁜 작자들은 조용히 나를 죽여버릴 것인가? 아마 바로 그 때문에 그것<만>이 그들의 의도였을까요?

 나는 내 우주선의 측정기기들이 다시 작동되었을 때, 표면에서 400킬로미터 상공에 있고, 그 붉은 숫자는 내 눈앞에 거리측정 레이다 화면에 나타났습니다. 그것은 나중에 380, 360으로 바뀌게 되었습니다. 아마 그 모터들이 다시 작동될 수 있었지만, 그런 걸 시도해 볼 시간도 없었습니다. 나의 손은 두뇌보다 더 빨리 활동할 수 있었습니다. 나는 마지막 방향타 로켓들을 작동시켰습니다. 곧장 그 로켓들이 화염을 내뿜었습니다. 내 배는 좀 다른 방향으로 날아갔지만, 지금도 그것은 그 행성의 표면으로 다가가고 있었습니다.

 나는 그들도 뭔가 두려워하고 있구나 하고 알게 되었습니다. 이젠 만약 내 배가 어느 정도 행성에 다다르면,

자동으로 작동되는 바이오 신호기기들이 작동됩니다. 이 모든 걸 이해했습니다. 그 신호기들은 어딘가 가까운 곳에 수천 개의 생물학적 생물들이 있음을 알려 주었습니다. '그래, 이 행성에는 뭔가 살고 있는 곳이로구나!'"

11. 우주선이 착륙한 곳은

 메타 스텔라에서는 대중의 삶은 멈추어 선 것 같았다. 카파-구역의 중앙병원에서는 적은 수효의 외과의사가 환자들을 수술하고 있었다. 수술실 옆의 모든 방마다 TV-화면엔 야르코스의 얼굴이 빛나고 있다. 환자들조차도 이 동화프로그램을 시청하고 있었다.

 도로에도 차량 이동은 거의 없었다. 자동우체국들은 광케이블로 도착한 전보들을 접수하고 있다. 우체국 자체가 수신인들의 비디오 폰-주소를 찾아내, 그 내용을 통지해 주고 있다.

 침착함과 침묵은 항공택시의 승강장에도 지배하고 있었다. 대부분의 택시는 사용되지 않은 채 서 있었다. 교통 통제관들은 야르코스가 자신의 프로그램이 끝나면 지금 무슨 일이 벌어질지 이미 걱정이 태산이었다....수만 명의 사람이 택시를 부르러 전화를 할 것이다. 늦은 저녁 시간임에도 불구하고 대중은 정말 마그네틱 기차로 떠날 것이다. 중앙통제관은 그 대형 돔형건물 주변에 있는 정류소로 500대의 택시를 날려 보냈다.

 떠돌이들은 -왜냐하면, 메타 스텔라에도 <정상적인> 국민들과 함께 살아가지 못하는 적은 수효의 사람이 있다. -이미 낡아 사람들이 거주하지 않는 집들과 황폐해 철거 판정을 받은 건물들 안에 몰래 잠입해, 쓰레기통에서 주운 TV-수상기들을 이용해, 전기도 몰래 끌어와, 이 프로그램을 시청하고 있다... 야르코스 프로그램을.

그들 대부분은 젊은이들이고, 그들은 그 떠돌이 생활이 몇 년간만 계속될 것이라는 걸 스스로 느끼고 있다. 나중에 <정상적인 사람들>의 관청과 연구기관들 옆에서 강요되지 않은 가난, 불편, 영원한 불쾌감이 그들을 지루하게 만들면, 또 그들이 가족을 가지고 싶은 열망이 생기면, 그들은 뭔가에 도달해야 함을 이해하고는, 지금까지 경멸해 온 <정상인>들의 무리로 들어가야만 할 것이다.

고요함은 그 행성의 모든 에너지 센터에도 있었다. 5분 간격으로 전력 소비를 측정하는 컴퓨터들은 한 시간 이상 같은 수준으로 계속 사용되고 있음을 보여주고 있었다. 에너지 시스템의 검수관들은 에너지 시스템에 지금 예비 에너지를 준비하려고 애쓰고 있다. 대형 우주태양의 집열기기로부터 도달되는 전력 일부를 산속 깊은 곳에 작동하는 펌프로 보낸다. 거대한 인공호수들에서는 물을 수백 미터 더 높은 곳에 위치한 거대한 바위로 둘러싸인 수조로 끌어 올리고 있다. 그들은 갑자기 더 많은 에너지가 필요하면, 수많은 입방킬로미터의 물을 터빈으로 흘러보내기만 하면 된다.

끝없는 저수조들의 행렬 위로 지하의 수력학 실험실들에서 하얗고 노란 전등들이 빛나고 있다. 식물들이 모여 사는 곳들은 푸르게 반짝이고 있다. 여기서는 매 시간 단위로 사람이 없는 무인 채소밭에서 수 톤의 채소가 수확되고 있다. 어느 펌프의 낮은 소음이 그곳의 고요함을 간혹 깨뜨렸다. 자동기기들이 물과 공기의 성

분과 온도를 유지하고 있다. 그 기기들은 어디선가 멀리 있고, 작은 경보음이 울릴 때만 그 기기들은 자기 구역의 TV-카메라나 계기판들을 켠다. 저녁마다 그 기기들은 다음날 얼마나 많은 재료가 이 배양공장으로 들어와야 하는지를 알고 있었다.

메타 스텔라 행성군에서 여러 시간에 걸쳐 야르코스 프로그램을 거의 75억 인구가 시청하거나 청취하고 있었다.

"...그들은 아마 내 우주선이 그 행성의 표면으로 추락할까 걱정이 된 것이었습니다. 그들은 그런 핵 재앙이 얼마나 잔혹한 것인지 잘 알고 있었습니다. 1분 안에 상황이 바뀌었습니다. 내가 그들에게 갑작스레 과감한 공격하는 듯한 페인트 모션을 취하자, 이 일은 그들 자신에게도 중요한 순간이 되었습니다.

급히 나는 핵 모터 주위를 철갑 덮개로 덮었습니다. 지금부터는 모든 작동이 가능해졌습니다. 그래도 만일 이 우주선이 추락이라도 하게 된다 해도, 이 경우에는 핵물질은 파손되지 않을 것입니다. 이 다중 방호 덮개는 이미 그 모터의 핵이 활동하는 부분을 제어하고 있었습니다. 그리고 그 재앙은 이젠 일어나지 않고, 적어도 <그들에겐> 피해가 되지 않습니다. 그러나 지금은 그들이 이런 사정을 모릅니다.

대단한 힘에 내 몸은 내 의자 앞쪽으로 쏠리게 되었습니다. 나는 어떤 식으로든지 이 우주선을 돌려놓아야만 했습니다! 우주선은 여전히 그 표면을 향해 다가서고 있었습니다. 아마... 아마도 이 우주선은 그 표면 상공에서 날고 있었을 겁니다. 이젠 나는 구름 속에서 나오게 되어, 저 아래서 이상한 건축물들을 보게 되고, 어디를 둘러보아도 에너지 생산 탑들은 보이지 않고, 어디에도 고층건물은 없었습니다. -정반대로, 이상한 다각형들이, 그들 가운데 푸른 점들이 있고, 어느 긴 줄이, 아마 도로 같은 것이... 다행히도 이곳엔 높은 건물들이 없지만, 만약 나의 회전조종이 실패라도 한다면, 내 생명이 날아가 버릴 수도 있습니다...

절망적으로 나는 조종기기를 당기고, 주변의 모든 로케트를 가동시켰습니다. 또 공기 저항도 커지고, 내 우주선은 무슨 가스층에서 운항하도록 만들어진 것이 아니기에, 내 자신을 구하지 않으면 안 되고, 나는 손가락으로 탈출 발사 버튼을 누르면 됩니다. 나는 작은 힘이면 충분하고, 그러면 우주선에서 빠져나오게 될 것이고, 그 우주선은 추락하게 됩니다. 그렇게 적어도 나만....

아닙니다. 나는 그걸 허락할 수 없습니다.

아직은 아닙니다. 하지만 나는 우주선도 구할 수 있을 겁니다. 아마 우주선은 이제 그 표면과 평행해 날고 있는 것 같습니다. 안 그런가요? 그런데 녹색층은 언제나 더욱 가까이 다가오고, 나는 급속도로 날고 있고, 적어도 음속의 3배 속도로 여전히 날고 있습니다...

그런데 갑자기 모든 것이 푸르게 됩니다...그게 무슨 이야기냐고요?

그것은 태양으로 인해 빛나게 되어 있습니다. -바다였습니다. 나는 바다 경계를 보진 못했습니다. 여전히 몇 초가 지나면, 나는 그 표면에 닿을 것입니다. 나는 이제 파도는 볼 수 있지만, 이 모든 일은 순식간에 일어납니다. 나는 송출기를 통해 몇 마디의 말을 명령해 보았습니다. '모든 파도 쪽으로 기계 음성을 보내라'고. 그러자 250기가 헤르쯔의 마이크로전파에서 송출이 뒤따르지요. 나는 그 순간에도 그 송출기가 제대로 작동하고 있음을 볼 수 있었습니다. 만약 <그들이> 레이다와 레이저를 보유하고 있다면, 그들도 그 전파를 알게 될 것입니다. 나는 그들과 의사소통이 되어야만 합니다.

이제 속도가 조금 늦추어졌습니다. 나는 속도를 더 높일 수도 없고, 더 높이고 싶지도 않았습니다. 나는 이 행성을 떠나고 싶지도 않았습니다. 정말 그런 이유도, 즉, 내가 지금 상공으로 내빼려고 이곳을 오진 않았습니다. 나는 착륙해야 합니다. 그러나 그것도 이 우주선으로선 불가능했습니다. 정말 <그들은> 그 우주선을 완전히 망가뜨려 놓았습니다.

다시 그 속도가 늦추어졌습니다. 약 1,000킬로미터의 고도에서 아직도 1-2분 정도 지났습니다.. -그리고 나는 바다로 추락한 것입니다.

그리고 그때... 다시 붉은 레이저 광선이 내 우주선 주위에 번쩍했습니다. <그들은> 끈질기게도 나를 괴롭히고 있었습니다. 우주복의 공기조절 센서를 통해 나는 내 우주선의 모든 금속 벽면이 어떻게 불타고 있는지

알게 되었습니다. 그 광선 중 하나가 내 의자를 거의 명중시킬 수 있을 정도였습니다. 그리고 나에게도.-

나는 <그들에게> 그런 방식으로는 말하고 싶지 않았고, 나는 <그들에게> 그런 방식으로 말고 다른 것을 말하고 싶었지만, 그들이 또 나를 공격해 왔기에...

"쏘지 마시오, 테라..."

나는 어떻게 해서 내가 '테라'라는 말을 입 밖으로 내었는지 모르겠습니다. 그리고 만약 그곳이 '테라'가 아니라면?

이젠 이 우주선의 속도도 적절하지 않았습니다. 나는 항공택시처럼 날았고, 15초 뒤 나는 의심에 여지없이, 바로 바다에 정말 추락하는구나. 가장 새 레이다 전파들이 나의 측면 로케트들의 기능을 멈추게 하였고, 내 눈앞에는 하나둘씩 경보등이 켜졌습니다.

내가 직접 두 눈으로 바다 파도를 구분할 수 있게 되었을 때, 나는 이제 모든 걸 포기하고 말았습니다. 레이저 전파들은 그때 주변에 보이진 않았지만, 내 우주선의 생명은 끝나고 말았습니다. 그렇게 해서 나의 여행도 끝나게 되었습니다.

내가 탈출발사대의 버튼을 눌렀고, 폭발음도 들을 수 있었습니다. 거대한 힘이 나를 위로 날려 보내었습니다. 그 세계는 어두웠고, 내 눈앞에는 붉고 검은 점들이 뛰어 다니고 내 목덜미와 관자놀이에 압박감을 느꼈습니

다. 나는 가스에 밀려 날고, 나는 훈련을 통해 그 발사
대 의자가 지금 위로 날고, 독립 비행체로서 지금 상공
을 날고 있고 나중에- 그 의자가 가장 높은 점에 도달
하면, 작은 폭발음이 들리면서 그 의자에서 내가 분리
되어 낙하산이 펴지게 되는 걸 훈련을 통해 익히 알고
있습니다. 그동안 내 우주선은 이미 멀리 날아가, 바다
에 빠져 폭발해 버렸겠지요?

나는 이젠 머리에 압박감도 느끼지 못했습니다. -나는
의식을 잃어버렸습니다.

"그래, 저 정도도 너무 많다구!" 오오르트는 다시 의자
에서 벌떡 일어났다. 알펜은 의장이 이젠 잠시도 앉아
있을 수 없음에 주목했다.

"다시 위원회 위원님들께 전화할까요?" 알펜은 잠시
향수에 잠긴 채, 자신의 연속된 상황과 더 큰 야심과
가능성에 대해선 한순간 잊고 있었다. 그는 어떤 식으
로든지 자기 상관의 화를 돋우고 싶은, 감당키 어려운
욕구가 있음을 느꼈다. 동시에 그의 머릿속에는 아직도
야르코스가 그려놓은 그림을 자신이 바라보는 것처럼
느껴졌다.

우주선이 난생처음 만난 행성의 대기권으로 추락하고,
나중에 그 행성 표면과 충돌하는 그림.

"당분간은 놔두지." 오오르트는 고개를 내저었다. 그럼
위원회는...? 물론 그에겐 이 위원회가 필요하겠지만,
나중이다. '지금은 저 동화작가가 무슨 이야기를 할지

두고 보세. 야르코스는 수완이 대단한 작가구나. 청취자
들은 잠시도 자신들이 동화를 듣고 있는 걸로 믿지 않
고 있어. 그는 마치 진실을 알리듯이 말하고, 보통 사람
이 사람에게 대화하듯이 이야기하고, 지어낸 이야기라
고는 아무도 예상치 않고 있으니.'
"위원들에게 전화하진 말고, 위원회 법률고문을 불러
주게."
 알펜은 코드 기기로 시선을 돌린 뒤 32번 버턴을 누르
고는 기다리고 있다. 자동기기들이 움직이기 시작했다.
몇 초 뒤에 화면에는 어느 여자 노인 얼굴이 비쳤다.
알펜은 오오르트를 향해 몸을 돌려 말했다.

12. TZ-0111328번 서류

"법무 전문가 에이나레스 여사이십니다."

 에이나레스 여사는 추하고 혐오스런 모습이다. 오오르트는 지금까지 그 여사를 개인적으로 한번도 만난 적이 없다. 왜냐하면, 그 여사는 -메타 스텔라의 법률 제정자 중 한 사람이기도 하다. 감마-주거용 달에 거주하고 있으면서, 소문에 에이나레스 여사는 반(反) 대기 현상의 돔형건물을 독자적으로 소유하고 있다고 한다. 그런데 그 건물 아래 -자신이 반평생 저축한 돈으로- 특별한 공터와 진짜 식물과 저수지를 갖춘 작은 공원을 자신의 빌라 옆에 건설해 놓았다. 그 여사는 대학교수직을 퇴직한 이후로 메타 스텔라의 중심지 여행은 뜸했기 때문이다.

 그 여사는 아마 150살 정도는 되어 보였다. 그 여사의 피부는 주름져 있고, 머리카락들은 듬성듬성하고, 두 눈은 서로 아주 멀리 있다. 알펜은 생각했다. '누군가 저 모습으로 이 세상을 돌아다닌다고 한다면 얼마나 끔찍한 일인가? 정말 그 여사는 자신의 몸에 플라스틱 수술을 했고, 그런 수술이라면 100살을 넘긴 사람들에겐 의례적으로 하는 일이다.... 만약 어느 날 밤에 내가 악몽을 꾸면, 그때 저 여사 얼굴이 나타나겠구나...'

 오오르트도 확실히 똑같은 의견을 지니고 있지만, 그 의장은 정치적 이유로 자신의 생각들을 삼가고 있었다.

"반갑습니다, 에이나레스 여사."

"안녕하세요, 오오르트."

인사말은 서로 칼날처럼 부딪혔다. 알펜은 에이나레스 여사도 오오르트를 썩 좋아하지 않는 사람 중 한 사람임을 이미 예측한다. 정말 그들은 서로 잘 알고 있고, 그것도 아주 오래전부터다. 정말 그들은 서로 모르는 사람인냥 가장하는 것 같고, 그들이 서로 다툰 적이 한두 번이 아니다. '오오르트와 그의 적들은, 내가 대학병원의 상점에 동면 그릇 속의 정자 상태로 있을 그때, 벌써 권력을 쟁취하기 위해, 벌써 싸움을 걸었지.' 그 비서는 그런 생각을 하고 있었다.

"이 프로그램은 보고 계십니까?" 오오르트가 말했다.

"물론입니다. 그리고 지금까지는 이 프로그램 보고 있던 것을 후회하고 있어요."

그 여사는 내키지 않게 자신의 방 한 모퉁이를 한번 쳐다보았다. 그곳엔 텔레비전 수상기가 1대 놓여 있었다. 잠시 뒤 그 여사는 다시 비디오 폰으로 오오르트의 두 눈을 바라보고 있었다. "그걸 알아보시려고 전화를 하셨나요?"

"아닙니다. 우리 위원회에서 법률 자문이 필요해서요."

"지금 그 일의 가장 적절한 순간은 아니예요...하지만 말씀해 보세요."

"야르코스의 방법이, 저런 스타일이, 예를 들어, 법률 관점에서 보면 공격을 받을 만한가를 알고 싶습니다."

"더 잘 이해할 수 있도록 말씀해 주십시오."

"마치 <동화>같은 저 프로그램은 너무 진지합니다. 아

주 명료하게 작가가 자신의 생각을 잘 표현해 청취자들
은 그걸 픽션으로 느끼지 않고 진짜 있던 일로 믿게 되
어서요."

"정말 말씀을 잘 하시는군요." 에이나레스 여사는 비
웃듯이 말했다. "당신도 아시다시피 저 프로그램은 동
화라고 광고 방송된 것이에요. 메스컴에서는 10일 전부
터 저 프로그램을 광고해오고 있었어요. 모든 광고에서
는 동화라고 말했어요. 그리고 바로 그 사실은 확고부
동한 것이에요. 야르코스는 동화작가고, 그는 자신이 원
하는 바를 말할 수 있어요. 물론 나는 법률의 시각에서
이 일을 엄격히 다룰 수 있지요. 우리 법률로는 우리가
그의 일에 대응할 것이 아무것도 없다는 거예요. 만약
그가 '테라' 존재를 널리 알리는 기관을 설립한다고 하
여도 말입니다. 예술 관계 법령에 따르면, 동화작가는
스스로 주제를 선정할 수 있고, 그 주제의 표현방식도
자신이 선택할 수 있고, 그와 관련된 내용은 -당연히!-
진실과 가능한 한 구분된 것이지요. 대중은 -또 오오르
트 당신도 대중의 한 사람일 뿐이구요. -반박할 권리가
없지요. 이 프로그램이 진행되는 동안 입장권을 환불해
달라 해도, 또 텔레비전 수상기를 이용하는데 들어가는
에너지요금을 되받을 수도 없어요..."

"그 말은 우리가 아무 대책 없이 있어야 함을 말씀하
시는군요!" 오오르트가 냉담한 목소리로 말했다. 알펜은
의장 이마에 무슨 정맥이 불끈 솟음을 보았다. 그는 확
연히 화가 나 있었지만, 그런 입장을 숨기려고 애썼다.

"만약 의장께서 야르코스에게 법적 대응을 암시하신다면, 아마 의장께서는 아무것도 하실 수 없을 겁니다." 아이나레스 여사는 대답했다. "그러나 만약 아주 재미있게 즐기려면, 수상기 앞에 다시 앉아, 계속 동화를 들어 보십시오. 나도 그렇게 할 겁니다."

오오르트는 화가 치밀어 손을 흔들었다. 그러면서 그들 두 사람은 여전히 서로를 노려보고 있었다. -'아이나 이레스. 추한 여자. 감마의 점 같은 여자구나'. 그리고 오오르트, 메타 스텔라 의장이 -나중에 두 화면이 동시에 꺼져버렸다.

TZ-0111328번 관련 자료들을 쉽게 찾진 못했다. 이곳엔 일상적 질서가 없었다. 96번 문 뒤편엔 구식 탁자들과 의자들이 놓인 열람실이 있고, 옆으로 작은 방이 3칸 딸려 있다. 그곳 사방 벽에는 기억-크리스탈이라는 마이크로필름을 덮는 용기들로 꾸며져 있진 않다. 이 기관의 잡지들은 마이크로필름 시대 이후로 아주 바뀌었을 뿐이다. 그러나 226번 호텔 손님은 여기서 갑자기 낯선 장애물에 부딪혔다. 어느 문 위에 <원시시대 기록물-잡지들>이라는 팻말이 붙어 있었다. 이곳에는 필름으로 되었거나, 크리스탈화된 정보제공 도구들이 없다 ...대신 그 자료의 실물들이 놓여 있었다. '메타 스텔라에서는 이것들을 별로 중요치 않게 여기구나. 이것들을 필름으로 만들어 놓을 필요성을 못 느끼는구나.' 손님은 그런 생각을 하면서 자신이 찾고 있던 번호를 문 옆에 걸려 있는 목록 표를 통해 발견했다.

그 손님이 -길고 좁다란 복도의 끝에서 -마침내 작은 서랍을 발견하고는 항상 켜져 있는 전구마저도 이곳을 비추고 있지 않구나 하고 주목했다. 손님은 입술을 깨물고는, '그래. 무슨 목표에 도달하려고 한다면, 이곳에서 끈기가 있어야 하고, 끈질겨야 한다.' 그는 가까운 것부터 써진 일련번호들을 훑어갔다. 좀 더 시간이 지난 뒤, 손님은 TZ 시리즈를 찾았고, 0111로 시작되는 숫자들을 찾을 수 있었다. 328이라는 분야는 거의 아래쪽 바닥에 있었다. 그 손님의 치마가 바닥에 닿아 흩어지고, <그 여자 손님은> 작은 틈새로 자신의 마그네틱 신분증을 놓았다. '이 신분증 소지자는 지금 이 시간, 이 순간에 TZ-0111328번 자료에 접근, 연구해보려고 이를 빌리는 것으로 이 센터는 기록하겠지.'

그 분야의 작은 문이 열렸다. 작지만, 두꺼운 커버의 네모난 물건이 떨어져 나왔다.

"...내가 의식을 잃은 뒤, 얼마나 많은 시간이 흘렀는지 몰랐습니다. 내가 의식을 되찾았을 때는 맨 먼저 온몸이 아주 아픈 걸 느낄 수 있고, 나중에야 내 감각기관들이 다시 움직임을 알게 되었습니다. 나는 지금까지 한번도 그렇게 이상한 상태에 있어 본 적이 없었습니다. 아픔은 조금씩 사라졌습니다. -나는 뭔가 외부의 작용으로 그렇게 된 걸로 보았습니다. 두 눈을 뜨기에 앞서, 나는 주위의 움직임을 느끼게 되었습니다. '내가 살아 있구나.' 그게 맨 처음 생겨난 생각이었습니다. 내 머릿속에서 내가 언제나 이상하고도 좋은 느낌의 멜로디가 들려옴을 알았습니다. 이 모든 것은 몇 가지의 화음으로 되어 있고, 위로 올라갔다간 잠잠해 버리고, 나중에 다시 그런 식으로 반복되는 화음이었습니다. 나는 그 멜로디를 천연색으로 볼 수 있고, 천연색 콘서트를 보는 것 같았습니다. 그 멜로디는 짙은 갈색에서부터 점차로 밝아졌고, 오렌지 색이 처음에는 노랗고, 나중엔 하얗게 되더니, 몇 번인가 하얗고 -녹색으로 폭발을 하더니, 나중엔 다시 노랑으로, 멜로디는 붉고도 암갈색으로 변했습니다. 나는 누군가 내 주변에서 서성대고 있음을 느꼈습니다.

나의 기억력도 서서히 회복되었습니다. 두뇌에서는 내가 강제착륙한 것과 탈출대를 이용했다는 경험을 알고 있었고, 나는 이제 파도치는 바다도 보게 되었습니다. 그랬습니다. 나는 푸른 행성에 와 있었습니다.

<그들이> 그런 음악을 내 머릿속으로, 그런 음악을 어떻게 전파로 만들어 보내었던가요? 정말 여러분은 멜로디 치료법을 아실 것입니다. 나의 아픔이 없어지면서 나는 다시 태어난 기분이었어요. 그들은 나를 적대적 의도로 보게 되었을까요? 나는 그들이 그렇게 하기를 희망하고 있었습니다.

나중에 <그들은> 나에게서 멀어져 갔지만, 두 눈은 -아무리 노력해도 -나는 아직 뜰 수 없었습니다. 나는 관절에 차가운 금속이 부딪힘을 알 수 있고, 내가 무슨

기기에 묶여 있음을 알게 되었습니다. 음악 소리가 낮아지자, 나는 혼자가 되어버렸을까요?

"깨어났나요?" 누군가 말을 걸어왔습니다.

목소리는 적대적이지도, 우호적이지도 않았습니다. 내가 이 세상에서 잘 알고 있는, 어느 무관심한 외계인이 나에게 건네는 말처럼요.

"그렇습니다." 나는 아주 큰 모험을 해야 하는 결투가 이미 시작되었음을 예측하지도 않은 채 대답을 해버렸습니다. 심문이라는 걸...내가 어디서 어떻게 알게 되겠습니까?

"이름은 어떻게 됩니까?" 나는 동시에 사방에서 목소리를 들을 수 있고, 그때 나는 내 몸의 위치를 느낄 수 있었습니다. 나는 등이 방바닥에 닿은 채 누워 있었습니다.

"야르코스라고 합니다. 나는 우주를 여행하고 있고, 이것-저것을 탐사하고 있고, 그런 걸 나중에 사람들에게 동화로 전해주는 사람입니다."

"동화로 이야기한다고요?..." 그 목소리는 지금 처음으로 무슨 느낌을, 변화를 보여주고 있었습니다. 작지만 겨우 느낄 수 있는 놀램을. 나중엔 침묵이 뒤따랐고 난 불안에 휩싸였습니다. 지금은 내가 어떤 남자의 목소리와 대화를 나눈 걸 이해할 수 있습니다. 그것은 기계가 아니었고, 사람이었습니다.

"왜 이곳에 착륙했습니까?"

"푸른 행성으로요? 나는 '테라'를 찾느라고 여행을 하고 있었어요."

"그래, 그걸 찾았나요?"

"그 점은 나보다 당신이 더 잘 알 겁니다."

그 목소리는 잠시 멈칫하고는 말을 이어갔습니다. "우린 초대하지 않은 방문객들을 좋아하진 않습니다."

"<우주공간>은 누구에게나 개방되어 있습니다." 나는 반발했습니다.

"이 행성은 닫힌 공간입니다."

"나는 이미 알고 있었습니다. 당신들은 에너지 덮개를 만들어, 아마 수천 년 전부터 이 지역에서조차 출몰하는 낯선 우주 비행선을 교묘하게 없애버렸더군요."

"그렇게 우린 살고 싶어요."

"닫힌 채로 말입니까?"

"우리 스스로 그걸 좋아하고, 닫혀 있는 것을 우리는 더 좋아합니다."

그가 말하는 스타일은 사뭇 달랐습니다. 그러나 나는 이유를 아직 몰랐습니다. 하지만 나는 그 차이를 느끼고서 정말 나는 동화작가로서 여행 사이 사이에 언어로 노동하는 사람이니 내 두 귀는 낱말에 민감합니다.

"내가 전파로 <쏘지 마시오, 테라!>라고 신호를 보냈는데, 바로 그때 정말 그 레이저 전파들은 사라져 버렸습니다. 왜 그런 일이 일어납니까? <내가 쏘지 말라>고 해서 그런가요? 아니면 내가 이 행성의 이름을 말했기 때문인가요? 그런가요? 정말 내가 테라에 와 있는 거지요, 그렇지요?"

"당신이 그런 신호를 보내자, 우리는 당신에게 되쏘지 않았습니다. 이젠 더 쏠 <필요가 없음을> 우리는 이미 알고 있었습니다. 당신 우주선은 바다로 추락했습니다."

"나를 그 우주선 안에 죽도록 내버려 둘 생각이었나요?"

"우린 초대하지 않은 방문객들을 좋아하진 않습니다."

"나도 이해합니다. 그 때문에 누군가 불의의 의도없이 올 수도 있다는 걸 생각해 보진 않았나요?"

"그건 왜지요?" 이제 그 목소리는 좀 높아졌고, 나는 그 말에서 이제 느낌이 없진 않구나 하고 생각했습니다. 그것은 단순히 메마르게 묻는 것 이상이었습니다. 그 말 속에는 열의와 탐구심이 들어 있었습니다.

"그게 나의 삶이기 때문입니다. 나는 내 방의 출입문 앞의 문이 닫힌 채 있는 걸 허용하지 않는 우주의 방랑자입니다. 나는 수십 메가 단위 때부터 테라만 찾아다닌 사람입니다. 지금까지 나는 이 행성에 관련된 모든 문건의 원천을 찾아 나섰습니다."

"그런데 그것은 찾았나요?"

"물론입니다. 정말 내가 <여기>에 있지요, 안 그런가요?"

"우린 강도들에겐 벌을 주지요."

"당신이 다른 행성을 날아다닐 권리가 있듯이, 그렇게 우리도 이곳에 도착할 권리가 있습니다. 바로 이 행성의 폐쇄라는 일이 벌 받을 일입니다."

"당신이 우리를 가르치려고 하지 마십시오."

"난 원칙적 사실들을 말했을 뿐입니다."

그때엔 나도 화가 치밀었습니다. 그 목소리의 주인공은 충분한 시간의 침묵 뒤, 다시 말을 시작했다.

"당신이 타고 온 교통수단은 망가졌습니다."

"나도 같은 생각입니다. 당신이 나를 죽일 작정이었으니까요."

"우리를 비난하지 마시오!"

"내가 내 우주선이 망가진 일로 해서 당신을 칭찬하리라 믿었습니까? 나는 보상을 받아야 하겠습니다!"

"그런 보상은 불가합니다. 정말 당신은 이곳으로 허락 없이 강제 침입하였습니다."

"당신은 불법으로 나의 운행을 방해했습니다."

"여기선 그런 것이 법률이오."

"사람이 거주하는 땅엔 똑같은 법률이 있습니다."

"테라는 예외지요."

"그런데, 여기가 테라라구요?" 나는 기뻐 외쳤습니다. 곧장 난 그 우주선과 재난에 대해선 잊어버렸습니다.

그러자 그 낯선 사람은 당황해, 말을 이어가지 않았습니다. 그는 아마 무의식적으로 나에게 그 비밀을 알려 주었던 것입니다. 나는 쇠가 이미 달궈졌을 때, 그 쇠를 굳혀 보기를 결심했습니다.

"그럼 나는 내가 생각한 목표에 제대로 도착했군요. 안녕하세요! 테라에 사는 여러분! 세상 사람들은 수천 년 전부터 <테라는 전설일 뿐이라>고 믿어 왔습니다. 하지만 내가 그 테라를 찾게 되었습니다!"

"무슨 이유로 당신은 우리의 자취를 찾아 왔습니까?"
그는 급히 물었습니다. 그의 목소리에서 나는 조금의
두려움과 불건전한 궁금증도, 흥분마저도 느끼게 되었
습니다. 그렇습니다. 나는 틀리지 않았습니다.

"당신은 정말 그걸 알고 싶습니까?"

"정말입니다!" 그의 목소리는 궁금함을 비밀로 두지
않고, 그 때문에 그는 내 앞에 자신의 전부를 보일 듯
섰고, 나에겐 나를 지켜줄 무기가 되어 주었습니다.

"나는 다른 사람들도 찾게 될 그 발자취들을 찾아냈습
니다. 한 명, 두 명, 열 명 아니 오백 명이 어느 은하
어디선가에서...지금 아니면 다음 해에, 아니면 40년,
아니 90년 아니 600년 뒤에? 그러나 언제가 확실히 그
사람들도 여기에 도착할 것입니다. 그리고 그들은 당신
의 우주 장비들 때문에 길을 잘못 들지도 않을 것이고,
그들은 여러분의 방어선을 뚫고 와, <착륙하게> 될 것
입니다."

"당신들이 어떻게?" 그는 비웃듯이 물어 왔습니다.

"나처럼요. 하지만 그들은 더욱 현대화된 배들을 이용
해 도착할 것이고, 그 배들은 망가지지도 않을 것입니
다. 그리고 그들은 나처럼 혼자 오지 않고 사람들이 가
득 실린 배로, 때로는 무장한 채로 올 것입니다.

"당신의 우주선은 비무장이었습니다." 그는 간단히 말
했습니다.

나는 침묵했지만, 뇌리엔 희망이 생겼습니다. 내 우주
선이 비무장이라는 것을 -<그들은> 바로 그 우주선이

즉각 폭파하지 않았음을 알고 있었습니다. 그 배는 추락도 하지 않았고, 바닷속에 빠진 채 있게 된 것입니다. '그래 그 배는 쓸모가 아직 있겠구나!' 그러나 그런 생각은 말하지 않았습니다. 내게 말을 걸고 있던 사람은 걱정도 많은 사람이었습니다.

"또 다른 배들이... 올 것인가요?"

"그래요. 확실히 옵니다. 나는 무기를 들지 않고 왔지만, 나는 다음에는 어떤 사람들이 올지 보장하지 못합니다."

"테라가 어디 있는지를 어떻게 알게 되었나요?"

"그것은 나의 비밀입니다."

"우린 그 점을 알아야만 합니다."

"<당신이 그래야만 한다>니요...? 과장하지 마십시오. 우주 법칙들을 스스로 지킬 줄 아는 자들만이 외계인들로부터 뭐든 요청할 권리가 있습니다. <인간의 우주에서의 만법>은 이 순간에도 27개의 은하 안에 283개의 태양계 안에 공포되어 있습니다. 테라가 예외라고 생각하십니까?"

"테라는 예외적 행성입니다." 그는 좀 포기하듯이 대답했고, 이젠 그리 날카롭지도 않았습니다. 그러나 아직은 반항적인 태도였습니다. 나중에 그는 그렇게 말을 이어 갔습니다.

"그런 임무를 위임받은 작자들이 머지않아 당신의 운명에 대해 결정을 할 것입니다."

"내 운명은 내 스스로 언제나 결정합니다."

나는 그렇게 대답을 했지만, 그는 이미 그 말은 듣지도 않은 것 같았습니다. 어디선가 누군가의 목소리는 이제 말을 멈추었고, 나는 혼자 남게 되었습니다.

시데루스 교수는 컴퓨터 버튼을 애를 써 가며 연신 누르고 있었다. 그의 눈길은 여전히 임시프로그램에 두고 있었다. 그는 이에 대한 아주 적은 양의 참고자료를 갖고 있었다. 자신이 갖고있는 참고자료에 따르면, 그 신비의 행성은 아마 태양계의 중앙별을 360 혹은 24시간 단위 동안 1회전하는 것으로 알려져 있다. 우리가 알고 있는 106만 410여 개의 행성...그 가운데 얼마가 그런 행성들에 속하는가? 화면에 <0>라는 숫자가 나타나자, 그 교수는 새로운 추적프로그램을 고안해 냈다. 그는 그 컴퓨터에 두 가지 방향으로 연구해보도록 명령했다. 360일 <아래로>, 즉 마이너스 방향과, 플러스 방향으로. 그리곤 그 컴퓨터가 처음에는 359일과 361일을 회전주기로, 나중엔 358일과 362일로 또 기타 등등의 ... 회전 주기를 가진 행성들을 추적해 보도록 했다.

그 기계는 의심이 가는 14개 행성을 찾아낸 뒤에도 그 프로그램을 계속 수행했다. 한편 그동안 시데루스는 손에 종이를 들고, 방의 한 모퉁이에 설치되어 있는 더 작은 기계로 갔다. 그는 만약 필요하면 아카데미의 크다란 우주 전체 메모장도 제공할 수 있음을 알았다. 버튼을 한번 눌러, 그는 자신의 컴퓨터로 그것을 입력할 수도 있다.

그는 지도에서 14개 행성에 관한 참고자료들을 찾아냈다. 그 태양계의 중앙별까지 거리로 따지면 세째 것은 그들 중에 있는가?

다음 그가 해야 할 일은 그 추적방법을 더욱 좁혀 갈 것이다. 그 대형컴퓨터는 지금부터 350일과 370일 회전주기를 가진 행성들의 이름을 알려줄 것이고, 그는 그 중 태양계들의 둘째 내지 세째 행성을 찾게 된다. 만약 그가 그런 걸 찾는다면, 그것들에서 그는 대기를 가진 행성을 분류해낼 수도 있을 것이다. 좋고, 쓸모 있고, 호흡할 수 있는 대기... 이미 알고 있는 행성들 중에서 몇 개가 나타날까? 적은 수효다. 확실히 아주 적은 수효다.

그리고 시데루스 교수는 무표정한 얼굴로 그 추적의 결과치들을 기다리고 있다.

"...잠에서 깨어난 뒤에도 나는 계속 꿈꾸고 있는 것 같았습니다. 자유로이 나는 내 손과 발을 움직일 수 있었고, 그 낯선 사람의 무슨 의도도 내 감각기관들을 방해할 수 없었습니다. 거대한 빛이 내 눈 안으로 확 부딪혔습니다. 나는 눈을 떠 보았지만, 곧장 다시 눈을 감았고, 눈물이 흘러내렸고, 나는 거의 울어 버렸습니다. 나의 두 눈이 그 빛에 점차 익숙해질 때까지 기다려야 했습니다. 한편 나는 <그것>의 냄새를 맡게 되었습니다. ...

나는 그 냄새와 비슷한 것이 무엇인지 몰랐습니다. 메

타 스텔라에 사시는 여러분은 그런 냄새를 한 번도 맡아 본 적이 없었습니다. 전에 나도 그런 냄새를 어디서도 맡아보진 못했어요. 그것은 태양으로 뜨거워진 생물, 부식토양, 물과 바위들의 냄새였습니다... 나는 모든 것을 완성하게 하는 기적의 일부가 되어 있었습니다.

그러나 그 진짜 기적은 내가 두 눈을 떴을 때 보게 되었습니다! 그 위대한 빛은 위에서부터 왔습니다. <우주 공간>으로부터 곧장. 나는 알게 되었습니다. 그것이 이 시스템의 태양이라는 것을요. 나의 두 눈은 아직 한 번도 그런 빛을 본 적이 없었지요. 만약 내가 낯선 야만적인 행성들이 있는 곳으로 날아가다 보면, 가까운 태양들이 나에게도 비칩니다. -그러나 내 신체는 우주복과 헬멧이 막고 있고, 그러니 그 빛 전부는 절대 내 몸에까지 다가올 수 없었습니다.

메타 스텔라에 거주하는 여러분들은 인공의 대기 속에, 여러 개의 대형 돔형건물들 밑에 사는 여러분은 그런 자연적인, 강탈당하지 않은 위대한 빛을 한 번도 볼 수 없을 것입니다.

그리고 그 풍경이란...

나는 처음으로 그 풍경이 내 가슴을 갈갈이 찢어 놓은 것으로 믿었습니다. 뜨거운 태양 아래서 나는 큰 산도 보게 되었습니다. 그러나 딱딱하지도 않고, 헐벗지도 않고, 회색 돌로 된 바위덩어리도 아니었어요. 산을 덮고 있는 것은 물렁하고, 초록의 층이고, 어느 곳에도 날카로운 봉우리나 심연들은 없었습니다. -많은 행성들에서

보다시피요.

산기슭에는 기나긴 호수가 푸른 하늘을 반사해 주고 있었습니다. 왜냐하면, 상상해 보십시오. -대기는 아주 푸르고, 두 눈이 시릴 정도로 아주 푸르렀습니다. 호수의 물도 마찬가지였습니다. 여러분은 호수라는 것이 무엇인지 아십니까? 그런 것은 여러분이 원시시대의 영화에서만 볼 수 있고, 아주 먼 옛날의 역사나 동화에서 그 호수를 들을 수 있을 겁니다. 자유로운 물 표면이라는 말을 이해하게 됩니까? 자유로운 물! 고유하고도 자연적 대기를 갖춘 행성들이 가지고 있는 보물 중 한 가지이지요.

그 호수의 모습이 어떠한지 한번 상상해 보십시오. 상상이 됩니까? 나는 여러분께 내가 본 것을 이야기해 드리겠습니다. 그 물의 표면은 푸르른 채 구름 한 점 없는 하늘과 같은 그림을 반사해 두고 있습니다. 그 호숫가에서는 -그게 무슨 말인가 하면, 그 액체가 마른 부식토를 건드리는 물 표면의 가장자리에서는 -가냘픈 물의 식물들이 자라고 있었습니다. 그 식물들은 오른쪽 왼쪽으로 언제나 움직였습니다. 왜냐하면, 바람이 그 식물들을 밀어대니까요. 그리고 그 부식토들 위에선 아주 녹색 덤불들이 서 있고, 저 멀리엔 풀들이 무리지어 자라고 있습니다... 풀밭이지요! 내가 사람의 발을 덮을 정도의 수백만 개의 비슷한 작은 식물들이라는 것들에 대해 이전에 듣기만 했지만, 한번도 그런 풀밭을 보진 못했습니다. 소문엔 어느 은하에서도 그런 풀밭을 키워

낼 수 없다고 합니다. 그러나 이곳에서는 ...이 풀밭은 사람들이 아무것도 건설하지 않은 곳마다 부식토를 덮고 있습니다.

그곳에는 나무들도 서 있었습니다. 우리도 아주 잘 밀폐된 돔형 정원들에서 보아 왔듯이 그렇게 작은 나무들은 아니고, 또 그렇게 천천히 자라는 나무들도 아니었습니다. 이 나무들은 덩치가 크고, 키도 크고, 이곳의 <나무들>보다 훨씬 더 높은 키로 말입니다...

그리고 바람은!

모험영화에서 보는 그런 난폭한 바람, 이를테면 바위를 아래로 굴러가게 할 정도의 바람은 아니었습니다. 급하고 또 강하게 언제나 움직이는 대기를 가진 행성들이 있지요. 그 행성들을 지배하는 것은 바람이지요. 그러나 테라에는 그렇게 되진 않았습니다. 그곳에서는 바람이 폐허나 파괴를 가져오지 않았습니다. 그 바람은 나무들을, 관목들을, 물가의 식물들을 쓰다듬어 주는 따뜻한 공기의 이동이고, 때때로, 그 바람은 호수에서도 잔잔한 물결을 일렁이게 합니다.

13. 안드로스와의 만남

그 바람이 내 온몸을 껴안아 주었습니다. 포근하게도 그 바람은 나의 발을 쓰다듬고는 나의 셔츠 안으로 들어오고 내 머리카락들 속으로도 들어 왔습니다. 그리고 이 모든 것은 도깨비 같은 그림도 아니요, 3차원 영화의 영상물도 아니고, 심리영화도 아니었습니다. 그 위대한 빛, 그 향기, 그 바람에 나는 취했고, 내가 다시 의식을 찾기까지는 오랜 시간이 흘렀습니다. 겨우 정신을 차린 나는 이 모든 실제의 것을 마시게 되었습니다. - 정말 바로 이것은 정말 놀라워, 나 자신도 그런 기적의 일부가 되어 있다 할 정도로 정말 최고의 경이로움이었습니다. 나는 그런 것은 읽어 보지 못했고, 그런 것을 화면으로 보지도 못했고, 어느 누군가의 이야기를 통해 들어 본 적도 없고, 나는 그저 듣고만 있습니다. -그래도 나는 그걸 느낄 수 있었고, 나는 그 안에 있습니다! 우리가 수천 개의 행성을 발견했지만, -우리는 우주 헬멧 없이 그곳에 서 있을 수 있는 곳이 어디 있었습니까? 우리가 영원히 두려워하지 않아도 되는 곳이 어디이지요? 사방 어디서나 또 그 중 어느 곳에서도 마찬가지로 적대적입니다. 아니면 부식토나 바위들이나, 모래들이 -아니면 대기는, 폭풍우들은, 가스들은, 화학제품들은, 식물들은, 살인적인 전파들은. 우리가 지금까지 어디로든지 다가가는 곳마다 -결국에는 우리가 우리 자신을 지키지 않으면 안된다는 그런 느낌을 갖게 됩니다. 어디에서나 우리에겐 큰 두려움이 진동하고 있습니다.(우리가 어떻게 이를 숨겨보려고 해도) , 우리가 낯선 땅 위에 있다는 두려움 말입니다. <우리가 고향의 땅에 있지 않다는>.

그러나 테라에서는 나는 그걸 느끼지 않았습니다.

그곳이 나에겐 고향이었습니다.

(...헛되이 내가 이 모든 걸 완전히 말해주려 하는구나. 그 시간의 매 순간이 아직도 내 안에 있고, 그건 나만 느낄 수 있고, 나만 그걸 느낄 수 있지. 내가 하는 모든 언사는 -소문으로는 나를 언어의 마술사라고 하지만 - 나의 말을 듣지 않는구나. 마치 내가 영원히 물 아래 살고 있는 생물들에게 뭍에서는, 즉 물에서 멀리 떨어진 곳에서의 삶은 어떠하다는 걸 알려 주는 것 같구나...)

...나는 내가 해먹 위에 누워 있다는 걸 알게 되었습니다. 그 사람들이 그 해먹을 두 나무 둥치 사이에 매달아 두었습니다. 해먹은 네가 보기엔 아주 구식이었지요. 처음에는요. 나중에 아주 자연스럽게 보였고, 여기선 정말 모든 것이 자연스러웠습니다. 내가 해먹에서 일어나, 풀밭을 걷고 있을 때도 나는 내 스스로 자연스럽다고 생각하게 되었습니다. 그렇게 걷고 있을 때, 나는 무슨 이상한 작은 소리를 듣게 되었습니다. 날카롭지만 듣기는 좋고, 처음에는 멀리서, 나중엔 가까이서 탁-탁-치

는 소리 같은 것을 듣게 되었습니다. 나는 위를 쳐다보았습니다. 아주 밝은 검은 점 하나가, 그 점 하나가 공중에서 날고 있었습니다....

새였어요!

나는 지금까지 새들이 그렇게 자유로이 날아다니는 걸본 적이 없습니다. 그 새는 날개를 빨리 움직여 날아갔지만, 나를 전혀 개의치 않고 움직였습니다. 눈이 휘둥그레진 나는 그 새를 쳐다보고만 있었습니다. 정말 그새는 어디로든지 날아갈 수 있고, 아마 온 행성 주위까지도 말입니다. 그런데 정말 그 새들은 무리를 지어, 많은 무리를 지어 날아다닙니다! 그럼 이곳엔 다른 짐승들도 살고 있는가요?

내 뒤로 빽빽이 들여선 병풍 같은 나무들이 있었습니다. 지금 나를 놀라게 한 것은 그 많은 수효의 나무들입니다. -나중에 점점 나는 그것이 <숲>이라는 걸 알게되었습니다.

그때까지도 나는 진짜 숲을 보진 못했습니다. 나무들이 가까이 서 있고, 가지들이 서로 맞닿아 있습니다. 이곳에서도 다시 나를 반겨 준 것은 또 다른 향기였고, 나는 그 향기에 거의 취할 뻔했습니다. 몸 주위엔 따뜻함이... 따뜻함이 하늘에서 내리고 있었고, 그것은 아주, 아주 근사한 좋은 느낌으로 말입니다.

그런데 갑자기 한 남자가 나타나, 가까이 다가와, 아마호숫가 쪽에서 왔나 봅니다. 늙어 보였고, 갈색 피부였고, 짧은 수염에 약간의 흰 머리카락도 보였습니다. 그는 밝은색 셔츠와 바지를 입고 있었습니다.

그는 내 속에서 위험한 신호도 불러일으키지 않았고, 정말 그 낯선 사람은...웃음조차 짓고 있습니다. 아무 것도 이해하지 못하는 나도 그를 향해 웃었습니다.

"안녕하시오, 야르코스. 나는 안드로스라고 합니다."

"안녕하십니까."

"야르코스, 우리 대화 좀 합시다." 그가 제안했습니다. 처음에 나를 놀라게 한 일은 이 일이었습니다. '대화를 한다고?... 이 자는 누구이며 무엇을 노리는가? 그리고 ...우리 주위의 이 세계가 불충분하게 말하는 것인가? 풀, 나무, 새들은?' 그러나 나는 그곳에서도 야르코스였 고, 동화작가요, 궁금함이 많은 사람이었지요. 그래서 나는 안드로스가 나에게 뭔가 설명해 줄 것으로 생각해 보았습니다...

"이곳이 테라입니까?" 내가 물어 보았습니다.

"예, 우리는 테라에 있습니다."

나는 갑자기 입이 바짝 마르고, 목도 아주 타 들어갈 정도였습니다. 눈에는 빛이 반짝거렸습니다. 나는 주변 을 둘러보았습니다. 그리곤 나는 말을 걸어 보았습니다.

"...내가 목적지에 도달했군요."

"우리를 오랫동안 찾아다녔는가요?"

"아주 오랫동안 말입니다."

"우리를 찾은 사람은 수천 년 이래로 당신이 처음입 니다."

그 말에는 칭찬이 들어있음을 나는 알게 되었습니다.

"왜 당신들은 세계와 고립되어 있습니까?" 나는 물어 보았습니다. 안드로스는 살짝 웃고는 주변을 가리키며 말했습니다.

"<이곳도 세계인 걸요>, 안드로스."

나는 산과 푸른 숲을 쳐다 보았습니다. 호수와 들판도 요. 지금에야 나는 두 눈에 눈물이 강한 빛 때문에 말라 있음을 알게 되었습니다.

"나를 이곳으로 데려다 놓은 분이 바로 당신입니까?" 나는 해먹을 가리키며 말했습니다.

"그건 내 생각이 아니지요. 나도 동의는 했지요. <생각하는 사람들이> 당신을 테라가 어떤 모습인지를 보게 하는 적당한 인물로 지목했어요."

"나는 바로 이곳을 탐험하러 왔습니다."

"그리곤 나중에 당신이 본 것을 다른 곳에 이야기해 주겠지요?" 그러면서 그는 <우주공간>을 향해, 먼 곳을 가리켰습니다.

만약 사람들이 자신을 그렇게 숨기려고 애쓴다면, 나는 이 테라 사람들을 진정시키기 위해 거짓말을 해야 하는 것이라고 조금은 느꼈습니다. 그러나 그의 두 눈을 바로 보면서 나는 실토했습니다.

"예, 안드로스. 그 점이 바로 나의 의도였지요."

"의도<였다>니요?..."

"지금 이 모든 것은 당신이 언제 내게 다른 우주선을 줄 것인가에 달려 있습니다. 테라를 탐사한 뒤 나는 계속 여행을 떠나려면요..."

그의 얼굴엔 처음엔 알고 있긴 했지만, 나중엔 불쾌한 인상을 짓는 것이 내비치고 있었습니다.

"당신이 솔직하게 말해 줘 고맙군요. 그러나 테라는 다른 행성들과 같은 행성이라고 당신은 믿습니까? 착륙하여 둘러 보고, 경험해 보고, 위치와 궤도 관계정보들을 가진 지도에 올려놓기만 하면 충분하고 또 더 다른 먼 곳으로 날아가다니요?... 안됩니다. 야르코스. 테라에서는 누구나 쉽게 떠날 수는 없습니다."

나는 그의 두 눈만 계속 보고 있었습니다.

"내가 이곳에 있어야만 됩니까?.....얼마나 오랫동안?"

"영원히."

나는 두려웠거나 슬퍼하지 않고 화가 치밀었습니다.

"무슨 권리로 당신은 나를 붙잡아두려고 합니까? 나는 자유인입니다!"

안드로스는 잠자코 있었습니다. 그는 몸을 돌려서 천천히 아래로, 계곡으로 내려가기 시작했습니다. 나는 그가 적은 아니구나 하고 느끼면서 그를 따라나섰지만, 나는 그의 마음을 괴롭힐 의도는 없었습니다.

우리가 호숫가에 다다르자, 나의 화난 기분은 말끔히 가시었습니다. 우리는 높은 풀밭에서 흔들거리며 걸었고, 높은 곳에선 새떼가 날카로운 소리를 지르며 선회하고 있고, 들판 위로 공기가 덥게 진동하고 있었습니다. 안드로스는 그 가장자리의 갈대가 자라는 부분을 찾아내고선, 옷을 벗고는 깨끗한 물의 협곡에서 헤엄치기 시작했습니다. 그는 아무 말도 하지 않았고, 손짓도

하지 않았지만, 나는 그의 의도가 나도 같이 수영을 하자고 하는 것으로 알게 되었습니다. 그래서 나도 따라하게 되었습니다. 물은 -좀 전의 바람처럼 -나를 포근히 안아서는, 우주 기지의 저수지에서 수영했을 때와는 전혀 다른 느낌을 받았습니다. 물은 내 입안으로도 들어 왔고, -물맛은 좋았고, 약간 차갑지만, 깨끗해, 나는 그 물을 조금 마시기조차 하였습니다. 내 두 팔에서는 작은 파도와 파문이 퍼져 나갔습니다. 갈대밭 근처에서는 우리를 겁내지 않는 하얀 새들이 앉아 있었습니다.

노랗고 둥근 태양 아래 헤엄을 치면서, 나는 마치 꿈인 것 같았고, 이 모든 것이 믿기 어려울 정도로, 쉽고 또 아름다웠습니다. 나의 앞날조차도 말입니다.

"안드로오오오오스..."

그는 내가 자기 쪽으로 헤엄쳐 갈 때까지 기다리고 있었습니다.

"당신들, 지구인들은……한 번도 거짓말하지 않습니까?"

"우리는 항상 진실을 말하려고 애씁니다. 그것은 우리 사회의 원칙 중 한 가지입니다. 그것은 개인에게도, 기관에도 적용됩니다. "

"그래... 여러분은 완벽한 사람들이군요?"

"아직은 아닙니다. 그러나 아마 우리는 다른 사람들보다는 최적의 조건에 더 가까이 가 있습니다. "

우리는 호수의 가운데로 헤엄쳐서 갔고, 안드로스의 하얀 머리만 물 위로 반짝거리고 있었습니다."

"뭐든 물어봐도 됩니까, 안드로스?"

"그 때문에 내가 여기 이렇게 옆에 있지요."

"그럼 당신은 명령을 받아 이곳에 와 있습니다."

"그런 말은 우린 벌써 오래전에 사용하지 않고 있습니다. 야르코스. 우린 아무에게도 뭐든 강요하진 않습니다."

"나를 예외로 하구요. 완벽하게 당신들은 나를 테라에 붙잡아두는군요."

그는 잠수를 한 번 하고는 다시 물 위로 솟았고, 나를 향해 자신의 갈색 눈을 떴습니다.

"아직은 기다려요, 야르코스. 며칠 지나면 당신은 다른 방식으로 말하게 될 겁니다."

"그럴지도 모르지요. 내게 모든 걸 보여주세요. 테라를 나에게 보여 주세요!"

그는 대답이 없었습니다. 우리는 호수에서 더욱 헤엄쳐 가고 있고, 멀리 -호숫가엔- 우리 옷이 새하얗게 보였습니다. 하얀 새들은 여전히 갈대밭에서 오르내리며 날고 있었습니다. 이번에는 내가 잠수하여 녹색의 -창백한 그늘을 보았고, 물속에 비친 내 손이 이상하게 보였습니다.

안드로스는 호숫가로 나갔고, 나도 그를 따라갔습니다.

우리는 풀밭에 누워 있고, 해가 수백만 개 빛의 침들로 우리를 곧장 따끔따끔 찔러대기 시작했습니다. 이제 우리 몸이 다 말랐습니다.

"당신은 모든 것에 대해 나에게 말해 줄 권리가 있습

니까?" 내가 물어 보았습니다.

"그럼요. 우리는 비밀이 없습니다."

"정말입니까? ...정말 테라 전체가 유일하고도 큰 비밀입니다. 이것의 존재조차도 당신들은 이 세계 앞에서 비밀로 하고 있습니다."

"그것은 자기방어지요."

"그럼 당신들이 이 세계로부터 숨기고자 하는 뭔가가 이곳에 있다는 말이지요?"

그는 자리에 앉은 채 나를 쳐다보지도 않고, 산을 쳐다보았습니다.

"그렇게 말할 수도 있습니다."

"이곳에 숨겨 놓은 것이 무엇입니까?"

"몇 개의 문장으로 그걸 말하기란 불가능합니다. 당신은 나중에 알게 됩니다."

실로 중대 질문이 내게 이미 오래전부터 준비되어 있었지만, 그 질문은 무겁기도 했지만, 나는 드디어 그 말을 내뱉게 되었습니다.

"안드로스, 한때 모든 사람이 이 테라에 살았다는 게 사실입니까?"

"그렇습니다."

그 대답은 옛말처럼 들렸고, 강력해, 거의 아픔을 느낄 정도였습니다. 나는 여전히 의심이 남아 있었지만, 정말 나는 그 사실에 대해 안드로스가 한 말을 기억해 두었습니다.

"그리고...그리고..." 갑자기 나에게는 내가 알고 있는 사실들과 환상들의 큰 강이 내게서 흘러넘쳤습니다. 수많은 질문이 내 안에 모여, 흥분된 어조로 나는 물어보려 했지만, 안드로스가 나의 말을 막았습니다.

"진정하십시오! 당신이 궁금해하는 모든 문제에 모두 대답해 드릴 것을 난 약속하지요. 그렇지 않다면 당신이 보는 사실들이 당신에게 무슨 일이 있었는지 설명해 줄 겁니다."

그의 대답은 너무 차갑지만, 이해는 조금 되었습니다. 갑자기 그는 하늘을 가리키고는 말을 이어 갔습니다.

"우주 창조론을 알면서 우리는 천체의 보이지 않는 상태를 이전 상태로 미뤄 짐작하는 일에 익숙해졌습니다. 우리가 이미 알고 있는 법칙들을 따라서 말입니다. 우리는 눈이 멀었습니다. 즉, 우리는 아주 큰 자긍심으로 이 모든 것을 이미 알고 있다고 믿고 있었고, 우리는 이젠 우리가 우주를 지배한다고 말할 용기조차 갖게 되었습니다... 나중에 그 상황은 바뀌어버렸습니다. 점차로 우리가 아직까지 모르고 있던 법칙들도 존재하는 걸 알게 되었습니다."

나는 그가 하는 이야기가 무슨 암시를 하는가에 깜짝 놀라면서 그 말을 듣고 있었습니다. 왜 그는 바로 지금, 바로 나에게 이 말을 할까요? 그는 다시 자리에 앉고서, 태양에 그을린 갈색 몸에는 그의 나이를 밝혀 주는 많지 않은 신호들만 볼 수 있었습니다. 갈색 눈의 그는 나를 바라보았습니다.

"당신들, 외계인들은... <우주>가 팽창한다고 아직 믿고 있습니까?"

"이 주제와 관련해서는 두 가지 중요 의견과 몇 가지 특별 의견들이 있습니다."

"아주 좋군요." 그는 만족한 듯이 대답했습니다. 우리 학자들이 아직도 그 주제를 두고 논쟁을 하고 있다는 것이 아마 그의 마음에 들었나 봅니다. 나는 그때야 내가 정보를 얻는 대신에 내가 그에게 정보를 주고 있구나 하고 스스로 놀랐습니다.

안드로스는 계속 말했습니다.

"우리 인간들은 오늘도 우주의 작은 부분만 보고 있습니다. 우리는 우주 안에서 일어나는 과정들 대부분 영원한 것으로 믿고, 더 나아가 우리는 그 효과를 우주 <전체의> 것으로 돌립니다! 그 때문에 우리가 거대한 착오를 일으켰음에도 말입니다. 우리가 지금까지 보아왔고, 발견해 온 모든 것은, 5백, 7백, 8백억 광년의 거리라는 것은 우주에서는 아주 작은 부분에 불과할 뿐입니다. 확실히 이 우주는 <무한 대우주>의 일부분입니다. 뭔가 전혀 의미 없는 지엽적 이유로 은하들이 여기서만 차례로 없어져 가는 것으로 볼 수 있지만 -이 모든 것은, 소문엔, 확장되지만, 나중엔 다시 수축하는 세계와는 무슨 <지엽적> 주변 현상에 아무 공통적인 사항이 없습니다... 우리는 어디서나 유효하게 적용되는 것으로 믿고 있습니다! <우주 공간> 일부에서는 아마 우리에게 확장론으로 알려진 것이 전혀 기본 법칙이 될 수 없고, 원시 폭발같은 것도 없었고, 물론, 우주 전체가 -진짜 <전체로> 똑같다는 것과 또 이 우주가 수만 년 동안 그런 변화를 느낄 수 있을 만큼 그렇게 느린 속도로 변화-진보한다는 것은 결코 일어나지 않습니다..."

나는 잠자코 있었습니다. 안드로스의 머리 저 위로 뜨거운 햇살이 내리쬐고 있고, 그는 말을 이어 갔습니다.

"지금까지의 거의 모든 가설은 없어졌습니다. 우리는 그 가설들을 통과했고, 그들을 대신할 다른 것들을 찾았습니다. 아니면 이미 처음부터 그 가설들이 틀렸음이 확실히 입증되었습니다. 그 원시 폭발은 사람들에게 있어 당신들에게도, 그곳에서도, 외부에서도 자주 논란의 대상이 되었을 겁니다....

....우리는 그것을 알고 있습니다. 우리에게도 그 일에 많은 관심을 가졌습니다. 과거 시대의 과학 연대기에서 보면, 우리는 큰 전쟁들의 발자취를 찾아낼 수 있습니다. 그리고 당신들은, 테라 바깥에 사는 여러분은, 그만큼의 세월이 지난 뒤, 확신에 차 있습니다. 즉 소문대로의 원시 폭발이 일어나기 전의, 이 우주는 존재하지 않았다고요. 왜냐하면, 이렇게 논쟁하더군요. 즉 폭발이 있고 나서 <우주로> 흩어지는 물질이 만든, -<시간>과 <공간>이 <앞으로 밀렸다>는 논쟁 말입니다. "그럼, 이전에는 <시간>이 없었는가?" 하고 어떤 논쟁자는 비웃듯이 묻습니다. 또 다른 논쟁자들은 이렇게 강조합니다. 즉, 만약 그것이 다른 방식으로 일어났다면, 이 우주가 중앙과 주변 경계들을 반드시 가지고 있어야 하지만,

그것은 불가능합니다. 우리는 이 우주가 무한함을 알고 있습니다."

"그럼 당신은 어떻게 생각하고 있습니까?" 내가 물었습니다. 그 주제에 나는 흥미를 점점 갖게 되어, 그런 대화를 통해 테라 사람들에 대해 뭔가 알 수 있습니다. 조금씩 나는, 소문엔, 내가 이 행성에 갇힌 몸이라는 생각은 잊게 되었습니다.

"내 의견을 묻나요? 원시 폭발들과 물질 밀집화는 우주의 유일한 점 아니고도 일어날 수 있고, 일어났습니다. 따라서 확장되는 세계가 하나뿐이라는 것을 나는 믿지 않습니다. 그리고 그런 세계가 여럿 존재한다면 분명해지는 것은, 그런 확장되는 세계의 물질이 <시간>과 <공간>을 탄생시킨 것이 아니라는 점입니다. 그 시간과 공간은, 원시 폭발과는 별개로, 존재하고 -존재해 있어야만 합니다!- 그들의 특성들만 그 안에서 쾌속으로 날아다니는 물질들의 영향으로 조금 변하지요. 그러나 정말 그 <우주 공간>은, 그런 것을 별도로 하고 존재하며, 그것은 언제나 존재할 것입니다."

"그 원시 폭발은, 나의 경우에는, 충분히 믿기지 않습니다. 온 물질이 유일한 한 점에 밀집되고, 동시에 그곳의 밀도, 압력과 온도가 무한대로 커져 있는 -그런 세계들이 있었고, 있고, 있을 것이고, 있을 수 있다는 것은 상상하기 어렵습니다..." 내가 아마 너무 정직하게 말한 뒤, 그를 바라보았습니다. "안드로스, 당신은 천체학자인가요?"

그는 그 질문을 전혀 못 들은 듯, 작은 풀을 살짝 깨물면서 생각에 잠긴 채 말했습니다.

"...그래도 만약 원시 폭발이 있었다면, 그리고 그 원시 폭발에 따른 세계탄생은 지금만 유일한 기회로 그렇게 보였겠습니까? 만약 그 원시 한 점에서의 밀집된 원시 물질은 벌써 천 번이나 폭발해, -그때마다 매번 다른 <우주>가 그 안에 만들어졌겠습니까? 아마 지금까지의, 이전의 폭발로 아무 생명이 전혀 만들어지지 않고, 내가 모르는 무슨 원인으로 은하들이나 은하계들이 전혀 생기지 않았다면, 물질의 존재는 생명을 담고 있을 의식의 참가자들이나, 주역들이나, 거장들을, 점-행성들도 소유하지 못했을 겁니다. 아마 그 <우주>는 매번 전혀 다른 종류가 되고, 한 번도 이전의, 그때까지의 형태나, 다른 <우주-복사판들>과 어느 의미에서도 전혀 비슷하지 않습니다."

"당신도 의심하고 있다니 좋군요." 나는 대답했습니다.

"나는 <우주>와 테라와 과학에 대해서도 의심하고 있습니다."

"나에 대해서도 의심합니까?"

"난 아직, 야르코스, 당신이 어떤 인간인지 모르고 있습니다."

"만약에 당신이 나를 알게 되면, 무슨 일이 일어나겠습니까?"

그는 대답하지 않았습니다. 천천히 우리는 각자 자신의 옷을 입었습니다. 나는 어찌해야 좋을지 모른 채, 서 있었습니다. 안드로스가 나의 안내자가 되고, -그리고 갑자기 나는 이상하게 느꼈습니다. 바로 이 행성에서 우리 둘 말고 다른 사람이 보이지 않아서였습니다. 나는 두렵기 시작했습니다.

"안드로스,....이 테라에는 얼마나 많은 사람이 거주하고 있습니까?"

그가 고개를 흔들었고, 그때, 하얀 머리카락이 이마로 내려왔습니다. 활기찬 모습으로 그는 그 머리카락을 정리했습니다.

"적은 숫자입니다. 야르코스. 아주 적은 숫자요."

시데루스 교수는 화가 치밀어 자리를 박차고 일어났다. 기계는 끊임없이 결과치들을 내놓았다. 그러나 그 교수가 상세히 검토해 보면, 언제나 찾고 있던 행성은 아직 찾지 못했다는 것만 명확하였다.

"저런 빌어먹을 녀석은 거짓된 참고자료들만 말하고 있군..." 그 교수는 중얼거렸다. 그 자신조차도 한때 자신이 연구 활동할 때 간혹 사용하도록 허락된 그런 스타일의 말을 자신이 다시 쓰고 있음을 느끼지 못하고 있다. 시데루스 교수는 피곤하여 벌써 그 컴퓨터 추적 동안에도 여전히 야르코스 프로그램을 듣고 있다. 아마 야르코스가 뭔가 필요로 하는 관련 자료를 보여주지 않을까?

그 교수는 이제 작은 욕실로 뛰어가, 차가운 물로 세수했다. 그가 되돌아 왔을 때, 작은 화면에는 몇 줄의 관련 자료들이 보였다. 시데루스 교수는 인상을 찡그리며, 그것들을 유심히 보고는, 단 한 번의 버튼 누름으로 그 화면을 지워 버렸다.

"이것들도 정확하지 않아!" 그는 화를 내며 외쳤다. 이 순간 그 방에 자신 혼자 있다는 사실만 그에겐 위안이 되어 주었다. 다른 사람들이 지금 그를 보고 있다 해도, 소용없는 일이다. 예를 들어, 그의 제자들이... 그는 야르코스를 향해 화가 치민 채 보고 있다.

"정말 이 사람은 거짓말을 하고 있어. 적어도 그 행성의 관련 자료들에 관해서는 그가 의도적으로 우리를 속이고 있구나... 하지만 난 그걸 꼭 찾아내고 말거야! 만약 한때 테라가 존재하기도 했다면, 아무 자취도 없이 사라질 수는 없는 일. 그런데 아마...그래, 9800년 경에 별자리지도들을 변경할 때, 온 우주의 위도 시스템도 변경되었고, 우주여행과 천체학의 신호체계를 통일한 적이 있었지...그런 일로 인해 오늘날의 분류체계가 만들어졌어. 그는 아마 그 변경되기 이전의 옛 지도를 발견해, 그것으로 그 별의 위치 관련 자료들을 계산해 두었구나. 더구나 새 지도들에선 이전에 기록해 두어 알고 있었던 많은 주변의 행성들을 간단히 없애버렸구나.

소문에는 그때 새 지도를 만든 사람들이 그런 옛 지도상의 태양계를 전혀 흥미 없어했고, 쓸모없는 것으로 치부해, 미래를 위해 기록해 둘 만한 가치가 없다고 믿어 버렸다고 했어. 아니면 그것은 단순한 잡담거리에 불과한가? 정말 이 모든 것은 전혀 믿기 어려운 일인 것처럼 보이지만, 사람들은 집요하게 정말 일이 그렇게 진행되었다고 말하고 있어. 만약 테라도 그 없애버린 행성 중에 있다면, 나는 헛되이 컴퓨터로 그 위치 관련 정보를 알아내려고 하고 있어. 그 관련 자료들이 이젠 무슨 종류의 천체 우주학이나 우주 항해의 기계 기억 속에서도 찾아볼 수도 없게 되었구나.'

그는 흥분되어 이리저리 걷다가, 나중에 멈추어 서서, 자신에게 다시 물어보았다.

"그리고 만약 테라 사람들이 그때 이미... 만약 98세기의 별자리지도에 있는 관련 자료를 없애버리기 위해 조직적으로 이곳에 누군가를 보내왔다면....? 한 사람 아니면, 여러 명의 첩자들을. 우리도 자유로이 여행할 수 있듯이, 그들도 이곳으로 자유로이 여행했을 수도 있다. 그들이 어떤 사람들인지, 어디에서 왔는지 아무도 모른다....만약 테라 관련 자료들을 지금 찾지 못하는 것이 그들의 의식적 행동의 결과라고 한다면, 어떤 일이 벌어질까.... 그리고 그런 행동에 대한... 증거는?"

오오르트는 자신의 두 눈을 감은 채, 눈의 피로를 풀고 있다. 이젠 그 화면도 이제 그를 피곤하게 했다. '야르코스는 지금 이상 사회를 동화처럼 연설해 가고 있을 거야...그런 이야기들을 우리는 좋아하지. 다른 은하들에서도 정말 좋아하지. 유토피아는 원시시대부터 좋아해 오던 일이지. 그는 그런 말을 했지. 적은 수효의 사람들이 테라에 살고 있다는 식의 그런 문장으로 그는 곧장 이 사람들의 공감을 얻고 있구나. 정말 이곳엔 사람들이 많이 살고 있고, 공간은 좁고, 벌써 적어도 한 개의 천연 위성을 쏘아 올리도록 요구하고 있고, 대다수 사람은 에랏-2호 위성을 자주 언급하고 있고, 사람들이 그 위성에도 거주하게 될 것이고, 달리 방도가 없으면, 임시로 지표면 아래나 반대기(反大氣)의 대형 돔형건물에도 살게 될 것이다. 저런 멍청한 사람들은 이 정부가 무한히 가능성과 재정 수단을 가진 걸로 믿고 있어. 물론 그들은 그렇게 크지 않은 위성을 궤도 이탈시켜 다시 새로운 궤도로 옮겨놓는 것이 얼마나 값비싼 비용을 들여야 하는지 계산할 줄도 모르고, 생각해 보려고도 않는걸. 그런 계획을 실현하려면, 적어도 한 개의 태양계가 합친 힘이 필요하지 -하지만 그것말고도 이곳 이 시대에는 더 많은, 더 중대한 문제들이 있지. 중앙 행성의 거주민들은 다른 행성에 사는 사람들보다 훨씬 더 나은 조건을 갖고 있어. 이곳에서도 예를 들어 빛이 훨씬 더 크지...그러나 평범한 사람들은 저 아래서 이 세계를 쳐다보고, 자신의 가장 가까운 주변만 알아차릴 뿐이야. 지도자들은 위에서 이 모든 걸 내려다보고 있지. -그러나 누가 그 점을 저 아래서 알아줄까? 그리고 만약 그 평범한 사람들이 지금 야르코스에게서 듣는, 소문엔, -왜냐하면 정말, 그의 이야기는 동화일 뿐이거든- 어딘가에, 장소가 아주 넓지만, 사람들은 적게 살고 있고, 물론 누구나 그곳으로 여행할 수 있는 행성이 어딘가에 있음을 듣고 있어. 만약 더구나 그곳의 모든 것이, 야르코스가 입으로 설명한 대로 그렇게 아주 아름답다고 하면... 만약 그 이야기의 절반만큼이라도 아름답고, 절반 정도로도 그만큼 사람들이 적게 산다면...."

오오르트는 두 눈을 떴다. 그는 화면들과 기기들을 둘러보고는, 알펜이 아직도 근무하고 있음도 알아차렸다. "바보같은 짓이야" -그는 생각 속에 덧붙이기를, "-테라는 존재하지 않아, 확실히 그 행성은 존재하지 않아..."

14. 호텔 로비의 비디오 폰

"...기꺼이 나는 테라 사람들에 대해 안드로스에게 물어보고 싶었습니다. 그러나 아마 그에겐 다른 할 일이 있는 것 같았습니다. 그는 <우주 공간>에 대해 아직도 말을 하고 있습니다.

"우주 공간은 단 한 번의 슈퍼폭발을 통해 갑자기 생겨날 수도 있고, 아니면, 우주는 다른 방식으로 생겨났을 것입니다. 똑같아요. 만약 우리가- 언젠가는 그 우주가 <끝이 있을> 것이라는 -가설을 받아들인다면- 곧장 우리는 어느 오묘하고도 신비한 <창조자>를 믿어야 합니다. 그러나 우리는 이미 그런 것들로부터 생겨났지요. 그렇지요? " 그리고는 그가 대답을 기다리며 나를 보고 있었습니다. 우리는 숲의 가장자리에 서 있었습니다.

"그렇습니다. 우리는 이미 종교적 믿음의 시대를 지나왔습니다. 사람들 사이에는 여전히 어느 정도의 신비주의 경향이 남아 있긴 하지만." -나는 조심스레 대답하고 난 뒤, 물어봤습니다. "만약 <우주>가 영원히 사멸하지 않는다 해도, 우리 세계는 언젠가 끝나게 될 것입니다. 소위 말하는, 순환하며 맥동하는 우주에 대한 당신 의견은 무엇입니까?"

"내 의견은 그 중의 부분들만 맥동하고 있습니다. 그런 맥동하는 부분 중의 하나가 지금 우리가 살고 있고, 움직이고 있는 이 행성입니다. 모든 작용은 반작용이 뒤따릅니다. -그 법칙은 아직까지는 깨지지 않았습니다.

그럼, 만약 정말 원시 폭발이 있었고, 우리의 대세계가 지금 팽창한다면 확실히, 그 사실은, 언젠가 정반대의 반작용을 가져올 것입니다."

"벌써 400억 년 전부터 우리는 이 <우주공간>에서 날고 있습니다..."

"그리고는요...? 이 <우주공간>은 무한대라, 우리가 아직도 일천억 년 혹은 일천조 년 동안 더 날아갈 수도 있습니다. ...아마 한때의 폭발 중심과 그 팽창하는 세계의 부분 부분들 사이의 어떤 큰 응집력은 전혀 존재하지 않았습니다. 그러나, 그 물질 부분들은 어느 정도의 시간이 지나면 폭발이 있었던 곳으로 고속 질주하여 되돌아오는 그런 식으로도 있을 수 있습니다. 정말 당신은 알고 있습니다. 즉, 물질은 없어지지 않고, 그 물질은 영원히 존재한다고 말입니다. 물리학적 관점에서 본 이 <우주>를 -이 우주가 무한임에도 불구하고- 닫힌 체제로, 그릇처럼 생각할 수도 있습니다. 그 우주 안에서의 우리 물질은 이것저것 다른 모습으로 움직이고 또 변합니다."

"무슨 일이 일어나도, 인간은 멸망할 수 없습니다. 나는 상관없는 듯이 말했지만, 안드로스는 이를 이해하고, 곧장, 새로운 실마리를 잡았습니다.

"그건 아직은 아름다운 희망일 뿐입니다. 야르코스, 정말입니다. 사람들은 자신들을 위해서 수많은 은하를 점유하고 있지만, 그들 모두는 우주의 <똑같은> 부분에서 살고 있습니다. 그들은 아직 그 경계를 넘지 못했습니다.”

“그 말씀은 무슨 다른 맥동하는 우주나 수축하는 우주가 우리에게 진정한 안전과 초월 생명을 가져줄 수 있다는 말씀인가요?”

“바로 그 점을요. 우리가 우주 물질의 이 <우리의> 부분에서 빠져나올 수 없을 때까진, 우린 갇힌 사람으로 남을 겁니다. 만약 모래에서 그 팽창되어 가는 쾌속 질주가 이미 제동이 걸리기 시작해, 얼마 지나지 않아서 우주 공간의, 시간의 전환점에 도달할 것입니다. 그러면 나중에 전 과정이 자신의, 고유의 반사적인 거울 그림을 실현시키게 됩니다. 또 그런 것이 또다시 일어날 것이고, 지금은 상호간에...”

“되돌아 날아오는 것과 멸망하는 것은 그렇게 빨리 일어나지 않을 것입니다.”

“백억 년마다 몇 번... 긴 시간의 여유가 있습니다.”

“그렇군요. 그러면 나도 그것을 <충분히> 긴 시간이 될 것으로 희망하고는 우린 피난하게 될 것입니다. 만약 우리가 우리 우주의 일부분이 독립 <공간>으로 날아간다면, 만약 우리가 <그 우주>의 이런저런 부분으로 날아간다면, 그때야 우리는 마음이 안정될 것입니다. 그때부터 -그때부터야 비로소!- 사람은 더 나은, 더 적절한 생존조건으로 향해 영원히 이주할 수 있을 것입니다.”

“우리는 세계들의 세계를 채우겠습니다.” 나는 속삭이고는 주변을 둘러보았습니다. “이 모든 것이 여기서 시작되었다니 거의 믿기 어렵습니다."

푸른 빛이 나뭇잎 사이에서 비스듬하게 떨어졌습니다. 우리는 이미 숲속을 산책하고 있었습니다. 나무둥치들은 말쑥하고, 묵묵히 서 있었습니다. 나무 둥치들 사이에는 선의와 따뜻함이 숨어 있었습니다.

"이 순환하면서 변형하고 사멸해 가는 <우주>가 아주 마음을 동요하게 만드는 일이군요." 나는 말했습니다. "만약 그 일이 그렇게 된다면, 만약 그 일이 그렇게 <되어 있다면>, 그럼 우리는 이 모든 것은 소용없다는 의식을 갖고 살면서 행동하고, 창조하고, 발견하고, 여행하고, 자식을 낳고 있습니다...그럼, 과거의 위대한 과학자들이 태어난 것도 소용없는 일인가요? 예술가들은요? 여행자들이 고통당하는 것도 소용없는 일인가요? 지식과 아는 것을 고통을 통해 얻는 요인도 소용없는 일인가요? 정말 우리가 지금까지, 그때까지 건설해 온 모든 것은 언젠가 파멸할 것이고, 우리 자신들도 파멸한다고요? 모든 별과 행성이 사라진단 말인가요? 이 숲도 아주 밀집된 물질 전체로 뭉쳐질 것이고, 다시 모든 물질이 만나게 된단 말인가요...? 안드로스!"

그는 나무에 몸을 기댔습니다. 저 숲 멀리서 뭔가 반짝이고 있었습니다. 새 한 마리가 노래하고 있었지만, 지금 그것조차도 나를 기쁘게 해주진 못했고, 정반대로 -그 소리는 아픔으로 들렸습니다.

안드로스는 고개를 흔들었습니다.

"우리는 세계-탄생의 산물입니다. 아마 자연은 전혀

우리를 창조하고 싶지 않았어요. 아마 우리를 창조한 것은 우연이라고 할까요? 아마 그 원시적 맹목적 힘조차도 <지성>이라는 것을 염두에 두지 않았어요. 그리고 우리는 존재하고 있지만, 우리 존재는 언젠가 아무런 결과물도 없이 남게 되어버리겠지요? <이전에는> 그 원시-폭발은 이미 여러 번 반복되었고, 원시 물질을 통해서도 매번 다른 종류의 요소들이, 다른 미네랄들이, 식물들이, 또 동물들이 만들어졌고, 지능을 갖춘 생명은 -만약 그 지적 생명이 일반적으로 존재했다면? -전혀 다른 모습으로, 다른 생각으로, 다른 목적으로 있었거나, 아니면 그 자연은 아마 동시에 존재하는 생물 전체를 많은 형태로 생산해 내었던가요? 아마 우리, 인간들은, -야르코스 당신이나, 나도, 그리고 모두 -다른 원시 폭발로부터 형성된 세계에서 다른 모습으로 이미 존재했을까요? 그리고 우리는 벌써 열 번도 존재할 수 있고, 그러나 천 번, 일백만 번도 존재했고, 새 형태로도 우리는 다시, 또다시 존재할 수도 있을 것입니다."

"나는 <지금 이대로 존재하고> 싶습니다." 나는 고집스럽게 대답했습니다.

호텔 로비의 비디오 폰 하나가 울렸다. 그러나 화면에는 사람 모습은 보이지 않고, 대문자<A>가 신호를 보내고 있었다. 즉 자동기기가 전화로 호텔 측과 통화하고 있었다.

호텔에서도 그 호출을 받는 이는 자동기기였다. 그 호

텔은 완전히 기계화되어 있었다. 도착한 손님들은 중앙 컴퓨터 기기들 앞에서 음성으로 자신을 알리고 있다. 사전 예약도 이 컴퓨터가 기록하고, 예약순서를 만들어 놓고 있다. 객실 손님들도 열쇠 대신에 소형 마그네틱 카드를 받았다. 손님은 이 카드로 자신들의 객실 문을 열 뿐만 아니라 이 카드를 통해서 그들은 호텔의 모든 유료서비스를 이용할 수 있다. 이 카드로 수영장, 체육 시설의 강당, 오락실도 이용할 수 있고, 손님들은 비디오 폰과 다른 전자제품들도 사용할 수 있다. 중앙컴퓨터는 모든 기록 기기들과 연결되어 있다. 그 컴퓨터는 이용한 서비스 종류와 서비스요금을 입력해 놓았다가 나중에 호텔의 숙박계산서에 합산되게 된다. 그런 시스템 덕분에, 그 컴퓨터는 어느 순간에도, 호텔 손님들이 있는 곳을 <알고> 있다. 만약 누가 전화로 어느 손님을 찾으면, 그 컴퓨터는 -전화 교환 통제실도 마찬가지로 갖추고서- 언제나 그 손님에서 가장 가까운 기기로 연결해 준다. 그 두 컴퓨터 사이에는 언어가 아니라 신호를 이용한 대사가 뒤따라 나온다.

"정부 컴퓨터에서 비밀정보요청이 있습니다."
"그 경우엔 해당 사용코드를 보내주십시오."
"일십육-사십이-이십팔-제로-제로."
"나는 차례대로 정보를 제공할 준비가 되어 있습니다."
"본 위원회는 가장 가까운 과거의 대시간단위 동안 외

부은하에서 온 손님이 이 호텔에 숙박하고 있는지 알고
싶습니다."

"여성 한 분이 있습니다."

"그 손님의 인적 사항을 알려 주십시오."

　그리고 그 컴퓨터는 그 명령을 수행했다. 동시에 그
위원회의 컴퓨터는 차례차례 메타 스텔라의 모든 다른
호텔로 전화를 걸어 똑같이 호텔마다 태양계의 각기 다
른 행성들로부터 정보들을 요청했다.

　226번 손님은 지금 자신이 어디에 있는지, 자신이 어
디에서 도착했는지 생각하지 않고 있다. 모든 것을 잊
은 채, 그 여자 손님은 그 작은 물건을 뚫어지게 들여
다보고 있을 뿐이다. TZ-0111328이라는 풀에 붙어 있
는 코드 번호를, 나중에 여자 손님은 마치 그 물건을
아주 극진히 다루듯이, 조심스럽게 그 물건을 집어 들
었다. 아니면, - 그 여자 손님이 그 물건을 겁내는 것
처럼...

　그 물건은 - 책이었다.

　그 여자 손님은 이미 다른 시대에, 다른 곳에서 벌써
책들을 여럿 본 적이 있다. 아름다운 장정이 된 원시적
인 오래된 책들을. 두꺼운 책들과 얇은 책들을. 그러나
전에는 단 한 번, 여자 손님은 손에 그 책을 가질 수
있었다.

　지금 여자 손님은 어느 안락의자로 그 책을 갖고 갔

다. 그 책의 작은 무게에 여자 손님은 놀랐다. 한때 그 여자 손님은 그 책들이 더욱 무거운 것으로 믿고 있었다. 정말 그랬다. 그것들은 종이로 만들어져 있었다. - 그 종이 재료는 수천 년 전부터 더는 사용되지 않고 있었다.

그 여자 손님의 심장은 강하게 뛰고 있고, 얼굴은 붉게 변했다. 그 여자 손님은 숨을 크게 쉬며, 주위를 둘러보고는 구석에 있는 벽 위의 노란 색의 음성기기를 보았다. 그 여자 손님은 그 책을 내려놓고는, 그 확성기로 다가가, 버튼을 누른 뒤, 그 마이크로 말했다.

"정보 요청합니다."

"말씀하십시오." 중앙컴퓨터는 사람 목소리처럼 대답했다.

"야르코스 프로그램은 비디오-텔레비전-망에 아직도 방영 중인가요?"

"예, 지금 제2부가 진행 중입니다."

"고맙습니다."

그 여자 손님은 알았다. 그 여자 손님의 마지막 말은 군더더기였다. 기계들은 사람들이 고맙다고 하는 말을, 자신의 봉사에 고맙다는 말을 기다려 주지 않는다. 가장 자주 <끝!>이라는 날카로운 외침의 <대화>가 보통 마친다. -그렇게 기계들은 인간인 주인이 그 기계들의 서비스를 사용하기를 끝냈다는 것을 죽은 재료들로 만들었으나, 거의 지성적 두뇌들에게 알린다.

그 여자 손님은 탁자로 다가가, 그 책을 다시 손에 집어 들었다. <우주 공간>을 기술하는 그 책자는 아주 아주 옛날 출판물임이 분명했다. 그걸 입증해 주는 것이 두꺼운 종이와 글자들의 모양이다.

 그 여자 손님은 그 책을 읽어 나가기 시작했고, 때때로 그 여자 손님은 무슨 아주 옛날의 표현을 이해하진 못했다. 여자 손님은 한 번도 들어 본 적이 없는 과학 분야의 전문용어들도 접하게 되었다. 그런 용어들은 확실히 비실제적이었다. -벌써 수천 년 전부터... 여자 손님은 시간이 어떻게 지나갔는지 모를 정도로 그 책을 읽어 나갔다.

"...숲 속에 테라 표면에서 이용하는 비행구(飛行球)가 우리를 기다리고 있었습니다. 안드로스가 그 안으로 들어갔고, 나에게도 똑같이 하라고 손짓을 했습니다. 우리가 이륙하자, 내 눈앞에는 더욱 아름다운 광경이 나타났습니다. 나는 푸른 산들을 더 많이 보게 되고, 그것에 나는 완전히 넋이 빠지게 되었습니다. 테라 사람들이 아무 근거도 없이 나를 이곳으로 부르진 않았구나 하는 생각이 퍼뜩 들었습니다. 처음에 나는 이 행성을 떠나고 싶다고 선언해 놓았습니다. 그러나 내 잠자리로 이용한 해먹을 그 사람들은 호수가, 들판, 산속에 설치해 주었습니다. 아마 그들은 그 아름다운 장관으로 내 확신을 바꿀 수 있으리라고 생각했나 봅니다. 결국 그들이 내게 무엇을 기대했을까요? 무슨 의견을, 무슨 태도를? 만약 나의 강제된 착륙을 불법 행동으로 생각한다면, 이곳의 어떤 기관에서 나를 벌줄 것인가? 아마 나를 법정에 세울 것인가? 그리고 나는 어떤 판결을 받겠습니까? 나를 이용한 그들 계획은 무엇이며, 왜 사람들은 안드로스를 <내게 보냈을까요>? 조금씩 나는 느꼈습니다. 지금 그들의 흥미는 내가 어떤 사람인지 알고 싶은 것이로구나. 이를 통해 그들은 내가 무슨 목적으로 테라에 도착하게 되었는지 알기를 희망합니다.

테라...

그렇습니다. 나는 테라에 있습니다. 그 훤히 내다보이는 비행구는 아주 재빨리 그리고 소음도 없이 숲 위를 날고 있고, 나중에 들판과 농작물이 재배된 땅이 뒤따랐습니다. 바둑판처럼 잘 정돈된 땅에는 내가 모르는 나무들이 자라고 있었습니다.-확실히 과일나무들이요. 나는 안드로스에게 아무것도 묻지 않았고, 그도 잠자코 있었습니다. 얼마 지나지 않아 우리는 강 건너로 날아갔습니다. 내가 그곳에서 도로도 보게 되었습니다. -그것은 방치된 것 같았습니다. 확실히 그들이 그 비행구를 사용한 이후로, 땅 위의 교통량은 급격히 줄었고, 그곳은 이제 아주 중량이 많이 나가는 물체들만 이동시킬 때 이용하고 있었습니다.

그런데 나중에 갑자기 일이 벌어졌습니다. 땅의 초록은 사라지자 대신에 무슨 회색 물체들이 나타났습니다. 멀리서 나는 돌출해 있는 장방형의 물체들을 보았고, 나중에 똑같은 크기의 벽돌들도 보게 되었습니다. 그것들은 가옥과 비슷했는데, 무슨 용도의 가옥인가요...! 정말 그 사람들은 그 가옥들을 아주 오래전에 건축했음이 분명했습니다. 그 건물들은 수백 미터나 높고, 거대하고, 서로 아주 가까이 서 있었습니다. 벽에는 수천 조각의 창문들이 검게 달려 있었습니다. 위에서 내려다보니 그 건물들이 때로는 평평하고, 때로는 뾰쪽하였습니다. 하지만, 이 두 가지 모형은 위협적이었습니다. 그 건물 중 하나는 확실히 파괴된 지 얼마 되지 않아 보였고, 그 자리엔 벽돌과 시멘트 덩어리들만 수북이 쌓여 있었습니다. 그 이상한 도시에서 나는 적어도 80 내지 100동의 그런 건물을 보았고, 그들 중에 아래엔 다른, 더 낮은 건물들이 많이 있었습니다. 그리고 전혀 나는 생명의 자취를 볼 수 없었습니다. 그리고 반대로 잡초들은 거리에, 공터에 자라고 있었고, 수백 년이나 된 나무들이 그런 폐허 사이로 자라나고 있었습니다.

"안드로스, 저게 뭡니까?"

"옛 도시, 아주 옛 도시입니다. 그것은 사람들이 서로 적대적으로 싸우던 시대에 생겨났습니다."

"사람들이 서로 싸우면서 살았다구요... 그런 시대가 저 모습이었습니까?"

"우리가 지금 사는 시대와는 다른, 이전의 길고 긴 시대였어요. 지금 우리는 서로를 위하며 살아가고 있습니다. 그런 상호 부조가 온 사회를 움직입니다."

그 점에 대해 나는 의심하지 않았고, 모든 은하에서도 정말 같았고, 그렇게만 있을 수 있습니다. 테라 땅에도 사람들이 바로 그런 사회를 만들었다는 것은 자연적 현상처럼 보였습니다. 우리 비행구는 높이 순회하고 있었고, 안드로스는 설명을 이어 갔습니다.

"그 당시 그 사람들은 언제나 서로 싸우며 살아갔습니다. 그러나 처음부터 그런 일이 일어났다고 할 수 있겠습니까? 우리 학자들은 바로 그 계속된 싸움 때문에 인간은 문명화된 생활을 하게 되었다고 결론을 내렸습니다. 매일 인간은 살아남기 위해 싸워야만 했고, 인간은 언제나 더 나은 성질들을 소유해야만 했습니다. 심리적, 신체적으로만 가장 나은 조건의 개개인만 <자연>의 시험들을 견뎌낼 수 있었습니다. 우리 선조들은 <사냥꾼>이었어요. 당신은 이런 말을 들어 본 적이 있습니까?"

"아뇨," 나는 고개를 내저었습니다.

"원시 인간들과 더욱 나중의 사람들은 죽임을 일삼았습니다. 야르코스. 그들은 짐승을 죽여서, 그렇게 그들은 먹고 살아갔습니다. 그리고 자주 그들은 다른 인간들도 죽였습니다. 무더기로 또 정기적으로."

"그것은 있을 수 없는 일이군요..." 나는 목이 꽉 멘 채, 아래를 내려다보았습니다. 비행구는 시멘트벽 위를 계속 선회하더니, 그들 중 한 곳의 벽 위에 갑자기 그 비행구가 그림자를 보이며 스쳐 지나갔고, 나중엔 멀어졌고, 검은 한 점이 되었습니다.

"정말 그렇습니다. 그들은 살육을 일삼았습니다. 우리는 그런 걸 상상조차 할 수 없지만, 우리는 증거를 갖고 있습니다. 전체 사회에 영향을 미치는 사람들이 나중에 있었고, 그들은 함께 다른 무리를 섬멸시켰습니다.

그들은 수십만, 수백만의 인구를 죽였습니다. 이해가 됩니까?"

내 머리가 뒤숭숭해졌습니다. '수십만 명이라니? 수백만 명이라니? 그것은 가능한 일인가? 정말 여기 우리는... 지금... 아무도 살인을 저지르지 않습니다. 나는 이미 사람들이 거주하는 모든 태양계를 돌아다녀 보았지만, 아주 오래전부터 누가... 누구를 죽인다는... 일은 일어나지 않습니다.' 나는 허망한 두 눈으로 그 시멘트 가옥을 쳐다보고 있었습니다. 안드로스는 계속 말을 이어 갔습니다.

"그리고 그것이 아직 전부가 아닙니다. 야르코스. 만약 당신이 이제 테라에 도착했으니, 당신은 모든 것을 알아야만 합니다. 한때 그 사람들은 가장 잔혹한 행동을 자행했습니다. 한때 그 사람들이 핵에너지를 알게 되었을 때도 테라에는 여전히 식인종들이 살고 있었다는 것도 아십니까?"

"누구를 말씀입니까?" 나는 머리에 새로운 공포감을 예상하면서 물어 보았습니다.

"식인종이지요. 다른 사람의 살을 먹었던 식인종들 말입니다."

청중은 외쳐대기 시작했다. 좌석에 앉아 있던 사람들의 반응은 순간적으로 하나가 되었다. 마치 불신과 속임을 청중들이 번쩍 느낀 듯이. 사람들이 서로 깜짝 놀라 쳐다 보았다. 그들 중 몇 명은 휘파람을 불기조차

했습니다.

"거짓말!"

"그건 너무 지나쳐요!"

"야르코스, 정말이오?"

"이제야 정말 <동화>지요!"

"지금까진 우리가 너그러운 마음으로 들어 주었어..."

"그건 있을 수 없어요!"

"...그러나 그것은 황당해요."

"야르코스, 지금 왜 말이 없어요?"

(...이상한 반응이군. 내가 어떤 지도자들이 수천 명, 수백만 명을 죽였다고 언급했을 때는, -그들은 잠자코 있으면서 전혀 믿기지 않는다 했고, 동시에 대학살은 언제나 불합리한 것으로 여기는군. 어렵거나 아니면 상상하기조차 불가능할 정도로. 나도 그것을 상상할 수도, 믿을 수가 없었지. 그러나 사람을 먹는 사람들이 있다는 걸 언급하자, 곧장 이 사람들은 귀가 번쩍하는구나. 그것을 그들은 쉽게 이해했지. -그러나, 이들은 그걸 과거에 믿지 않았고, 지금도 믿지 않고 있어.)

오오르트가 알펜을 쳐다 보았다.

"저어? <그가> 지금 너무 허풍떨더니 덫에 걸려 버렸군. 곧장 그 할망구에게 전화해!"

"누구 말씀입니까?"

"에이나레스 여사지. 위원회 법률고문에게. 또 컴퓨터

를 점검해 보게. 이곳에 있는 낯선 사람들에 대한 무슨 정보라도 있는지를?"

알펜은 그 명령을 수행했다. 그도 내심 야르코스로 인해 화가 났다. '식인종들이라니? 사람이 다른 사람을 잡아먹다니? 정말 그것은 미친 행동이고, 악몽이다. 지금 그런 건 없다. 과거에도 그런 건 없었다. 사람들이 짐승들을 잡아 죽이는 걸 의미하는 <사냥하는 행위>도 없었는데? 언제, 왜...? 아마 사람들이 짐승들도 먹었을까? 그것은 공포영화에서나 있는 일이다. 그러나 그런 영화를 이젠 제작도 하지 않고 있다. 반생명적 모든 행위는 적어도 지난 4천 년 동안 허가하지 않고 있다. 정말 사람은 생물을 죽일 권한이 없다. 아마 식물만 -자신의 식량을 위해서. 하지만 개를 죽이다니? 고양이를? 말을? 새들을, 고기들을? 그런데 아니, 그런 일이 있었다니...'

알펜은 고개를 내저으며 있었지만, 그새 오오르트의 컴퓨터 화면엔 그 여성 법무 전문가가 연결되었다.

"다시 위원회 의장 당신인가요?" 에이나레스 여사는 무슨 인사나 예식 없이 물었다. 동시에 그녀는 기쁜 표정이라곤 전혀 보이지 않았다.

15. 테라를 떠나 이주한 사람들

오오르트도 비슷하게 행동했다. 그는, 한 시간 전에 시작된 대화가 마치 중단되지 않은 듯이, 그런 어조로 말을 시작했다.

"지금도 우리가 그를 공격할 수 없는가요?"

그 여교수는 인상을 찌푸렸다. 그녀의 얼굴은 -전체 얼굴이 보면 볼수록- 더욱 못난 모습이 되어 있다.

"이젠, 당신의 유일무이한 열망이군요. 오오르트... 당신의 편집광이 발동하는군요. 어느 의사가 말했듯이. 물론 지금 우리가 야르코스를 공격할 수도 있고, 그를 고소할 수도 있습니다. 왜냐하면, 그가 동화 속에 공포물을 뒤섞었고, 더구나 그가 한 말 중 몇 가지는 <인류를 비방>하는 것으로 규정해도 무방하겠지요. 그런 건은 고소하지 않기로 한 지 적어도 천 년이 지났어요. 그 때문에 미래 법정은 그 일 전부를 달갑지 않게 받아드릴 겁니다."

"나중에 그 고소를 철회하고 그자를 풀어 준다 해도 괜찮아요! 중요한 건, 우리가 저 동화 방영을 중단하자는 말입니다!"

그녀는 불쌍하다는 듯이 두 팔을 뻗었다.

"그런 일은 당신조차도 해선 안 됩니다. 오오르트. 저 동화 고소의 건은 전체 동화를 듣고 난 뒤에야 가능한 일입니다. 그리고 요즈음 법정은 -그들은 할 일이 그리 많지 않아- 모든 공식 서류를 아주 꼼꼼히 처리합니다."

오오르트는 입술을 세게 닫고, 그 전화 화면에서 몸을 돌려, 다시 야르코스의 프로그램을 쳐다보았다. 오오르트의 그런 행동에 그녀도 놀라지 않고, 지루한 듯 그녀는 자신의 기기를 만지자, 비디오 화면은 검게 변했다.

알펜은 위원회 의장 옆에 멈춰 서있었다.

"지금 현재 메타 스텔라에는 다른 은하에서 온 사람들이 14명 있습니다. 그 사람들이 지금 어디에 머무는지 모두 알고 있습니다. 그 사람 중 한 사람은 야르코스 자신이기도 합니다."

"그 명단 작성해 둬요. 그게 필요할 거요." 오오르트가 명령했다. "야르코스 프로그램이 끝나면, 우리는 그 14명에게 전화 걸어, 나중에 고향에 돌아가서는 아무에게도 야르코스가 한 이야기를 발설하지 않도록 조치를 취해야 된다구."

"우리가 반대입장에 서 있음을 그들이 알아차리지 못하도록 하는 편이 더욱 적절할 것 같습니다." 그 비서가 의기소침해하며 제안했다. 그러나 그 의장은 비서의 말을 무시한 채 다시 대형화면으로 향했다. 알펜은 낮은 한숨을 내쉬었다.

"...야르코스, 당신은 경악하리만치 많은 놀라운 일들을 계속 알게 될 것입니다. 그러나, 인간의 가장 긴 과거는 바로 이 테라에서 이루어졌습니다. 그러니, 가장

추악한 일은 그 당시 그곳 인간들에게서 일어났습니다...” -안드로스는 그렇게만 말한 뒤, 그 비행구를 다른 방향으로 이동시켰습니다. 내가 듣고 있던 일들이 여전히 내 목을 꽉 누르고 있지만, 안드로스는 테라의 과거사로 나의 두뇌를 계속 억누르진 않았습니다. 다시 우리는 과일나무들을 뒤로한 채 날고 있고, 나중에 거대한 물이라는 거울이 우리 앞에 나타났습니다. 그건 바다였어요.

해변에선 보일락 말락 하는 절벽들의 자취도 여기서는 볼 수 있었습니다. 그 절벽들은 지평선의 가장자리까지 뻗어 있었습니다. 그리고 나는 그런 절벽들을 위에서 잘 보고 있었습니다. 석벽들과 돌섬들이 연초록 물 위로 솟아나 있었습니다. 이 이상한 광경은 과거의 어느 죽어버린 세계의 그림을 떠올려 주었습니다. 그래도 나는 이곳에서 무슨 일이 일어났는지 이해가 되지 않았습니다. 동시에 나를 사로잡은 것은 그 아름다운 광경이었습니다. 산비탈도 편평한 해변에선 완만했고, 여기저기 물은 거친 파도가 되어버렸지만, 조그만 만에서는 바다도 잠잠해 있었습니다. 바람은 노랗고 붉은 덤불들을 흩날리고 있었습니다.

“저길 봐요. 그 사람들이 건설해 놓은 거요... 대륙들을 이미 점유하던 그 사람들이 바다 위에도 건설을 계속했습니다. 그들은 <흙을> 얕은 해변으로 옮겨놓고, 여기저기서 인공섬들을 건설해 두기조차 했습니다. 빈번히 일어난 작은 전쟁들도 무의미한 건설의 확장을 막진 못했습니다."

"그리고...그들에게 무슨 일이 있었나요?" 나는 질식할 듯이 물어보았습니다. 왜냐하면, 그의 목소리에는 뭔가 흥조가 들어 있었습니다.

"그 사람들은 이주를 해버렸답니다."

"그 때문에 그들은 다른 은하로 날아갔습니까?"

"그것도 이유가 되겠지요. 그러나 그 일은 그렇게 간단하지 않습니다. 사람들에겐 자신의 땅에서 건설 과잉과 동시에 다른 문제들도 훨씬 많이 생겨났습니다. 많은 사람과, 언제나 더 많아진 사람들로 인해 거주지만 필요한 게 아니었습니다. 공업은 더 많은 생산을 해야 했고, 농업도 마찬가지였습니다... 그런 것은 박물관에서 보게 될 것입니다. 이 모든 것 때문에 그들은 부지와 원자재가, 더 많은 원자재가 필요했습니다. 그 당시 원시적 기술 수준은 공기, 물, 흙조차 오염을 시켜 났습니다... 전염병이 창궐했습니다."

"그때, ...그 사람들은 이주했나요?"

"그때는 아니고, 수백 년 뒤에야 말입니다. 그들이 일반 사람들도 사용할 수 있는 첫 우주선들을 만들었을 때, 그때, 그들의 우주탐험대들이 우주 공간에 몇 개의 거주 가능한 행성들을 발견했을 때, 그래서 그들이 이젠 <어디로든지> 날아갈 수 있게 되었을 때 말입니다... 그동안 이곳 상황은 견디기 힘들었습니다. 그 상황을 당신은 상상조차 해볼 수 없을 정도입니다. 야르코스, 당신은 우리 선조들이 어떤 덫에 갇히게 되었는지 이해하지 못할 겁니다. 정말 당신은 그런 일이 한 번도 일어나지 않았던 그 세계에서 왔으니까요. 당신들 모두는 우주 공간의 섬들에서 살고 있지만, 당신들은 우주선을 보유하고 있어, 당신들은 섬들의 존재에 대해서도 알고, 섬의 위치에 대해서도 압니다. 언제든지 당신들은 그곳으로 날아갈 수 있습니다. 그러나 그 당시 사람들은 이 테라에서만 살아간 사람들입니다. 이 우주에서 외롭게, 오직 외롭게 살아 간 사람들입니다! 그 당시 테라는 우주에서 사람들이 살던 유일무이한 섬이었지요! 그리고 그들은 오랫동안 해결책을 가지지 못했습니다. 수십억의 사람들이 서로를 멀리한 채, 적대적으로 이곳에 살았습니다. 한편 그들은 언제나 수많은 어려움을 안고 있었습니다... 그리고 언제나 인구 과다가 모든 악의를 부른다고는 믿진 말아 주십시오. 사람들은, 이 테라에 인구가 너무 많지 않더라도, 자신의 행성을 떠나야만 했습니다. 그리고 그 중앙의, 에너지를 가져다주는 별은 아직 제 기능을 발휘하고 있어도 말입니다. 그 많은 사람에겐 그들 자신이 이제는 필요한 에너지만큼도 생산할 수 없는 시대가 왔거나, 아니면, 그만큼의 에너지를 생산하려면, 너무 큰 비용이 들었던 시대가 왔습니다. 그건 예를 들어, 바다가 <불타버리는 것>과 같았어요. 즉, 수소가 불타버림이거나, 아니면 이 행성이 불타는 것, 아니면 태양에너지 전부를 사용하게 되는 것, 태양과 몇 개의 행성들을 한 개의 유일무이한 대형구 속에 닫아버리는 것이지요...그러나 필요의 시간이 왔을 때,

가능의 시간은 아직 오지 않았습니다. 그래서 그들은 그 악조건 속에서 살아갔습니다. 그들은 더 많은 식량을 생산해낼 수 없었습니다. 왜냐하면 농토는 부식되어 망가져 버렸고, 숲들은 점차 사라지고, 이젠 산소를 더는 숲에서 만들지 못했기 때문입니다. 해초류 생산은 여전히 원시적 수준에 머물러 있었습니다. 공업 발달로 대기가 온난화 과정에 들어섰을 때, 그들이 마침내 테라로부터 피난할 수 있는 수단을 찾았을 때, -그 온도가 이전보다 7도나 더 높아져 버렸습니다... 야르코스, 당신은 그게 무얼 의미하는지 알고 있습니까? 그때, 테라 그 자체가 지옥이 되어버렸답니다!"

나는 그 <지옥>이라는 낱말이 뭘 의미하는지 몰랐습니다. 안드로스가 설명해 주진 않았습니다. 한편 그 비행구는 바다 위로 날고 있었습니다. 해가 내 얼굴을 아주 따뜻하게 해 주었습니다. "이곳에 언젠가 뜨거운 공기가 있었다니, 또한 견딜 수 없는 삶이 있었다니, 그게 사실입니까?"

"...이 행성은 사람이 살 수 없게 되어버렸지요. 그 당시 과학도, 기술도 아무 소용이 없었습니다. 그래서 사람들은 이런 시대에 다다랐습니다. 즉 사람들은 이제 그 황폐함에 대항할 수단을 찾지 못한 채, 공업 생산을 중단하기도 어렵고, 더위로 인해 북극과 남극 얼음이 녹은 채, 물이 대륙 대부분을 잠기게 만들었습니다... 그래서, 원시 선조들은 이 행성을 떠난 것입니다. 처음에 적은 수효의 내키지 않은 사람들이, 나중엔 언제나 더욱 많은 사람이 자진해 또는 서둘러, 마침내 대규모로 난리 통에 피난을 떠났습니다. 한편 이 행성은 차례대로 핵에너지 센터들이 파괴되고, 모든 요인이 단단히 크게 화난 것이지요..."

"모두가 떠났습니까?" 나는 목멘 채로 물었습니다. 안드로스는 아마 나의 그 질문을 못 들은 것 같았습니다.

"...그럼, 지식이란 것이 얼마나 가치가 있었겠어요? 그들은 유전자들을 규칙화시킬 줄도 알았고, 우리 은하의 경계가 어디까지인지 알고 있었습니다. 그러나 얼음이 녹기 시작하고, 범람이 지속적으로 계속되자, 그들은 어찌할 줄 몰랐습니다. 그것을 예견하기는 했지만요. ...그래도 그들은 맹목적으로 앞으로만 나아 갔습니다. 결국 공감대가 부족했을 때야, 모든 것이 벌어지고 말았습니다... 아뇨, 전부가 다 떠나가지는 않았습니다. 이곳에 극소수의 사람이 남은 걸 우리는 알고 있습니다. 전혀 새롭고 더 잔혹한 세상에서 모든 것을 다시 시작해야 할 힘이 충분치 못하다고 느낀 사람들이지요. 아직 실체를 모르는 재앙보다도 이미 아는 재앙을 극복할 수 있으리라고 믿던 사람들이 그들입니다. <우주 공간>을 무서워한 그 사람들입니다. 정말 이전에 한 번도 그 <우주 공간>을 여행해 보지 못한 사람들이 그들입니다.

테라에 그래도 환경이 급변할 것이라며, 다시 자연 상태를 회복할 것이라며, 그러면 그때는 그들이 더 아름다운 세계를 가지게 될 거라며, 이 테라를 떠난 피난민들이 이 테라에 남겨둔 것도 자기 것이 되리라고 믿던 사람들이지요..."

나는 두 눈을 감았습니다. 내가 안드로스의 목소리를 마치 멀리서 듣는 것 같았습니다.

"...이곳엔 수만 명의 인구만 남았습니다. 먼저 그들은 잔혹한 운명에 놓이게 되었다는 걸 말씀드려야 하겠군요. 그들 중 일부는 거창한 일기를 써 두기도 하고, 또 다른 사람들은 영화를 만들기도 하였습니다...그들의 삶은 마치 멈춘 것 같았지만, 오래지 않아 그 삶은 다시 출발하게 되었습니다... 이젠 퇴보의 길로 말입니다. 거대한 산업은 움직이지 않고, 이젠 살아갈 수 없음이 분명했습니다. 이전엔 너무 많은 사람이 있었는데, - 지금은 너무 적은 수효의 사람들만 있어요! 모든 걸 생산하던 공장들이 멈추고, 그러니 처음에는 양식이 사라지더니, 나중엔 의복이, 끝내 의약품도 남지 않았습니다. 남아 있던 사람들은 그 이주민-피난민들이 남겨 놓은 양식을 먹어 치웠고, 그것으로는 몇 년 정도만 지탱할 수 있었습니다. 파괴된 도시에서도 더 많아져 버린 쥐 때문에 사람들은 그 도시에 살 수 없었습니다. 산촌에 살던 사람들이나 농부들은 가장 오래 견디어 냈습니다. 그러나 전염병이 돌자, 그들마저도 죽게 되었습니다. 이 오염된 땅, 더러운 공기, 부족한 물 -이 모든 것이 그 남은 사람들을 괴롭히는 음모 그 자체였지요. 사회를 잘 기능하기에는 그들은 너무 적은 수효였습니다. 테라가, 수백 년 동안 인류의 요람이던 테라는 이젠 그 인류의 적이 되어버렸지요."

"인간 스스로 그 안에 자신의 적을 만든 셈이군요."
나는 작은 소리로 말했습니다.

"당신 말이 맞아요. 자연은 우리에게 복수합니다. 물론. 그 개념을 자연 스스로는 모르고 있지만요. 그 자연은 오랫동안 끈질기게, 그러나 동기를 가지고 복수를 합니다. 사람들은 이전엔 일천 번이나 그런 결과를 예측할 기회가 있었고, 이 모든 걸 되돌릴 기회가 있었습니다... 그러나 그들은 맹목적으로 자신의 숙명적 운명을 향해 달아났습니다."

안드로스는 열심히 이야기해 주었고, 지금은 그 일로 인해 나는 괴롭진 않습니다. 나는 그의 말이 진실이라고 믿었습니다. 나는 이미 그 폐허를 보았습니다. 하지만 희망은 내 안에 불꽃처럼 타올랐습니다. 아니, 사람들이 그만큼 많은, 이전의 수천 년간 희망을 잃어버렸다는 것이 있을 수 없는 일처럼 보였습니다. 여기, 눈이 부실 정도로 푸른 바다와 초록의 산들에 사이에서, 숲 사이에서 호숫가에서 그렇게 된다는 것이 있을 수도 없는 것 같았습니다!

"안드로스..."

"예?"

"하지만, 살아남은 사람들도 많았지요, 그렇지요?"

그의 하얀 머리는 태양 아래서 빛나고 있었다. 그는 몸을 천천히 나에게로 돌렸다.

"아뇨, 야르코스. 그들 중 아무도 살아남지 못하고 모두 죽었습니다."

메타 스텔라 비디오 폰의 중앙국에는 그때 접속량이 급속히 많아졌다. 전화접속 대다수가 위원회 사무국을 향하고 있었다. 그러나 많은 사람은 텔레-신문의 편집실과도 통화를 시도했다.

깜짝 놀란 작가들이 야르코스 동화가, 동화 프로그램이 허락하는 경계를 넘었다고 알렸다. 많은 사람은 텔레비전 네트워크의 사장에게 이젠 저 <인류를 비방하는 공연>을 더는 시청하고 싶지 않다고 말했다. 그러나 동시에 그 에너지 센터에 나타난 계측 기기들은 지금도 전력이 거의 똑같은 양으로 사용 중임을 명백히 보여주고 있었다. 그래서, 그렇게 위협하는 시청자들조차도 자신의 텔레비전은 끄지 못하고 있었다....

화가 난 어느 남자는 고함을 지르면서, 그 위원회 당직자와 통화를 하고 있다. "저 야르코스가 감히 뭘 하려는거요? 우주에서 아직 정의되지 않는 지역에서 튀어나온 저런 작자들이 <인간...!>이라는 낱말을 더럽힐 줄만 알고 있다구요."

또 다른 어느 신경질을 부리는 여자 한 사람은 오랫동안 주장했다. "야르코스는 사람들이 한때 어리석었다는 걸 강조하고 있어요. 맹목적인 사람들이 자신을 멸망의 길로 이끌었다니, 그런 말이 어디 있어요? 그럼 우리 선조들이 마치 짐승이라도 되었다는 말인가요?"

오오르트의 가정에 설치된 자동기기들도 몇 가지 비슷한 메시지를 기록하고 있었다. 어떤 사람들은 텔레비전

-신문들의 편집국을 폭파해 버리겠다고도 했고, 어떤 아주 나이 많은 노인 한 사람은, 자기 나이가 234살이라고 강조하면서 -목소리를 떨며, 그 자신이 저 동화작가를 가장 가까운 우주 정거장으로 강제로 내보내야 한다고 하면서, 가장 빠른 시간에 이곳을 떠나도록 만들어 버리겠다고 하면서, <저 작자가, 현대에 사는 인간이라면서, 저 작자는, 인간을 그렇게 우둔한 자연과의 싸움에서 패망했다고나 하는 작자>라고도 했다.

그것은 다른 불평자들의 마음도 아프게 했다. 인간의 역할을 낮추어 표현하는 것이 -에피소드라고 하더라도, 어디선가, 아주 초기의 역사 시대에서 -그들 자신은 마음이 상했다며, <야르코스가 우리의 세계관을 쓸모없게 만들어 버렸어요.>라고 논쟁을 불러일으켰다.

그 돔형건물의 사장은 야르코스의 프로그램에서 휴식 시간을 한번 더 마련하려고 했다.

하얀색 머리의 아가씨는 걸음을 가볍게 해서, 무대 위로 올라갔다. 좀 전에 그 아가씨는 자신의 옷을 바꿔 입었다. 지금은 오렌지 색이다. 거의 속이 비칠 듯, 허리에 꼭 붙는 옷을 입고 있다. 야르코스에게 잠시 양해의 호소를 표현하는 눈길을 보내고서, 그 아가씨는 무대 가장자리에 가 섰다. 청중은 좀 전에 들은 말로 인해 웅성거리고 있다. 많은 사람은 자리에서 일어나, 우려 섞인 표정으로 서로를 바라보며 말을 나누고 있다. 조명들이 이리 저리로 비추고 있다. 텔레비전 카메라들은, -동화가 중단된 동안에 -특히 청중을 비추고 있다.

야르코스는 평온한 마음으로 의자에 앉아 있고, 그 아가씨만 가까이서 야르코스 눈에 의아심이 번뜩이는 것을 볼 수 있다. 하얀색 머리의 아가씨는 무대 위에서 마치 자신이 지금 무슨 음악을 듣고 있듯이 무대 위에서 혼자 춤추고 있었다. 매끈한 허벅지가 때때로 그녀의 착 붙은 옷 아래도 보이기조차 했다. 그녀는 콘트랄토 목소리로 말을 시작했다.

"청중 여러분, 제 말씀을 들어 주십시오! 오늘 우리 초대 손님께서, 이렇게 유능하신 동화작가께서 여러분에게 감동을 주시니 정말 기쁩니다. 작가님 말씀 전부를 이해하시기가 쉽지만 않습니다. 그렇죠? 그래서 멋지십니다!... 정말 이 프로그램이 토의를, 심지어 논쟁을 만들어 주니 좋은 일입니다! 그대로 계시지는 마십시오! 나중에 여러분이 반박하실 시간을 드릴 계획입니다. -그래서 다시 휴식 시간을 갖고자 합니다!"

텔레비전의 담당 연출자는 화면에 그림을 올려놓았다. 메타 스텔라의 모든 TV 채널에서 광고가 방영되었다. 대형 돔형건물의 대강당에는 칼라 조명들이 바삐 움직이고, 그 조명들이 대강당 외부의 청중들을 쫓아다니고 있다. 사람들은 마이크를 통해 80세기 말코브 라는 음악가가 작곡한 <산과 새가 있는, 잊혀진 세계 풍경>이라는 천연색-음악-합주곡을 듣고 있다. -천연색으로 볼 수도 있다. 그 음악은 정말 지금 사실적이다. 관악기들의 위로 올라가는 음악 소리에, 현악기들의 아래로 내려가는 음악 소리에 수분 전에 소란을 지르는 사람들조차도 조금씩 온화하게 만들었다. 지금 볼 수 있는 천연색은 화가 난 사람들을 선의의 마음으로 달래 주었다.

야르코스는 휴게실의 푹신한 침대에 누웠다. 그는 두 눈을 감고 아무 생각도 않으려고 애썼지만, 그마저도 실패했다. 그의 내면 의식은 불타고 있고, 그는 자신의 내부를 향해 묻고 있다. '만약 저 사람들이 지금까지의 내 말에 저런 식의 반응을 보이면, 다음 이야기를 듣게 된다면 어떤 반응을 나타낼까... 그리고 결국 그들이 그 모든 걸 다 알게 된다면?'

"저 사람들은 사실을 사실대로 받아들일 수가 없을 거야." 그는 작은 소리로 말했다. 그런데 그는 지금 이 휴게실에 혼자가 아님을 느꼈다. 어두운 구석 한편에 있는 하얀색 머리의 아가씨를 발견하게 되었다.

"아가씨는...?"

"예." 그 아가씨는 가까이 다가왔고, 바로 이 순간, 아가씨는 생기가 되살아났고, 이젠 벽의 그림자도 보이지 않는다. 아가씨는 지금 셔츠만 걸치고 있고, 카펫에 맨발인 채로 서 있다. '내가 기다리는 사람은 이 아가씨가 아닌데.' 그는 그런 생각을 하고는 머리를 한번 흔들고는 두뇌에서 멀어져 가는 뇌파를 살려내려고 애썼다.

16. 바이오 피부의 크로스

'저 아가씨는 아마 이 방에서 나갈 것이다.' 이 순간에, 그는 저 아가씨가 필요하지 않다. 지금 이 짧은 시간 동안은 계속 혼자 있는 편이 좋다.

"뭐, 필요하신 게 없나 해서 들어와 봤어요." 그리고 아가씨는 침대 옆에 무릎을 꿇고는, 야르코스 가슴 위로 머리를 숙였다. '젊지만 얼마나 바보스러운가.' 그는 그런 생각을 한 채 움직이지 않았다.

"...피곤하세요, 야르코스?" 아가씨는 작은 소리로 물었다. 그 말은 메타 스텔라의 광고 문구와 흡사하다. 그는 이런 상황이 귀찮았다. '이 짜랄라 라는 아가씨는 여전히 어린아이네. 또 간단히 이 침대로 들어오고 싶어하는구나'... 물론 그는 놀라지 않는다. 그는 그런 것에 익숙해 있었다. 관습이 그렇게 만들어 놓았다. 아니 법률일 수도 있다. 아주 옛날엔 풍문에 따르면, 남자만 여자에게 다가갈 수 있었다고 한다. 야르코스는 물론 그런 시대가 불평등하다고 생각하고 있고, 정말 여자도 똑같은 권리를 가져야 한다고 생각하고 있다. 여자들이 그를 연인으로 찍어, 그들이 그에게 알려 주는 경우도 여러 번 있었다. 그런 경우에는 그가 그걸 받아들일 것인지, 그런 만남을 계속해야 하는지 결정할 수 있었다. 그러나 지금은... 야르코스는 자신의 명성만 알고, 자신이 어떤 사람인지도 모른 채 접근하는 그런 아가씨는 필요치 않다. 그를 오로지 동화작가로, 우주 여행자로,

은하들의 방랑자로, 그의 전자 얼굴 모습으로 지금 수십억의 메타 스텔라 주민들이 주목하고 있는 사람으로만 이 아가씨는 알고 있었다...

"지금은 아니오." 그는 자신의 음성을 통해 충분히 자신의 결심을 전하고자 애를 썼다.

"제가 마음에 들지 않나요? 지금까지 이 몸은 모든 남자를 즐겁게 해주었어요." 아가씨는 속삭이면서 그의 침대에서 벗어나려고 하지 않는다. '그런 대답은 자주 들었었지.' 야르코스는 그런 말을 일천 개의 비디오 필름을 통해 들었고, 지금 그는 쓸쓸하게 미소만 지었다. 짜랄라도 그 말을 비디오 필름에서 들은 바 있었다. 어떻게 남자들이 그런 여자들로부터 자유로워지겠는가?

그 아가씨는 계속 요구했다.

"저 좀 보세요. 선생님을 보면 욕망이 일어요. 그걸 느낄 수 있어요. 선생님도 저에게 뭔가 하고 싶을 거예요. 수많은 남자가 기꺼이 저를 받아주었어요..."

"짜랄라 말은 정말 맞아요. 그러나 나는 야르코스요." -지금 그는 내부에 거만함을 모아, 목에서는 지금 이 멍청한 계집애를 어떻게 하면 가장 마음 아프게 할 지도 알지만, 그는 아무 말도 하지 않고 웃음만 지었다.- "많은 은하를 방문했고, 많은 아름다운 여자와도 함께 지낸 야르코스요. 그러나 절대로 안 돼요. -아가씨는 이해하겠지요? 절대로. -나는 동화 이야기를 마치기 전엔 누구와도 접촉하진 않았어요."

"그럼, 나중에, 그 말씀이지요? 선생님은 기적 같은 분입니다!" 아가씨는 자리에서 펄쩍 뛰어선 그의 입에 얼른 자신의 입을 한 번 맞추고는 나갔다.

야르코스는 한숨을 내쉬었다. "내가 나중에 그렇게 하겠다고 하지 않았어. 넌 내 말을 알아듣지도 못하는군…" 그는 우주 공항의 당직 관제사에게 전화를 걸었다. 그는 자신의 우주선에 연료가 채워져 있다는 것, 이미 다 써 버린 조향 로케트들을 교체해 놓았다는 것, 그 우주선이 떠날 채비가 다 되었다는 것을 알게 되었다. 그때 그는 항공택시 대기소로 전화해, 한 시간 뒤에 이쪽으로 항공택시 한 대를 보내 달라고 요청했다. 그 택시는 그 대형 돔형건물의 측면 출입구 근처에 대기해 있도록 했고, "알가포르토"라는 코드명으로 예약해 두었다.

오오르트는 먼저 포티를 쳐다보았다. 그는 포티의 진지한 얼굴로부터 도움을 요청하고 있다. 정말 그는 포티를 염두에 둘 수 있다. 그뿐인가? 메타 스텔라 의장은 크로스 얼굴이 나오는 화면을 쳐다보지 않아도, 그렇게 하지 않아도, 자신의 반대자가 <참석>해 있음을 아주 잘 느끼고 있다. 그의 위장에선 신경이 날카로워 있음을 알리고 있었다. "당신 위장을 교체하십시오, 의장님" 그의 주치의가 최근 건강진단 뒤 비밀리에 말했다. '그 주치의는 언제나 그런 말을 한다. 마치 의사가 지금은 병을 고치는 사람이 아니라, 장기를 설치하는 사람인 것처럼. 정말 그렇게 되어버렸을까?' -그런 의심이 그의 안으로 몰래 들어온 것이 최근 몇 년 사이에 한두 번이 아니었다.

시데루스는 자신이 그 비밀을 알고 있었지만, 지금은 임시로 그걸 밝힐 단계가 아니라는 그런 표정을 짓고 있다. 임마 여사는 습관대로 기다리려고 했다. 그녀는 언제나 똑같은 행동을 했다. 만약 메타 스텔라 위원회가 그녀가 모르는 일을 의논하는 것처럼. '아마 임마 여사도 나를 이길 수 있겠는걸.' 그는 그런 생각도 했다.

크로스는 크게 공기를 한번 들이마셨다. 그의 <바이오 피부>로 된 얼굴이 노랗게 보였다. 203살의 그 남자는 자신이 이 대회의장에 있는 것 같은 긴장감을 의식적으로 느꼈다. 그의 심장은 이젠 잘 작동되지도 않는다. - 그러나 본능은 아주 잘 작용한다. '왜 언제나 저 의장은 자신의 사임을 늦추고 있는가?' 알펜은 크로스를 바라보며 생각에 잠겼다. '만약 크로스가 마침내 자신의 위원직을 사임한다면, 아무도 화를 내진 않을 것이다. 사람들은 그의 나이가 많음으로 인한 사임을 긴급히 수락하고는 모두 즐거워 할 것이다...' 그러나 알펜은 크로스가 그 사임을 서두르지 않을 것이고, 마지막 숨이 넘어갈 때까지 그에게 운명지어진 가능성의 작은 부분을 꽉 쥐고는 놓지 않을 것임을 예상하고 있다. '정반대로 아마 크로스는 자신의 몸을 용감하게 재생시켜 자신의 지금까지 무용지물이 되어버린 몸의 기관을 교체하도록 명령할 수도 있고, 또 만약 그의 두뇌가 그런 수술들을 참아 낼 수 있다면, 적어도 15년은 그가 이 위원회를

행복하게 만들 것이다…'

"상황은 바뀌었습니다." 오오르트가 낮은 소리로 말했다. 포티는 재빨리 고개를 끄덕였다. 임마는 말없이 기다리고 있다. 시데루스는 아이러니하게 웃었다. 크로스가 이제 마침내 오오르트에게 눈길을 보냈다.

"저 광대가 이젠 거만하게 구는 것 같단 말씀인가요?"

"그렇게 말할 수 있겠습니다. 그가 몇 분 전에 한 말은 우리 인내를 한계에 다다르게 했습니다. 법무전문가 의견에 따르면, 우리는 그런 일로 법원에 제소할 수 있지만, 프로그램 전부가 끝난 뒤 가능하다고 했습니다."

"그리고 의장께서는 어떤 식으로든지 그를 이기고 싶다 이 말씀이군요." 크로스는 낮은 목소리로 말하며 고개를 내저었다.

"수백 건의 반대의견이 도착해 있습니다." 오오르트는 날카롭게 대응했다.

"누가 그 숫자를 헤아렸어요?" 크로스의 대답 같은 질문 또한 날카로왔다. 다른 사람들은 그 두 사람만 보고 있었다. '오오르트가 그것을 말하지 않으면서도 거짓말하고 있다고 비난하구나. 만약 서두에 곧장 저 사람들이 저렇게 싸움만 한다면, 나중엔 무슨 일이 벌어질까?' 임마가 걱정스럽게 생각했다. "시청자들 상당수가 나에게 반대 의사를 알려 왔습니다." 오오르트는 겁도 먹지 않고 정반대로 화를 벌컥 냈다. '그래, 이 일은 끝이 나지 않겠는가? 크로스는 언제나 그를 방해하고, 매번 다른 방식인 경우가 있었던가?'

"시청자 상당수라니요?" 좀 전에는 당신이 수백 명이라고 말했을 때, 나는 그만큼의 시청자들이 바로... 반대하고 있는 사람들이 기껏해야 수십 명 정도로 부끄럼을 타는 노처녀들과, 작은 두뇌의, 소위 말해 과학자들이죠! 그 사람들은 자신들에게 만약 사람들이 동화 같은 것을 이야기해도 그런 재앙은 믿지 않지요!"

크로스 얼굴은 이젠 누렇지도 않고 붉게 변했고 피가 솟구치는 것 같았다. 그도 이런 토론을 마치 전쟁처럼 여기고 있고, 이 일은 진짜 피비린내가 난다. 임마 여사가 황급히 끼어들었다.

"우리는 야르코스가 이야기를 아주 잘 엮어낸다는 걸 알아야 합니다. 그는 마치 진실처럼 말합니다..."

"바로 그 점이 나쁩니다!" 포티가 외쳤다. 포티는 충실한 믿음으로 오오르트를 바라보며 계속 말을 이어 갔다. "우리가 야르코스가 하는 동화를 듣고 있는 것이 동화가, -아니라면- 우리 선조를 모욕하는 행위임이 분명합니다!"

"둘 다 맞아요!" 시데루스는 자신이 위원회의 구성원이 아닌 것도 잊은 채 말을 시작했다. "내가 조사해 본 바로는 그런 행성은 존재하지 않습니다. 테라는 수천 년간 탐사해 본 사람들도 못 찾았을 뿐 아니라, 야르코스를 통해 우리가 받은 그 관련 자료들은... 우리가 알고 있는 어느 행성과도 성격이 맞지 않는다는 결론에 왔습니다. 그래서 테라는 존재하지 않습니다!"

그는 자신만만하게 주변을 살펴보았다... 지금은 크로

스조차도 말이 없었다. 그러나 공격은 다른 곳에서, 그 교수가 전혀 기대치 않았던 곳에서 나왔다.

임마 여사가 말했다. "그것은 아무것도 입증시켜 주지 못했어요, 교수님. 만약 우리가 야르코스가 전하는 말을 진지하게 고려한다면 -정말 바로 그 때문에 우리가 모였어요. 그렇지 않은가요? -그래도 우리는 테라가 존재하지 않다는 걸 전적으로 믿을 수 없어요. 수천 년간 추적하여도 아직 못 찾았다고 당신은 말씀하시는군요? 야르코스는 테라를 찾으러 오랫동안 나섰고, 그가 그 테라에 도달했을 때, 테라의 특별 기기들이 그 행성을 발견하지 못하도록 방해했다고 합니다. 그 점은 믿지 못할 바는 아닙니다. 우리도 비슷한 기기들을 만들어 낼 수 있습니다. 당신과 야르코스가 말했듯이 그렇게 - 여러 번 우리 우주선이 그 테라를 이미 지나쳐 버렸지만, 아무도 그 테라를 발견치 못했습니다. 그래서 만약 그 동화가 그래도 사실이라면, 야르코스가 그곳에서 들었던 그 일도 일어날 수 있을 겁니다."

"마침내 모두가 말도 되지 않는 일을 믿는군요." 크로스가 중얼거렸다. 시데루스는 여러 번 침을 삼켰고, 화가 아주 치밀었다. 오오르트는 급히 결심했다. 임마가 주저하는 것 같아도, 그 과학자 의견은 지금 이 위원들을 그의 편으로 가도록 만들었다. 그는 시데루스가 강력한 논쟁거리를 갖고 있다고 믿고, 시데루스를 향해 손을 흔들었다.

"이 위원회는 특정한 경우에만 전문가 도움을 받도록

되어 있습니다... 말씀해 보시오, 시데루스."

크로스는 이 일이 전체적으로 시간을 허비할 만큼 가치 없다는 듯한 말을 중얼거렸다. 오오르트는 자신이 그의 말은 듣지 못한 것처럼 행동했다. 시데루스는 즐거운 마음으로 말을 시작했다.

"원시 인류 역사에서 우리가 아직도 명확한 견해를 가지지 못한 사건들이 있음을 우린 부정하진 않습니다. 우리는 몇 가지 아주 중대한 문제에 대해 해답을 내놓지 못하고 있습니다. 인류의 요람이 어디였는지? 후기 원자 시대의 초기까지 무슨 일이 있었는지? 사람들이 초대형 우주에서 획기적으로 흩어져 살려고 떠나기 이전에는 얼마나 많은 행성에 살고 있었는지도요? 얼마나 많은 인종이 살아 있었는지도요? 이 마지막 질문은 물론 지금도 이론적인 질문입니다. 상상해 보세요. 오늘날 우리 인간 조직체들에 발견되는 바이오 유전학적 또는 다른 <발자취들이> 다음과 같이 존재한다고 학자들이 증명해 놓고 있습니다. 인류가 한때 4종, 5종, 더욱 6종의 다른 무리로, 인종으로 나누어져 있다고 말입니다... 오늘 나는, 소문에 따르면, 한때 사람들이 다양한 언어로 말했다는 것도 이미 언급했습니다. 덧붙이고자 하는 것은, 그런 이론은 그만큼 불합리하고 비논리적이라 나는 개인적으로 그런 것을 믿지 않고 있습니다. 그러나 야르코스가 지금까지 한 이야기에서 한 가장 큰 노력으로 인해 무슨 문제가 벌어졌는가 하는 주제에 관해 다시 말하자면, 우리는 <선조들을 모욕하고 있음을> 듣고 있습니다. 그 문제는 중요하고, 진짜 법적 문제가 됩니다. 위대한 청중은 -거의 80억 인구가 -지금 이걸 듣고 있습니다. 즉 테라 사람들은 그래, 소위 말해, 우리 선조들은 자신의 고유행성까지도 살 수 없을 정도로 원시생활을 했다고 말입니다. 그리고 소문엔, 그들이 바로 짐승들 사이에서 나왔을 그때인가요? 그들이 사고가 그렇게 원시적이라 그런 종류의 행동은 용서될 수 있거나, 아니면 적어도 이해될 정도인 그때입니까? 아닙니다. 하지만, 후기 원자 시대에는 사람들이 그 당시 과학기술의 진보단계의 첨단에 가 있었습니다! 그 점을 나는 이 <동화>에서 가장 위험한 것으로 봅니다. 존경하는 위원님! 청중의 마음속에 있는, 특히 더 젊은 청중의 영혼에 있는 믿음인, 인간이 모든 어려움을 극복할 수 있다고, 아무것도 끝없이 펼쳐져 있는 인간의 길에서 인간을 멈추게 할 수 없다는 그런 건강한 믿음을 야르코스가 깨 버린 것에 있습니다!"

크로스는 두 눈 중 한쪽을 감고는 침묵 속에서 조용히 말했다. "멍청한 말이야."

선지자 같은 시데루스의 지금의 모습은 자신의 비디오폰 카메라 앞에서 마치 검사가 자신이 작성한 고소장의 마지막 부분을 언급하는 것과 같다. 그러나 크로스의 목소리는 시데루스를 술에서 깨듯이 세게 때리는 것 같았다. 깜짝 놀란 그는 말을 할 수조차 없었다. 그 주름진 얼굴의 크로스는 경멸조로 말을 이어 갔다.

"저런 어리석은 결론을 나는 가끔 듣게 됩니다. 이미

처음에 내가 말했습니다. 즉 우리 출발점은 우리가 동화를 듣고 있다는 것이어야 합니다. 몇 번인가 나는 수천 년 전에 그런 장르를 어린아이들만 좋아했고, 동화 같은 것은 사람들이 예외적으로, 바로 그런 아동들을 위해서만 지었다고 어디선가 읽은 적이 있습니다..."

시데루스의 머리는 완전히 자줏빛으로 변해 버렸다. 크로스는 시데루스를 전혀 개의치 않고 계속했다.

"...만약 저것이 동화라면, 신경을 쓰는 것 자체가 불필요합니다. 저 프로그램이 끝난 뒤, 아카데미나 위원회나 무슨 다른 기관에서 공식적 반박성명이나 해명서를 내놓는 것도 난 원치 않습니다. 동화를... 어떻게 쓸 것인가 조언을 하겠습니까? 그런 경우 우린 웃음거리가 될 것입니다."

"그의 말이 맞군요." 급히 임마 여사가 말했다. "우리는 저 동화를 진지하게 취급할 필요가 없어요."

"그럼 선조들을 모욕하고 있다는 점에 대해선요?" 포티는 오오르트의 절망적 시선을 보게 되었다. 그러나 위원회 의장은 잠자코 있다. 지금 그는 자신이 신임하고 있는 사람을 지원하지도 않는다. 그는 기다리고, 여전히 기다리고 있다.

크로스는 물에서 금방 나온 듯이 숨을 내쉬었다.

"푸우우우... 아마 내가 설명한 것조차도 소용없겠군요? 만약 야르코스가 동화만 이야기한다면 우린 저 일을 진지하게 볼 필요가 없습니다. 청중들도 저것을 동화로만 생각할 것이고, 능수능란하게 이야기되는 듣기

좋고, 모험이 많이 들어있는 이야기로 말입니다. 내 의견으로는 그 동화에는 이국적이거나, 한 번도 과거에 없던 들짐승들만, 예를 들어 암모니아에서 다시 탄생한 원시 대형 조류나, 독가스와, 이와 비슷한 기체에서 생긴 용 같은 것이 없을 따름입니다... 그럼요, 물론 당연히 아름다운 여자 한 사람 정도는 있어야 하겠지요."

"그러나 정말... 저 작자가 질서를 전복시킨다면요! 두뇌들을요! 저자는 우리가 늘 존재하지도 않는다고 알던 것에 대해서만 강조하고 있어요!" 시데루스는 이미 자제력을 잃고 말하고 있었다.

"좋아요! 그가 강조한다고 칩시다! 야르코스가 예술가이기 때문에 강조할 수 있은 것입니다." 크로스가 두 눈을 감았다. "-그럼, 그가 무슨 말을 하든지 간에 <그의 말은 예술 작품으로 보아야만 합니다>. 진짜 어려움은 그때 일어날지도 모릅니다. 여러분..." -그리고 크로스는 지금 두 눈을 뜨고서 차례대로 자신의 동료 위원들을 둘러 보았다. "만약 야르코스가 동화 대신, 진짜 이야기를 하는 것이 분명한 그때는..."

그 여자 손님은 모든 것을 잊을 정도로 그 책의 독서에 몰입해 있다. 그러나 나중에 두 눈이 피곤해져 가는 것을 여자 손님은 알게 되었다. 한번도 여자 손님은 이렇게 오랫동안 읽은 적은 없다. 다른 사람들처럼 여자 손님도 요즈음 컴퓨터 화면을 통해 몇 줄의 짧은 글만, 벽면의 주의표시만, 표식이나 정보들만 읽어 갈 뿐이다.

옛 방식의 작은 글자들이 조금씩 여자 손님의 피로해진 눈에는 잘 보이지 않았다. 여자 손님은 최선을 다해 테라를 언급하고 있는 페이지들만 발췌하여 보려고 했다.

나중에 여자 손님은 <그 부분>을 찾아냈다. 여자 손님은 자신이 그곳에 사진 그림도 있는 걸 보았을 때, 숨 쉬는 것마저 잊어버렸다. 그 사진은 정말 아주 오래된 것이고, 왜냐하면 그 색깔이 완전히 바래져 있다. 어두운 배경 앞에 보이는 구(求). 푸르고 갈색의 구름들과 회색과 검은 선 사이로. 빛의 환관. 여자 손님은 그렇게 오래된 그림의 행성을 본 적이 없다. 그랬다. 하지만 이걸 찾아낸 보람은 있다. 어젯밤과 오늘 온종일 여자 손님은 기계를 통해 메타 스텔라의 대 기억용량의 슈퍼컴퓨터에 계속 문의해왔다. 그 기계들이 -가장 다양한 방식으로 만들어진 질문을 받은 뒤로- 마침내 여자 손님에게 모든 필요 정보를 제공할 때까지는 오랜 시간이 흘렀다. 먼저 여자 손님이 그 기계에 물은 것은 사람들이 살지 않지만, 한때 방문했던 적이 있는 그런 은하에 대한 정보를 찾을 수 있는가 하는 데 초점이 있었다. 그 기계는 29개의 은하를 알려 주었다. 그 가운데 하나가 <이 행성>이기도 했다... 여자 손님은 그 은하에 대해선 그 중앙기억 저장소도 몇 가지 정보만 갖고 있음을 나중엔 알게 되었다. 마침내 -여러 시간 동안 교묘하게 작성된 질문 시리즈로 물어본 뒤에- 정보의 고고학 부서에서, 아직도 코드화 않고 완전한 물체 형태로, 어느 박물관을 통해 구해 놓은 무슨 원시 <정보록>이 존재하는 것이 확인되었다.

<물리적으로 존재하는 물건!> -그런 주목할 만한 내용이 화면에 나타났다. 그리고 물론 그것의 코드 번호는 TZ-0111328로 밝혀졌다.

지금 여자 손님은 이제 그 <정보록>을 손안에 넣었다. 그 책에는 우주의 중간시대 초기에 사진으로 찍어 둔 것이다. 그래, 그것은 사진 복사물이었다. 그 표지는 그 사진 복사전문가들이 찾지 못했나 보다. 그 원본을 약 3,000년 경에 -오늘날에는 이미 전수되지 않는 방법으로- 만들어져 있다. 그 책이 이 메타 스텔라에 오게 된 것은 누가, 어떻게, 어떤 방식으로 알고 있을까? 아마 사람이 거주하는 어느 은하의 어느 과학자가 그 책을 발견하여, 흥미로운 옛 방식의 흥미로운 물건으로 여겨, 이를 가져와, 자신의 거주지에 장식하려고 가져온 것이었다. 아무도 그 책의 가장자리에 뭔가를 기록해 놓지도 않았고, 밑줄도 쳐두지 않았다.

'그 책의 운명에 대해 -만약 야르코스가 그 책에 대해 안다면, 야르코스는 저녁 내내 이를 소재로 이야기할 수 있겠는걸.' 여손님은 그런 생각을 해 보았고, 책장을 몇 장 넘겨 보았다. 누군가 한때 이 <정보록>을 열람하고는 컴퓨터로 그 책의 내용을 개략적으로 언급해 놓았다. 그랬으니 그 여자 손님은 그 책을 겨우 찾아낼 수 있었다. <테라>라는 낱말은 그 기억 컴퓨터에서는 아무 정보도 내놓지 못했다.

"그래도 지금 이 책이 내 손 안에 들어오게 되었어.

전 메타 스텔라 태양계에서 이 책이 테라의 실체적 존재를 입증해 주는 실질적이고 유일한 자료인 이 책이 내 손 안에 굴러들어 와 있으니, 정말 기분이 좋다. 내가 이 책을 찾은 유일한 사람이야. 다른 사람들이 아니구..." 여손님은 그런 가능성이 있을 <다른 사람들>이 누구인지 자세히 모르고 있다. 그런 그 여자 손님은 이 일에 이 성과가 있어 기뻤다.

한 번 더, 그 여자 손님은 그 사진을 쳐다본 뒤, 책장을 넘겨 보았다. 여자 손님의 심장은 크게 뛰었다. '-바로 이게 그것이구나!' 다음 페이지들에서는 <그 행성>의 은하가 충분하고 자세히 설명되어 있다. 그 열람자는 그런 것을 통해 주요 태양계들과, 사람들이 사는 세계들에 대해 알게 되었다. 그곳에서는 사람들이 사는 행성들을 기술해 놓고 있다. 두 페이지 빼꼭히 테라에 대해 언급해 놓고 있다. 그 서술은 신선하면서도 비장했다. -그 여자 손님은 목멜 정도였다. '테라는 당시에 -그랬을까?' 그 여자 손님은 한때 그 상황에 대해 들은 적이 있지만, 지금 그 일에 대한 낯선 세계의 메시지를 읽고 있다.

여자 손님은 고개를 들어, 인적없는 대강당의 천연색이긴 하지만 불쾌하게 느껴지는 사방 벽을 둘러 보았다. 그러나 곧 그 여자 손님은 <그 행성>에 대한 읽기를 계속했다...

야르코스가 무대로 다시 걸어나가자, 모든 좌석이 차

있음을 보았다. 통로와 계단까지도 청중들이 앉아 있다.
-그들은 처음부터 도착해 있거나, 아니면 지금 둘째 휴
식시간에 들어온 사람들이다. '이 사람들은 집에 있는
텔레비전을 놔두고, 직접 나를 보러 왔구나.' 그는 그런
점을 좀 자랑스러웠다. 그는 동시에 그 관람석 분위기
에 압도되었다. 그는 중앙에 외로이 섰다. 일천 개의 좌
석에, 일천 명의 사람을 마주 대하고 있는 혼자. 그는
피부로도 그 사람들의 시선을 느낄 수 있는 것 같았다.
'아직 한 시간 더. 이 사람들은 더 신경을 써야 하지
만, 이 사람들의 두뇌엔 몇 가지 생각을 일깨울 수 있
어...'

하얀색 머리의 아가씨가 춤추는 듯한 걸음으로 무대
위로 와서, 몇 개의 조명이 그녀를 향해 비칠 때까지
천천히 기다리고 있다. 짜랄라는 지금 노랗고 붉은 옷
을 입고 있고, 이 옷도 속이 비치는 옷이다. 머리 쪽으
로, 왼편에서 그녀는 검은 가발 한 조각을 쓰고 있다.
그 가발에는 진짜 다이아몬드가 보이고, 이 순간 그녀
는 자신의 규칙적이고 아름다운 치열을 보여 준다.

"안녕, 안녕하세요!... 청중석에 계시는 청중 여러분의
수효가 시간이 갈수록 늘어나고 있음을 보게 됩니다.
야르코스의 동화는 자석 같군요. 그렇지요! 자, 이제 말
씀을 이어 주십시오, 야르코스!"

"...내가 다시 테라에 대해 이야기해야 하지만, 그것에
앞서 나는 우리의, 여러분의 세계에 대해 말하는 걸 허

락해 주십시오. 그렇게 하면 여러분은 그 차이를 더욱 잘 구분할 수 있을 겁니다. 나는 여러분이, 지금 어떤 세계에서 살고 있는지 마침내 보고 또 느낄 수 있도록 하고 싶습니다. 이곳, 메타 스텔라에서, 또 수백 개의 다른 거주지에서 사람들은 오래전부터 진실의 삶이 무엇인지 모르고 있습니다. 여러분은 숲속에 있어 본 적이 언제 있었던가요?... 여러분은 숲이란 것이 무엇인지 모르고 있습니다. 여러분은 그 숲을 진실이 아닌 것으로 알고 있습니다. 식물들은 -만약 그 식물들이 전부 있다 해도- 드물게 보이고, 그 식물들 아래엔 흙은 갈색입니다. 그러나 그 흙도 진짜가 아니고, 그 흙도 생산해야만 합니다. 우리가 숨 쉬는 공기를 생산해 내듯이 말입니다. 우리는 낯선 별들의 지역으로 이주하였고, 우리는 영원히 죽은 채 있는 행성들을 발견하고 침략했습니다. 그 행성들은 우리 소유가 되고, 우리는 생명을 가져다줄 것으로 믿었습니다. -그러나 우리는 그곳을 생명의 창백한 복사판만으로 그곳을 건설해 두었습니다. 우리는 차가운 벽들 사이에 거주하기 시작해도, 우리 운명은 언제나 더욱 좋아진다고, 우리는 앞으로, 앞으로, 위로, 더 위를 향하여, 높게만 간다는 의견을 가집니다....

우리는 시간에 대해 뭔가 생각할 수도 없었습니다. 우리는 그렇게 질문합니다. 누구 소유의 시간입니까? 어떤 사람이 이미 220년 동안 살아가고 있지만, 그 사람은 그 나이를 모든 신체기관의 완벽한 교환으로만 도달할 수 있습니다. 사람이 자신의 신체기관들을 재생할 수 있게 된 이후로, 그 사람의 두뇌만 똑같은 성질로 똑같은 사람의 것입니다. 여러분에게선 아직은 그렇진 않지만, 실라-은하계에선 예를 들어 사람들이 몸체가 없는 채, 단순히 두뇌 하나로만 먹고 살고 있습니다. 나는 그런 두뇌들을 직접 보았고, <나는 직접 그런 사람들과도 대화해 보았습니다.> 그곳에서는 가장 늙은 사람들이 수차례 재생한 신체들을 갖고 있진 않지만, 그들은 죽지 않은 채 있었습니다.

300살 된 사람들도 수술하고는, 그들은 자신들의 의도대로 신체를 버리기도 합니다. 그들은 두뇌를 특별한 기계 속에 넣어 둡니다. 그 기계들이 그 두뇌에 음향학적 느낌을, 보이는 현상들을 알려 주고, 냉온이나 바람, 향기, 맛, 음식 등의 영적 환상적 느낌도 만들어 줍니다. 그런 식으로 그 두뇌는 기능을 계속 유지하고, 두뇌의 소유자인, 그 신체가 없는 인간은 계속 그 인생을 유지하고 있답니다! 그 두뇌들은 정말 자신의 위치를 교환하지 못하지만, 정말 이 시대에는 그런 것도 전혀 불필요했고, 그들은 어디로 여행하지도 않고서 일할 수 있고, 즐길 수 있고, 정보를 획득할 수도 있습니다. 수술하기 전, 사람들은 컴퓨터로 자신의 목소리를 기억해 둡니다. 두뇌들은 텔레비전을 시청할 수도, 전화로 대화를 나눌 수도, 라디오 청취도, 잡지를 읽을 수도 있습니다. 그 두뇌들은 의견을 발표할 수도 있습니다. 더구나, -그들의 상황을 법률로 제정한 이후에는- 그들은 행성들이나 은하계들에서, 그들의 거주지에서의 사회생활을 계속 영위해 나갈 수 있습니다... 만약 그 두뇌의 소유자가 철학자<였다면>, 그럼 그 두뇌는 나중에도 철학자로서 여전히 새 사상을 계속 고안해 내고 결정해 내기도 합니다. 그 용기는 -기계들 속에 들어있는 두뇌는- 직접 관찰하기도 하거나, 투기로 -생명의 모든 영역에서 뭔가 새것을 발견해 낼 수도 있고, 예술가들은- 두뇌와 실체적 세계 사이의 능수 능란한 기계 부품들의 도움으로 -예술적 창조를 계속해 나갈 수도 있습니다... 이론상으로 그들은 이 우주에서 여행하며 다닐 수도 있습니다. 실라-은하계에서는 우주선을, 바로 그런 기계화된 두뇌들을 탑승한 채, 아주 멀리 보낼 계획도 추진하고 있습니다... 그들은 수만 년 동안 여행할 수도 있을 겁니다....

그럼, 우리는 다른 시민 이야기를 해 볼까요? 동면 상태의 우주 비행사 이야기를 해보지요. 그 비행사는 25살의 나이에 자기 우주선의 동면 기기에 누운 채, 우주 공간에서 목표 지점에 도달할 때까지 600년을 여행할 수도 있을 겁니다. 그 600년이 지난 뒤, 25살의 우주 비행사는 다시 깨어나, 그가 도착한 곳에서 자신이 그곳에 온 목적을 수행할 수도 있습니다. 그리고 나중에 그 동면 기기에 누운 채, 그는 우주로 되돌아올 것입니다. 다시 그는 600년을 보내고 그 출발점으로 되돌아오게 됩니다. 그는 여전히 25살일 뿐입니다. 그는 그동안-1천2백 년 동안 -발전해 온 새 사회의 유일무이

한 사람입니다. 그동안 그 우주 비행사가 사랑했던 사람들이나 미워했던 사람들이나, 그가 낳은 자식이나 존경해 온 사람들은 이미 오래전에 죽고 없습니다. 아마 그런 용기 안에 들어 있는 두뇌들은 여전히 그 우주 비행사를 기억하고 있습니다. -그런데 이 청년과 그 많은 경험을 가진, 오래된 두뇌들과 무슨 이야기를 할 수 있겠습니까?...

그럼 어느 시간에 대해 우리가 이야기할까요?

사람들은 한때 급회전하던 행성들을 침략해 그곳에 거주하게 되었습니다. 오늘날의 그 사람들의 후예들은 이미 생리적으로 새 리듬에 익숙해 있습니다. 그들에게선 하루가 5개의 시간 단위를 자주 갖고, 밤도 6개의 시간 단위를 갖고 있습니다. 다른 행성에서는 낮과 밤이 수 주일, 때로는 수개월 지속되기도 합니다. 돌아다니면서 나는 적은 수효의 인간 집단이 반(反)대기학적 돔형건물 아래 거주하는 아주 먼 행성들도 간혹 가보았습니다. 그 사람들이 사는 곳은 우주 기상학적 무선기지국들입니다. 그곳은 영원한 어둠과 똑같이 영원한 대명천지 사이의 경계에 놓여 있습니다. 그들에게선 낮도 밤도 없습니다, 그들의 시간도 시간이라고 할 수 있을까요?...

그렇게 생명은 흘러갑니다. 우리 인간은 영원한 삶에 이미 가까이 와 있지만, 우리는 믿고 있습니다. 즉, 우리 중에 아무도 내가 그 당시 테라에 있었을 때만큼 내가 느낀 행복한 순간만큼, 그런 순간의 바깥에서처럼 느끼지 못할 것입니다.

...안드로스는 나를 어느 도시로 데리고 갔습니다. 그러나 그 도시가 이곳 도시들과 비슷하다고는 믿지 마십시오. 그건 아닙니다! 메타 스텔라에 있는 도시 모습을 여러분 두뇌에서 지워 버리십시오. 메타 스텔라는 잊어버리십시오. 나는 당신의 손을 잡고 있습니다. 주저하지 마십시오. -우리는 보이지 않는 경계를 지나갈 것입니다... 용기를 가지고 갑시다!"

시데루스는 그 화면에 넋을 잃은 채 멍하니 보고 있었다. 지금 그는 실제로 존재하는 세계로 들어갈 수 있다고 이미 믿고 싶어 했다....

모르텔은 눈을 껌벅이며, 거의 숨을 쉬는 것도 잊은 채 있는 것 같다. '그래, 테라가 존재하는구나'... 그는 그곳으로 꼭 여행하고 싶다! 그 거주지에서는 나의 아내 나리아, 내 증손자도 이미 어둠 속에 함께 녹아, 그들은 결코 이젠 존재하지 않을 것이다. 나무들, 덤불들, 호수들 그리고 그 따뜻한 바람은 어떨까? 야르코스는 이런 말도 했지. "그 바람이 인간의 몸을 포용한다고, 자유로운 살갗에 자유로운 햇살을 느낄 수 있다고..." 애석하게도 나는 아주 늙어 버렸어. 만약 이곳에서도 우리가 이 신체를 버리고, 그 두뇌를 무슨 용기에 담아 생명을 유지해 간다면, 그 두뇌가 신체로 인해 빚어지는 불필요한 장애물들로부터 자유로워지려면... 내가 맨처음 새 수술에 도전하겠다고 알리면, 그때 나로선 <마

지막> 수술을 하게 되겠지. 그렇다. 나리아조차 반대해도. 왜 나는 죽어야 하는가? 만약 내가 삶과 죽음을 선택할 수 있다면? 완벽한 사멸과 -그리고 <어떤 형태로든> 삶 사이에서? 내 두뇌만 계속 살아 있어 준다면 좋을 텐데. 그런 경우 그 두뇌가 <모든 것이> 될 것이다. 그리고 만약 야르코스가 거짓말을 하지 않았다면, 정말 테라가 어딘가에 존재한다면, 만약 언젠가 사람들이 그곳을 발견한다면, 나도 그 행성을 보게 될 거야. 나는 기다릴 수 있는, 그걸 기다릴 시간이 있어야 한다...

루나라 여사는 지금 고고학적 발견에 대해 생각하지 않고 있다. 몇 개의 행성, 여기저기서 발견된 <제4 천년>의 몇 개의 발자취에 관해서, 외계인들의 교통 조감도들은 일반적으로 그 발자취에 대해서 "과거의 공업적 기념물"로 이름 부르고 있었다. 그녀는 한번 오싹함을 느끼고는 주변을 둘러보았다. 그녀가 지금 사는 곳은 어둡다. 텔레비전 화면만 시시각각 반짝이고 있고, 가구의 이상한 산호색 빛들에서는 순간 그림들이 보이더니, 나중엔 그 칠흑 같은 어둠이 다시 그 그림의 그림자들을 덮어 버렸다. 칠흑의 어둠은 모퉁이마다 숨어 있다. 그녀는 상상 속에서 호수의 물에서 헤엄치고 있지만, 자신 앞에 안드로스의 머리를 보고 있고, 위로는 태양이 작열하고 있다. 그녀는 자신의 두 눈을 감고는, 그런 그림을 자신의 두뇌에서 떨쳐 버릴 수 없다. 새들이 위로 날아오르고, 간혹 그녀는 어느 정보록에서 사람들이 새가 날갯짓하는 소리를 들었음도 읽은 적이 있다. 만약 새가 머리 위로 날아간다면 사람들은 무엇을 느낄까?

약 70억의 사람들이 오늘 저녁 텔레비전을 시청하고 있다. 메타 스텔라 행성에서도, 태양계에 속해 있는 먼 곳의 거주지에서도 모두 테라에 대해 생각하고 있었다. 누구나 테라에 대해 말하고 있다. 사람들은 야르코스를 언급하기도 하고, 모두 생각하기를 '내 스스로 야르코스였으면 좋겠다'고도 했다. 야르코스 대신 자신이 그 이상하고 황폐화된 원시 나무들 위에, 숲 향기를 맡으며 날아가 보는 것. 그 향기는 어떨까...?

젊은 여자들은 동화작가의 얼굴을 쳐다보고 있고, 그 여자들은 눈가에 마음의 잔주름들을 보고, 그들은 그 남자에게서 발산되는 광선을 느끼고 있다고 믿었다. 수많은 여자가 그와 동행하고 싶다. 테라 뿐만 아니라 어디로든지.

태양계에서 여행하는 우주 비행사들도 그 프로그램을 보고 있다. 그들은 처음에는 여전히 손을 내저으며 그 프로그램의 의견을 말했다. "거짓이야!...동화일 뿐이라구...!" 하지만 못마땅해하는 얼굴들도 시간이 지나면서 조금씩 인상을 펴더니, 우주비행사들은 이젠 꼼짝도 하지 않은 채 앉아 경청하고 있다. 그들이 언제나 생각하지 않으려고 했던 것이 -그들을 지금 공격하고 있다. 아마 두려워서가 아니라, 어찌할 수 없음으로. '우리도 실라-은하계 위에 있는 그런 종류의 두뇌들이야...우리를 담고 있는 그 용기 그릇은 이 몸 자체야. 이젠 그만큼 차이가 있어...하지만 우리를 도와주는 그것은 그렇게 되어 있다. 우리는 그 기계들을 다방면으로 기능하도록 해 놓고, 우리는 모든 상황에서도 이 기계들을 신임하도록 믿고 있어. 모든 상황에서도...? 정말 기계들이 기계들을 컨트롤하고, 한편으로 아무 할 게 없는 우리는 동면 기기 속에 누워만 있구나...'

다른 우주 비행사는 이런 생각에 잠겼다. '아마 우리도 이미 그 테라를 스쳐 지났을지도 모른다. 우리가 그 테라에 대해 전혀 모른 채, 그 기계 계측기기들이 그 행성 위치를 알려 주지 않았어...' 그러나 만약 이것이 동화라면? 야르코스의 목소리에는 확신이 있다. 그들은 지금 이 프로그램이 시작되기 전에 예정된 동화가 방영된다고 알려진 것을 한동안 잊어버렸다.

은하계의 가장 변경의, 언제나 얼음으로 되어 있는 행성들의, 그 행성들의 표면 아래 기지들의 우주 관측자들은 -전파학자, 천문학자, 기상학자들은- 그곳에 수년간 남아 있는 경우가 자주 있고, 그들이 벌써 우주에서 경험한 적이 있는, 그런 아주 간혹 있는 이해하기 어려웠던 신호들에 대해 지금 생각하고 있었다. 소름 끼칠 정도로 급속도로 회전하는 중성자별들이 만들어 놓지 않은 신비의 전파소음들은 -그 전파소음들은 다른 종류이고, 마치 인공의 코드 시리즈 같아 보였다.

17. 스스로 고립을 택한 테라

아주 먼 곳으로부터, 아직도 발견된 적이 없는 세계들에서 반짝이는 빛들을 ...경험한 사람들이 만약 그들이 그런 현상을 설명하면, 자신들 아무도 믿지 않으려 하면서 침묵했던, 우주 공간에서 설명이 되지 않는 현상에 대해서...이 모든 것을 만들었고, 만들고 있는 존재들이 테라 주민들인가...아니면 <다른 행성에 사는 주민인가?>

"...그 도시는 테라에 있는 건물이었습니다. 수천 년 전, 똑같은 장소에도 이미 다른 도시가 들어 서 있었습니다. 테라 거주민들은 그곳을 발굴해, 그 발굴한 유적들을 휘황찬란한 조명 속에서, 지금 지하에서 보여주고 있었습니다. 그러나, 현대인들은 간혹 그런 것을 생각합니다. 테라 거주민들은 믿음 속에서 대단한 과거의 무슨 유적들을 거의 매일 발굴해 내고 있습니다. 그 때문에 그 과거는 그곳에 계속 살아 있습니다. -그러나 바로 그 때문에, 사람들은 그 과거에 대해 말하지 않고 있습니다. 그들에겐 그건 자연스러운 현상입니다.

또, 그 때문에도 그들은 그 과거에 대해서 침묵하기를 더 좋아합니다. 왜냐하면, 그것은 그들에겐 대단한 실패감을 기억하게 해 줍니다.

안드로스의 비행기계는 파란 초원으로 뒤덮인 산비탈의 상공에서 멈추었습니다. 땅 위로는 여러 곳에 돌탑들이 서 있었습니다. -그곳에 내가 머물게 됩니다. -그는 아래쪽을 가리켰습니다. 나는 초원만 내려다보았습니다. 그 비행기계가 아래로 내려갔습니다. 나는 좀 놀랐지만, 테라의 표면과 풍경이 아주 잘 관리되어 있고, 가능한 한 그런 것을 적게 변화시키려고 한다는 걸 설명해 주었습니다.

그 때문에 건물들은 반쯤 지표면 아래로 숨어 있었습니다. 큰 창문들이나 발코니들은 언제나 초록 식물들의 우거진 나뭇잎들 뒤에 숨어 있었습니다. 그들의 집들에는 사각형과 둥근 정원들이 햇빛에 자유로이 노출될 수 있게 해 놓고, 외벽들 아래의 주변에는 거주공간이 숨겨져 있었습니다. 낯선 산책인들은 그곳으로 가, 아래를 내려다보는 경우에만 그곳에 창문이 있음을 알 수 있도록 해 두었습니다.

내부에는 그 건물들이 간단하지만 편리했고, 모든 현대 기계들을 갖추어 놓고 있었습니다. 테라 거주민들도 안락함을 좋아하지만, 그들은 과하게 하진 않았고, 가능한 한 육체적으로 적게 일하려는 노력은 하진 않았습니다. 자신의 육체적인 힘을 이용해 일하는 모습을 본 적이 한두 번도 아니었습니다. 그들에게선 지금 사람들에게 풀을 스스로 자르게 하고, 공동의 숲에선 아무 기계의 도움을 받지 않고, 산책자들이나 운동하는 이들을 위해 길을 만들도록 격려하는 경향도 있었습니다.

어느 곳에선 내가 숲의 거친 돌계단에서는 -손으로, 굉장한 표지로 이것을 강조하고 있었습니다. 나는 <인력으로 만든 것>을 알리는 표지들을 바람의 힘으로 움직이는 배 위에서, 어린이 놀이터에서 그리고 공동건물에서도 볼 수 있었습니다.

안드로스는 그곳에 혼자 생활하고 있었습니다. 나는 왜 그러는지 묻진 않았습니다. 우리는 다음 날 아침, 대화를 계속해 갔습니다.

"안드로스, 그 대재앙 뒤에 아무도 살지 못했고, 모두 죽었다고 하였지요?"

"그랬지요. 그렇게 되었습니다."

"그럼, 당신들은 어떤 식으로...어디서 당신들은 태어났나요?"

그는 살짝 웃었습니다. 우리는 아주 크고 둥근 창문 앞에 앉아서 아침 식사를 하였습니다. 반쯤 준비된 식사를 기계들이 준비해 내놓자, 마지막 준비는 안드로스가 직접 했습니다.

창문을 통해 나는 테라의 모습을 보았습니다. 초록의 낮은 산들, 구름 한 점 없는 하늘을 가득 채운 빛을요.

"여기에는 비논리성이란 없습니다. 야르코스. 대재앙 뒤에는 테라는 외롭게 남았습니다. 이상한 표현이지요, 그런가요? 외롭게 남아 있다는 것이.

...이곳에 사람이 나타나기 이전에는, 이 행성은 지성을 갖춘 생물들 없이 수십 억 년을 <홀로> 지내왔습니다. 이 테라는 사람들을 필요하진 않았습니다... 그리고 나중에는 더럽혀지고, 텅 빈 채, 메마르고, 휑하니 불어오는 바람뿐인 표면 위에 마지막 사람들이 죽어 가고 있을 때, 테라는 다시 지성적인 생물이라곤 없는 행성이

되어 버렸습니다. 그렇게 테라는 우주 공간에서 계속 선회했습니다. 해가 가고 세월이 흘러갔지만 -지금은 아무도 그 시간을 잴 수 없었습니다. 먼저, 더구나 환경은 나빠지고, 수많는 동물이, 식물들이 죽어 갔습니다. 그러나 그 자연은 이를 극복했고, 생명을 다시 만들어 냈습니다. 300년, 400년이 지났을까요...? 그 시간 동안, 인공적으로 만들어진 시끄러움이란 아무것도 없었습니다. 그런데도 공기는 맑아지고, 물도 깨끗해졌습니다. 땅의 상처들도 아물고, 모든 것이 건강을 회복하게 되었습니다.

도시들은 파괴되었지만, -들판은 번창했습니다. 남아 있던 물건들은 오물이 되어버렸지만, -호수와 강의 물은 훤히 들여다볼 수 있게 되었습니다. 식물들도 모든 것을 덮어 버렸습니다. -우주선의 비행장으로 쓰이던 시멘트 들판도 깨져 있었습니다...

인근 행성들로 이주해 갔던 사람 중 적은 수효의 사람들이 언젠가 인간이 <어머니-행성을> 다시 지배할 수 있으리라고 희망을 버리지 않았습니다. 그 사람들은 이 테라를 바로 그런 이름으로 부르고 있었습니다. 그 사람들은 공포의 환경 속에서 살아갔습니다. 흐르는 메탄가스 바다의 경계에서, 가스로 둘러싸인 구름 사이에서, 지표면 아래 말입니다. 그들 중 많은 사람은 물리적 환경이 더욱 인간적이고, 더욱 나은 곳을 찾아 나섰고, 그들의 우주선들은 끊임없이 이 우주 공간에서 날아다녔습니다. 한편, 그때까지 테라를 육안으로 직접 확인했고, 아직도 테라에서 태어난 적이 있던 사람들은 하나 둘씩 점차 죽어 갔습니다. 그들은 테라에 대해 자식들에게, 손자들에게 이야기해 주고, 그 기억들은 물론 현실보다 더 아름다웠습니다... 낯선 행성들에서 태어난 새 사람들의 상상 속에서 테라는 가장 아름답고, 가장 좋은 세계가 되어버렸습니다. 그러나 대다수 사람들에겐 테라는 관심 밖이고, 그들은 그 어머니-행성이 사멸했다는 것을 사실처럼 받아들였습니다. 그들은 이런 것을 예상치 못했고, 그들은 다른 거주 가능성을 다른 곳에서 찾게 되었습니다. 그 사실은, 인류의 우주 대 이주의 기초이자 시작이 되어버렸습니다. 수백의 대시간단위가 지난 뒤, 테라를 떠났던 수십억의 사람들이 2개의 인근 은하계에 주거지를 찾게 되었습니다. 그들은 그래서 언제나 테라로부터 더 멀어진 채 살아 갔습니다....

그러나, 고집 센 사람들은, 테라 위에 생명이 있을 가능성을 믿던 사람들은 그쪽으로 이주하지 않고, 그들의 작은 무리들은 테라에서 가장 가까운 행성들 위에 남아 기다리고 있었습니다. 그리고 -여러 세대가 죽고 난 뒤- 한번은 귀환해온 탐사선으로부터 놀라운 소식을 듣게 되었습니다. 테라에 사람이 다시 살게 되었다고 말입니다! 테라 스스로 이젠 살아 있다구요!...

그리고 그때, 우리의 고립된 역사도 시작되었답니다. 야르코스. 그때, 물론 선조들은 그런 일에 대해선 아무것도 모르고 있었습니다.

그들은 수백 명씩 작은 무리로 돌아왔고, 처음 몇 년

만에 그들은 1천 명 이상이 되었습니다. 그들은 수만 개의 냉동 정자도 가져 왔습니다. -오래전에 저 먼 은하계로 이주해 간 사람들은 그런 식으로 이곳에 자신의 아이들을 가질 수 있게 되었답니다. -그런 사실도 모른 채 말입니다. 수백 년이 흘렀습니다. 그리고 아무도 테라를 찾아와서 재이주한 사람들이 어떻게 살아가는지 알고 싶은 사람들은 없었습니다. 처음에는 물론 테라 사람들과 저 멀리 은하계의 사람들과 무선교신이 있었습니다. -하지만 외부 세계에 살면서, 다른 은하계에 사는 사람들은 그동안 다른 종의 사람이 되어버렸습니다. 그들은 온 우주 공간을 다 정복한 것 같이 여겨, 아직 알려지지 않은 지역들이 자신을 유혹하는 것으로 여겼습니다. 그렇게 새로 태어난 사람들은 풀이 있는 들판에는 관심이 없었습니다. 유유히 흐르는 물거울들과 산들의 침묵에는 관심이 없었습니다. 그런 일들에 관심 가지는 사람들을 마음 여린 사람으로, 향수에 젖은 사람으로 생각해 버렸습니다. 그들은 전혀 감정에 민감해 있지도 않고, 정반대로 그들은 누군가 자신들을 그렇게 규정지을까 두려워하기조차 했습니다. 그래서 테라와 은하계들 사이의 무선교신 빈도는 언제나 줄어만 갔습니다. 마침내 -테라로 되돌아온 후, 약 1천 년 뒤에는 -그 교신마저 완전히 끊겨 버렸습니다. 그 통로는 이젠 분리되어 버렸습니다. -아마 영원히 말입니다. 그때부터 테라 주민들은 "스스로 고립되어 버렸습니다." 처음에 그런 자체 고립은 상징적으로 그렇게 되었습니다. 이 행성의 거주민들은 이젠 1천만 명이 되고, 이젠 더는 늘어나진 않았습니다. 우리는 더 많은 사람이 필요하지도 않고, 우리는 우주를 정복하려고도 하지 않습니다. 그런 식으로 우리에겐 땅과 물과 공기가 충분하고, 대도시나 에너지 센터나, 광산이나 공장을 지으려고 자연환경을 파괴하지도 않았습니다. 야르코스, 당신이 보듯, 우리는 모두 작은 거주지들을 만들어 살고 있습니다.

우리 선조들은 그럼에도 언제나 우주 공간에서 들려오는 인간들의 무선교신을 듣고 있었습니다. 그 선조들은 듣고 있지만, 스스로 아무에게도 이젠 메시지를 보내지 않았습니다. 그래서 그 선조들은 <외부 문명이>, 즉, 영원히 테라를 떠난 모든 사람이 어떤 방향으로 발전하고 있는지는 알고 있었습니다. 테라 거주민들은 다른 행성들의 사람들이 부적절한 자신들의 거주지를 떠나, 더 멀리 이주했다는 것은 알고 있었습니다. 한편 우리는 자치를 실현해 왔습니다. 테라는 우리에게 필요한 모든 것을 주었습니다. 우리 에너지는- <태양>입니다. 우리 과학자, 의사, 탐험가들도 무선망을 갖추고 있습니다. 테라 주위의 고립 마그네틱 층은 무선과 텔레비전 전파를 없애는 걸 방해하지 않습니다. 우리 인간들이, 마침내, 과학자들이 이젠 사회를 이끄는 수준에 도달할 때까지는 오랜 시간이 걸렸습니다. 그래서, 우리는, 테라에서, 여기서, 진보의 더 높은 단계로 이미 도달해 있었습니다. 우리에게 있어, 대부분의 사람들은 이젠 생산이나 에너지 서비스나 우주여행에 참가할 의무는 갖고 있지 않습니다.

우리 사람 대부분이 철학가들입니다. 그런 철학적 사고에서 우리는 존재의 의미를 찾았습니다. 그래서 간단히 말해 테라는 <사고하는 사람들>에 의해 움직이고 있습니다."

"그 사람들이 얼마나 됩니까? " 내가 물어보았습니다. 나는 무슨 평의회나 위원회를 이야기하는 줄로 여겼습니다. 그러나 안드로스는 고개를 내저었습니다.

"다른 사회나 다른 행성에서 그런 일이 일반적으로 이루어지는 방식에 대해선 잊어버려요. 우린 8백만 명 이상의 <사고하는 사람들>이 있고, 그 대부분은 실제로 공공의 삶에 적극적으로 참여하고 있습니다. 매년 그들은 테라의 일에 대해 만나 의견 교환합니다. 그들이 모든 걸 조직하지만, 그런 토론은 공식적이고, 그 토론을 우리는 텔레비전으로 볼 수 있고, 누구든지 동시에 발언할 수 있습니다. 만약 어느 남자나 여자가 뭔가 진지하고 흥미있는 발언을 하고 싶다면요. 그리고 <그 사고하는 사람들이> 그 의견을 심사숙고합니다. 그런 순간엔 테라는 공공의 일을 말할 수 있는 판매 마켓에 사람들이 모이는 유일무이한 대도시가 됩니다... 소문으로는, 한때, 아주 오래전에 그런 도시들이, 그런 작은 사회들이 테라에 있었다고 들었습니다. 아마, 우리는 지금 어느 먼 옛날 전통을 되살리고 있습니다..."

"그리고 당신은요?"

그는 이 질문을 이해하고는 웃어 보였습니다.

"그 사고하는 사람들은 자신의 역할에 따라 여러 그룹으로 나눕니다. 나는 테라의 외부 세계의 실제 문제를 해결하는 사람들의 집단 속에 들어있습니다. 이론가들 집단도 있지요. 나중에 당신도 그들과 만나게 됩니다."

'나중에'라는 낱말은 내게 시간의 흐름을 되살려 주었습니다.

"난... 언제까지 여기에 남아 있어야 합니까?"

"여기 있는 게 나쁜 일인가요?" 그가 대답 대신에 그렇게 물었습니다. 나는 그 말을 물론 이해했습니다.

"아뇨," 나는 대답했고, 그것은 또한 진실이었습니다. "테라는 아름답습니다. 나는 이보다 더 아름다운 행성을 본 적이 없습니다. 그러나 나는... 나는 방랑자입니다. 동화작가이지요."

"동화 작가라구요?" 그는 아직도 그 의미를 모르고 있었습니다. 그들은 몰랐습니다. 그래서 나는 내가 무슨 일을 하는지 설명해 주었습니다. 그 일은 그를 생각하게 만들었습니다. 그가 다만 생각에 잠겨 있음을 나는 볼 수 있었습니다. 그러나 그는 아무 말도, 아무 말도 하지 않고, 화제를 다른 방향으로 돌렸습니다.

"당신의 운명은 사고하는 사람들이 결정합니다. 아니면 그 일에 대한 주민투표를 할 수도 있습니다. 그 이전에 당신이 누구인지, 무엇을 하는 사람인지, 테라에 왜 착륙했는지, 어떻게 떠날 것인지를 공개적으로 말할 기회를 얻게 됩니다."

"사람들이 나를 가두어 놓지 않는다는 희망을 내가 가

저도 되나요?"

그가 대답하지 않자, 나는 연속적으로 공격을 퍼 부었습니다.

"뭔가 비슷한 경우가 언제 일어난 적이 있었나요?"

"800년 전이 마지막이었어요. 그때는 지구적인 신비한 완전히 둥근 건축물들이 아직 존재하지 않았지요. 그 건물은 지금처럼 그렇게 훌륭한 기능을 발휘하지도 않았습니다. 몇 사람을 태운 우주선 1대가 여기에 도착했습니다...그 우주선 사람들은 여기서 계속 살아갔습니다. 그들이 출발했던 그 행성에서는 그 사람들이 우주에서 죽었을 것으로 분명히 믿었습니다."

우리는 말이 없었습니다. 나는 이젠 작은 산들을 보지 못했습니다. 안드로스가 자리에서 일어났습니다.

"좀 더 기다려요, 야르코스. 그렇게 오랫동안 당신이 찾던 테라인데, 당신이 이 테라를 찾았으니, 이젠 알아보기도 하고, 즐기기도 해야지요."

어찌할 바를 모르는 나는 테이블 옆에 섰습니다.

"누가 나에게 테라를 구경시켜준다면야..."

"길라잡이가 나설 겁니다." 안드로스가 살짝 웃었습니다.

그리고 얼마 뒤에 에우라 라는 사람이 나타났습니다.

오오르트는 사탕을 담아놓은 통에서 입안으로 사탕 한 개를 집어넣었습니다. 그 맛은 달콤하였습니다. 그러나 그 달콤하고 시원함도 잠시뿐, 그는 다시 다른 사탕 하나를 집어 들었습니다. 알펜은 고개를 조금 숙인 채 있고, 나중에 그 사탕 통을 탁자 위로 놓았습니다. 의장은 가까이 일어서보려고 했지만, 피곤함을 느꼈습니다. 그는 자신의 피곤함을 분석해 보려고 했지만, 그 비서가 그를 방해하였습니다.

"크로스는 다른 곳에서처럼 그렇게만 행동하는군요. 야르코스. 일에 대해선 의장님이 중요하다는 말씀이 있었지만, 지금은 온 힘으로 크로스가 의장님 의견에 반대하려고 하는군요."

'이 비서가 나를 위로하는구나.' 하고 그가 생각했지만, 알펜의 잡담을 막진 않았습니다. 짙은 회색 화면들이 그를 쳐다보고 있었습니다. 지금 한 화면에 야르코스 얼굴이 보였습니다. 진짜 반대자는 야르코스였습니다. 야르코스가 메타 스텔라의 질서를 전복하고 있고, 오오르트 영혼의 안정을 방해했습니다. 그리고 오오르트는 의장으로서 이 질서 전복자를 꺾어야 했습니다.

"저자가 선조들을 모욕하고 있습니다. 저자는 과학자들의 견해와 반대되는 의견을 말하고 있습니다. 그리고 이 사안에 있어 가장 나쁜 것은 시청자들이 저자의 말을 믿는다는 점입니다."

"왜냐하면, 그들이 믿고 <싶어하니까요>. -알펜의 두 눈은 지금 이 순간 가장 늙어 보였습니다. 그의 음성도 이제 포기상태인 것을 나타내고 있었습니다. 의장은 깜짝 놀라 그를 쳐다보았습니다. 그 비서가 말을 이어 갔습니다. "그들이 원하는 것은 우리 권력이 가진 가능성보다 더 큽니다. 환상이라는 기타는 일천 개의 현을 가지고 있고, 야르코스는 이 악기를 알고, 이 악기를 다룰 줄도 압니다."

오오르트는 잠시 생각에 잠겼습니다. '나는 알펜을 잘 못 알고 있구나.' 그 비서가 밤낮으로, 또 오래전부터 의장의 옆에 있었지만, -의장은 알펜에 대해 충분히 알고 있지는 못했습니다.

"그는 그래도 무슨 이야기든 다 해버리진 않지. 몇 가지 규칙과 넘을 수 없는 경계가 있어요."

"동화란 아무 경계가 없습니다." 그 비서는 급히 대답했습니다.

"에우라는 키 크고 날씬하며, 햇살 같은 눈을 가진 여자였습니다. 먼저 나는 에우라가 비행 기계에서 나와 햇빛이 비치는 정원으로 내려올 때, 그녀의 두 눈을 보게 되었습니다. 날씨는 무더웠고, 하늘은 우리 위로 펼쳐져 있었습니다. 에우라의 두 눈은 파랗진 않고 좀 어두웠다는 편이 맞겠습니다. 밝은 갈색 얼굴을 에워싸고 있는 것은 갈색이거나, 거의 까만 머리였습니다. 눈처럼 하얀, 짧은 의복은 그녀의 날씬하고 아름다운 다리를 보여주고 있었습니다. 그 몸매는 계단에서 내려올 때 춤추는 듯이 흔들렸습니다. 에우라는 서른 정도의 나이였습니다.

"안녕하세요, 야르코스."

"안녕하세요."

안드로스는 이 말만 하더군요. "에우라는 내 손녀 중

한 명입니다."

"또 가장 매력적이구요." 나는 옛 영화에서 본 방식대로 찬사를 보냈습니다. 에우라는 살짝 웃으며, 고개를 들어, 나를 보며, 그 말에 기쁘지만 그런 찬사는 어울리지 않는다고 말하려 했지만, 바로 그때, 에우라와 나는 눈이 마주쳤습니다. 그녀는 내가 정말 그런 말을 했다는 걸 알아주었습니다. 그러자, 에우라는 조금 당황했습니다.

나는 지금까지 한번도 느끼지 못한 이상한 기분이 들었습니다. 무슨 특별한 자력이 나를 누르기 시작했고, 나의 두뇌에선 달콤한 진동을 느꼈고, 내 주변의 우주도 마치 전기처럼 진동했고, 보이지 않는 불꽃들이 내 살갗에서 뛰어다녔습니다. 에우라는 나의 얼굴이나 목을 태워버리는 듯한 시선을 보내 왔습니다.

안드로스는 아마 처음부터 아무것도 알아차리진 못했지만, 에우라와 나는 첫 만남부터가 특별했습니다.

우리는 상대방의 존재를 <느꼈습니다.> -내가 에우라에게 효과적이라는 것을 보았고, 나의 심리 안테나로서 에우라는 그런 효과에서 벗어나려 애쓰는 것도 느낄 수 있었습니다. 그러나 에우라는 그렇게 할 수 없었습니다. 나도 이미 에우라로부터 자유로워질 수도 없었습니다. -그러나 정말 나는 그걸 원치도 않았습니다. 나는 아주 기분이 좋았고, 에우라가 가까이 있음이 기적처럼 느껴졌습니다.

그러나 다음날부터 며칠간 나는 에우라를 만나지 못했

습니다. 그뒤, 에우라는 나를 몇 곳의 원시 도시의 유적지를 여행하며 보여주었습니다. 나를 가장 놀라게 한 것은 그곳의 차원이었습니다. 8천 년 혹은 1만 년 전의 사람들은 아주 작은 소도시에 살았답니다! 그리고 소문엔 이런 규모가 가장 큰 도시라고 하더군요. 더 작은 도시 유적지들은 남아 있지 않았습니다. 그런 이상한 유적지들 사이에서 우리는 산책하기도 했습니다. 노랗고, 붉고 갈색의 벽돌이나 회색 돌로 건축된 벽들과 낮은 담장들이 있었습니다. 에우라는 그런 유적지에 대해 많이 알고 있지는 않은 것 같았습니다. ―그리고 나를 놀라게 하는 것은 에우라가 때로 내가 전혀 이해할 수 없는 낱말들을 쓰고 있다는 것입니다. "나라", "민족" 같은 낱말은 무슨 흥미나 반대적인 흥미의 상상 속이나, 실제 집단이거나, 그 집단의 그런 영토적 집합지로 추측해 볼 뿐이었습니다. ―그러나 오늘까지도 나는 그런 낱말에 대해 확신이 서 있지 않습니다. 우리는 그 테라 주민들이 전통적으로 "박물관"이라고 이름 지은, 옛 물건들을 모아둔 곳도 가보았습니다. 어떻게 그 많은 물건이 한때의 시대에서부터 지금까지 남아 있을 수 있는가에 대해 나는 놀랐습니다. 에우라는 원자 시대 말기에 환경재앙이 있었고, 그다음 집단 이주와 죽음으로 이어져 거의 모든 것을 파괴해 버렸고, 아마 그 유물들만 남게 되었다고 설명해 주었습니다.

우리는 몇 개의 대륙도 날아 가보았습니다. 나는 현대적 삶의 많지 않은 신호들을 보게 되었습니다. 아마도 오늘날 테라 거주민들은 그 행성 풍경을 열성적일 정도로 보존해 가고 있었습니다. 그들은 그곳에 있는 자신들의 존재는 비밀로 해 두려고 했습니다. 그들은 숲이나, 잘 가꾸어진 과수원들이나 풀밭이 자연스레 자라도록 내버려 두었습니다. 물가에선 바람이 여러 갈대밭을 달래 주고, 거주지 인근에는 보리가 누렇게 익어 가고 있었습니다. 얕은 바다 곳에서는 해초들이 자라는 것도 나는 보았습니다. 테라 주민들은 지표면 아래 모두 다 자리를 잡진 않았습니다. 몇 곳에선 작고 하얀 집들로 된, 특히 따뜻한 바닷가에, 또 그곳 섬에 마을이 형성되어 있음도 보았습니다. 건물들은 환상적으로 건축되어 있고, 진짜 돌로 된, 조각된 벽들이 많이 있고, 벽들 위로는 개머루 나무가 자라고 있었습니다. 이곳저곳에 설치된 태양에너지 센터들은 주변 풍경을 추하게 만들어 놓았지만, 전류를 전해주는 케이블 선은 이미 지하로 그 배선을 매설해 두었습니다.

어디에도 사람들이 모여 있지 않고, 대중교통수단은 없었습니다. 날아다니는 택시들로 테라 사람들은 자기네 행성의 어느 지역으로든지 여행할 수 있었습니다. 그들은 지표면에 큰 무게가 나가는 물체들만 제공해 놓고, 배도 그리 많진 않았습니다. 우리 두 사람이 어디로든지 날아가자, 그 광경은 평화스럽고 온유했습니다. 이곳에선 야만스런 것이란 아무것도 없고, 정반대로, 자연은 이미 모든 것을 더욱 아름답게 만들어 놓았습니다. 에우라와 함께 나는 아주 넓은 강들과 끝없이 넓은 모래밭, 새 구름들과 지평선까지도, 사람이 손대지 않은 원시림도 가보았습니다. 물론 우리는 사람들도 만났습니다. 테라 주민들은 많은 여행을 하고, 어린아이 때부터 그들은 그 행성에 대해 배우기 시작합니다. 그들이 마흔에서 예순의 나이가 될 때, 그들은 이미 모든 대륙에 대해 다 알고, 산맥의 시냇물 맛과 영원한 눈의 차갑게 숨 쉬는 곳이나, 열대지역의 야생 과일도 맛보게 됩니다. 그들은 따뜻한 바다에서 잠수하기도 하고, 동굴의 천연색 돌도 알고, 가장 높은 산정상으로 산행하기도 합니다.

그들은 돛단배를 타기도 하고, 날아다니기도 하고, 헤엄치기도 하고, 걸어 다니기도 합니다. 내가 보기로는, 그들은 잘 살고 있습니다. 테라 주민들은 간소하게 살고, 직선적이고, 기분도 좋아 보였습니다. 다시 말해 자연스러운 모습의 사람들이었습니다.

그러나 며칠이 지난 뒤, 나를 놀라게 하는 일이 생겼습니다. 테라는 아름답고, 아주 아름답고, 그곳에서 나는 에우라와 잘 지내고 있었습니다.

그러나 "에우라, 당신은 우주에 대해 한 번도 생각해 본 적 없나요?" 내가 에우라에게 한번 물어보았습니다.

그녀의 어두운 갈색 다이아몬드 같은 두 눈엔 이해하겠다는 듯이 반짝거렸습니다. 우리는 가장 깊은 심연의 가에 서 있고, 우리 앞에는 10억 년의 지질학적 단층들이 놓여 있었습니다. 태양은 지고 있고, 늦은 오후는 노랗고 붉은빛으로 모든 사물을 비추고 있었습니다. 우리는 가장 높은 점으로부터, 전망이 좋은 곳으로부터 저 깊은 곳만 내려다보고 있었습니다. 저 아래는 이미 저녁이 되어 있었습니다. 어둠은 저 심연의 맨 아래 구비진 강을 덮어줍니다. 그때, 어둠이 나를 우주 공간에 대해 다시 생각나게 했습니다.

"예, 있어요. 정말요. 외계 사람들이 하는 것만큼은 아닐 정도로요."

"에우라, 당신은 외부에서 무슨 일이 일어나는지 대체로 알고 있나요?"

그녀는 살짝 웃었습니다. 그녀 미소도 매력적이었습니다. 기쁜 마음으로 나는 그런 에우라를 보고 있고, 에우라에게도 우정이 배어 나왔습니다. 그리고 우정뿐만 아니었습니다.

"모든 걸 우리는 자세히 알고 있어요. 소행성들 위에 숨겨 놓은 무선 안테나를 통해 우리는 언제나 그 외계 인간들의 무선 대화와 무선 프로그램을 몰래 엿들을 수 있어요. 물론 전자자기 신호들은 우리에게 대단히 늦게 도착하지만 우리는 그렇게 해도 충분해요. 만약 우주선이 테라에 가까이 오면, 그런 경우는 우리는 충분히 일찍 알게 되어요."

"내 우주선도 보았나요?"

"우린 그 우주선을 보진 못했지만, 소식은 알려졌어요." 에우라는 몰래 알려주었습니다. 그러나 에우라는 그 이상한 "정보와 경보 시스템"에 대해 확실하게 말하지 않으려고 했습니다. 아마 에우라는 그런 기술에 대해선 아직 모르고 있는 듯합니다. 안드로스도 이미 말했듯이, 테라 주민들은 아마 모든 것 앞에서, 특히 우주 항해에서도 사용되는 VHF 파장 상에서, 언제나 우주의 에테르를 엿듣고 있다니, 나는 좀 놀랐습니다.

나는 에우라의 빛나는 얼굴을 보고는 갑자기 내게서 역겹고 검은 의심이 일어나기 시작했습니다... 만약 에우라가 안드로스의 손녀가 아니라면? 아마 그녀가 테라 주민들이, 그 사고하는 사람들이 나를 에우라와 사랑에 빠지게 만드는 그런 임무로 나에게 보냈다면, 에우라가 매력적이고도 노련한 여인이라고 한다면? 내가 에우라를 사랑하게 된다면, 나는 이 행성을 떠나고 싶은 염원을 포기해 버릴 것이고, 나는 내 세계로 돌아가지 않게 될 것이다... 만약 그리된다면, -그래, 그러면 그것은 악마 같은 계획입니다. 나는 그 사고하는 사람들에 대해 뭔가 의심하기로 마음을 고쳐먹었습니다. 이 테라 사람들은 한 번도 폭력을 사용하지도 않고, 이 행성에서 그들은 천 년 전부터 그것을 배제했다는 것을 나도 어느 정도 알고 있었습니다. 그들은 서로를 향해 똑같은 폭력을 사용치도 않았고, 자연에게도 마찬가지였습니다. 강가에서조차 그들은 물을 막는 둑을 건설해 놓지도 않았습니다. -그것보다 그들 거주지를 안전한 곳에 건설하기를 더 바랍니다. 벌써 오랫동안 그들의 유일한 훼방꾼은 지진이었습니다.

"에우라가 좀 전에 말한 것은 ...비밀인가요? 그것을 나에게 말할 권한이 에우라에겐 있나요?" 나는 물었습니다. 에우라는 혼비백산하여 고개를 내저었습니다.

"비밀은 없습니다. 모두 그걸 알고 있습니다. 그러나 야르코스의 상황은 아직 불명확합니다."

그 순간 나는 이젠 거칠고 격정적으로, 그래도 나는 이곳에서 더 나가야 한다는 것을 말하고 싶었습니다. 그러나 나는 이미 에우라의 두 눈만 보았고, 머리가 좀 어질어질함을 느꼈고, 미소의 전파가 나를 엄습해 왔고, 나는 지금 그 여인의 약속의 눈길에 갇힌 불쌍한 남자가 되어버렸습니다. 우리 둘만 이 심연 옆에 서 있었습니다. 태양은 빛나고 있고, 그 태양은 그녀 얼굴에 빛나고 있고, 나는 -욕망 때문에 떨고 있었습니다.

우리는 이젠 말이 더 필요치 않았고, 우리는 서로를 이해하게 되었습니다.

나중에... 나는 이젠 더는 버틸 수도 없고, 그런 욕구로 나는 긴장하게 되었고, 나는 에우라도 동시에 그 느낌을 알게 되었습니다. 무슨 작은 움직임이면 충분했습니다. 우리 두 사람의 손이 서로 닿았습니다. 손가락이 손가락을, 세게도, 급하게도 못 참겠다는 듯이 얼른 잡았습니다. 은밀한 비밀들은 노출되고, 위대한 음악은 하늘을 울렸습니다. 우리는 서로 바라보며 서로를 원하고 있었습니다.

(...안돼, 안돼, 안돼. 내가 그 일을 이 사람들에게 발설하게 되면... 그러나 그것은 불가능해. 에우라 몸을 설명해 줄 수가 없어. 내 손가락이 처음으로 에우라의 맨

살을 만졌을 때의 느낌을 말해 줄 수 없어. 내가 에우라의 작은 옷을 벗기었을 때, 내 손을 통해 직접 에우라의 신경과 두뇌에 그 의식의 다가온 쾌감과 행복이 닿았지. 우리는 잠시 뒤 함께 다시 한번 저 하늘 높이, 저 앞이 캄캄해지는 하늘로 함께 커가려고 서로의 앞으로 쓰러졌는 걸. 그때는.)

다음날, 아침부터 에우라와 나 사이에 모든 것이 바뀌었습니다. 에우라는 나의 길라잡이자 동시에, 안드로스의 손녀인 동시에, 테라에 사는 여인 중 한 사람이 되어 있었습니다. 서로 주고받는 기쁨은 우리 두 사람을 연결해 주었고, 그 기쁨은 두 세계의 연결고리가 되었습니다. 튼튼한 연결이었습니다. 몇 번인가 나는 우리를 통해 <우주공간>과 <테라>가 연결되었다는 생각도 하게 되었습니다.

에우라는 화사하고, 웃는 모습으로 넓은 강의 가장자리를 달려가기도 하였습니다. 우리 배는 갈대밭 사이에서 미끄러져 움직였고, 한 무리의 형형색색의 새들이 마치 폭발하는 듯이 무더운 하늘을 향해 날아올라 갔습니다. 한때 사막이던 곳엔 과일나무들이 한때 무덤 같은 피라미드들을 에워쌌습니다. 우리는 8천 미터 높이의 언제나 눈 덮인 산꼭대기에서 저 아래를 내려다보았습니다. 우리는 산호 해변의 고기떼들 사이에서, 꽃피듯이 있는 저 해저 위로 헤엄쳐, 마치 자연의, 한때 전설의 신들이 하얗기도, 노랗기도, 붉기도 한 노란 산호무리 위에서, 마치 내가 우주에서 그렇게 잘 알고 있던 무중력 상태와 비슷하게, 헤엄치고 있었습니다. 나중에 우리는 비단결같이 하얀 모래밭의 종려수 나무 그늘에서 서로 사랑을 나눴고, 나중에 이 세계를 정복하는 태양을 노래한 나카무라와 로시의 노래를 바람이 불어오는 해먹에서 들을 수 있었습니다. 그리고 우리는 원시 클래식 음악가의 음악을 들었고, 가장 자주 바흐 음악도 듣게 되었습니다.

나는 몇 주가 지났는지 헤아려 보진 않았습니다. 간혹 우리는 안드로스의 집을 방문했고, 테라 주변을 여행하며 대화를 나누었습니다. 우리는 아주 강한 찬바람만 불고, 사람들이 살지 않는 끝없는 북쪽 툰드라 지방에 가서도 대화를 나누었습니다.

한번은 비가 오지 않는 남쪽의 뜨거운 사막에도 가보았습니다. 테라 주민들은 기술적으로 그곳에 비를 만들 수도 있었지만, 비를 만들지 않았습니다. 모래와 바위 위에 간혹 짐승들이 살고 있었습니다, -그러나 사람들은 없었습니다. 그리고 유적지, 유적지들은 모든 곳에 있습니다. 아직도 나는 옛 유적지들의 차이점을 보진 못했습니다. -그러나 에우라의 말을 인용하면, 몇몇 유적지들은 다른 유적지들보다 수천 년씩이나 더 이른 시대라는 것이라고 합니다. 이런 주제에 대해 테라 주민들은 경험이 많습니다. 한번은 내가 어느 대륙의 중심부에서, 그러나, 전혀 사람이 살지 않는 지역의 지표면에 두 겹이나 부식된 쇠막대기 같은 걸 보게 되었습니다. 그것은 지평선에서 지평선으로 연결되어 있었습니다. 내가 놀란 것은, 에우라 설명에 따르면, 그것은 소위 말해 "철도"의 일부라고, 그 위로 교통수단이 달려갔다고 했습니다. 소문엔 제3의 천년기에조차도 사람들은 그런 철도를 그 행성에 건설해 갔습니다.

그러나 내가 그게 어떻게 작동하는지 묻자, 에우라는 대답을 하지 못했습니다. 자석의 힘을 이용하거나, 아니면 인공적 무중력 힘으로 작용된다는 그 장치에 대해선 에우라는 모르고 있었습니다. 나는 딱딱한 풀밭에 놓인 괴물 같은 쇠에 대해선 곧장 잊어 버렸습니다. 왜냐하면, 에우라는 아가씨라서 그걸 어찌 사용하는지 모르고 있었습니다. 그러자 다시 내겐 에우라를 향한 욕망이 생겨났습니다...

(...우리는 온몸으로 무릎까지 닿는 풀들을 밟고, 작은 자줏빛 꽃잎들이 떨어지고, 그들 중 하나는 에우라의 이마 위로 미끄러지고, 나는 그 잎에 입 맞추려 했지만, 나는 성공하지 못했었지. 나중에 나는 이제 그 꽃잎도 보지 못했고, 에우라도 다른 뭔가를 생각하지도 않고 있었지. 우리 두 사람은 화산이 되어 있었고, 에우라는 내 위로 왔고, 나의 두 눈에 입을 맞추었지... 그리고 내가 눈을 뜨자, 원시 리듬이 우리의 몸에서 출렁이고 있었고, 그 리듬은 영원의 온 세상으로 연결해 주었지. 에우라 머리카락은 그대로 태양을 덮었고, 모든 것이 눈부신 일대 광명이 되었었지...)

우리는 원숭이들이 사는 원시림도 가게 되었습니다. "인간은 생물학적 진화 과정에서 저 원숭이들로부터 나왔습니다. 우리가 척추동물로부터 나왔다는 점, 그 점을 저기 바깥의 당신이 사는 그곳에서도 알고 있어요...?" 에우라가 교태를 부리며 물어 왔습니다. 나는 그렇다며, 우리도 그건 알고 있다고 하자, 에우라는 놀라는 것 같았습니다. 하지만 그 원숭이들을 보고 나는 깜짝 놀랐습니다. 그들은 자유로이 살고 있고, 그곳을 방문한 우리에게 다가와, 내 팔과 발을 잡기도 했습니다. 어느 작은 놈은 내 머리 위로 기어오르기조차 했습니다. 그것은 아주 오싹한 느낌을 주었습니다. 마치 시간 여행자인 내가 1만 년 혹은 10만 년으로 되돌아간 느낌이었습니다. 그런 깜짝 놀라 하는 내 마음을 진정시켜 준 이는 에우라였습니다.

그리고 우리는 테라의 다른 주민들도 만나 보았습니다. 그들의 작은 도시들이 우리 눈앞에 보였고, 항공택시들이 잘 다니지 않는 장소도 있었습니다. 사람들은 원시림 한가운데 살고 있었습니다. 그들은 아주 현대적인 건축물에 살고 있고, 섬에도 살고 있고, 한때 대도시들의 유적지였던 곳에서 가까운 곳에서도 살고 있었습니다. 가장 많은 사람은 온화한 기후조건의 지역들, 특히 해변에 살고 있었습니다. 그들은 지진이 일어날 수 있는 곳들만 피해 살고 있었습니다.

테라 주민들의 외양은 우리와 다르지만, 나는 어떻게 또 왜 그런지 설명해 줄 수 없습니다. -왜냐하면, 그들은 평화로운 사람들이기 때문입니다.

그들은 결코 뛰어다니는 법이 없고, 긴장 속에 살지도 않습니다. 한때 원시 시절에 정말 대도시 주민들과 시골 주민들 사이의 차이가 바로 그런 것인가 봅니다. 테라는 오늘날 우주의 저 먼 시골이고, 그곳엔 사람들이 결코, 무슨 이유이든지 바쁘게 활동할 필요가 없습니다. 그런 평화로움은 그만큼 테라 일부분이 되었습니다. 그런 모습은 그들의 얼굴에서도 나타나 있습니다. 그들의 특색, 움직임, 말의 양식은 그런 것을 입증해 줍니다. 그들은 결정을 잘 합니다. 왜냐하면, 그들의 세계는 한정되어 있습니다. 즉 알려져 있습니다. 알려진 세계이기에, - 그래서 그들은 불쾌하게 놀래고 두려워하며 지낼 필요가 없는 그런 곳에 살고 있습니다. 우주에도, 테라에도 그 사람들의 적은 없습니다. 그리고 그들은 서로를 두려워하지 않습니다. 왜냐하면, 그들의 폐쇄된 삶이 그들 모두에게도 썩 어울리기 때문입니다.

아니면... 모두에게 어울리지 않는다면요? 어느 날 오후 우리가 안드로스 집에 다시 돌아갔을 때 그런 의심스런 생각이 처음 내게 들었습니다.

TZ-0111328 코드명의 정보록은 끝이 보였다.

에우라는 읽기를 끝낸 뒤, 충혈된 시선으로 고개를 들어 위를 보았다. 전등 빛은 무차별적으로 빛나고 있다. 침묵이다. 에우라가 움직이자, 침묵이 깨졌고, 약한 소리가 들리면서 그 소리는 대강당을 빙- 돌아서 다시 왔다. 에우라는 자리에서 일어나, 그 책을 놓고. 천천히 이리 저리 걸어 보면서 자신이 방금 읽은 것에 대해 생각해 보았다. 나중에 에우라는 갑자기 이해가 되었다. '시간이 가고 있구나! 만약 기억국 중앙 컴퓨터가 그 사이 무슨 이유로 메타 스텔라의 보안 책임을 맡은 다른 컴퓨터에 전화라도 걸어 연결하기라도 한다면... 몇 분 안에 그런 기계들은 정보록 TZ-0111328을 열람한 사람을 주의 깊게 살피게 될 것이다. 아마 그 기계들은 이 정보 제공소인 기억국의 이 순간의 유일한 "열람자"가 가짜 신분 증명서를 이용해 정보에 접근했음을 이미 알아차렸을 수도 있다. 그리고 만약 그 기계들이 서로 연결되어 경보라도 울리게 한다면, 자동으로 이 정부 당국에 알리게 되고, 그러면 이 건물의 모든 문은 폐쇄될 것이다.'

에우라는 그렇게 되면 자신이 이 기억국을 떠나지 못하게 됨을 상상하고는 두려움이 느껴지자, 두뇌는 재빨리 이 모든 상황을 분석했다. 에우라는 이 책을 가지고 나갈 수 없음을 알았다. 사람들이 거주하는 은하계의 모든 기억국에서는 그것을 막는 기계장치들을 설치해 두었다. 만약 누군가 무슨 물건을 기억-크리스탈이나 마이크로필름이나 비디오 필름을 가지고 나가면, 전자 시스팀이 출구에서 작동해서, 경보음을 울리도록 되어 있었다.

에우라는 잠시 머뭇거리다가, 능숙하고 세심하게 그 책을 넘기면서, 좀 전에 보았던 페이지들을 다시 찾아냈다. <그> 은하계에 대한 서술을... 에우라의 심장은 지금 강하게 뛰었다.

'그것을 행동으로 옮길까...? 에우라 스스로도 그 일이 믿기지 않는 것 같았다. 한때 그것은 확실히 신성모독이다. 도둑질이다. 한때 도둑들은 그런 걸 느낄 수 있었을까? 저 멀리서 도착하여 도둑질이나 하는 야만인인가?'

에우라는 입술을 깨물었다. 에우라는 그 작은 아픔에 의식을 되찾았다. 더 큰 것이, 에우라에겐 앞으로 면죄부를 받을 수 있는 정도의 그런 큰일이 그 의식의 원인이 된다.

에우라는 한 번의 확고부동한 행동으로 테라 부분만, 비밀리에 그 은하계를 서술해 놓은 관련 페이지들만 그 책에서 찢어 냈다.

"저녁에 안드로스는 나를 우주관측소로 안내해 주었습니다. 안드로스는 아마 이곳에 근무하는 것 같았습니다. 우주 공간에서도 마찬가지로, 이 테라에도 천문학의 개별 학문 분야들이 늘려 있었습니다. 그런 분야들이 아주 많고, 그 때문에 나는 이 학문의 어느 영역이 그의 전공 분야인지 몰랐습니다. 정말, 안드로스는 "천문학을 다루는 철학가"라 불리는 일을 담당하고 있었습니다. 소문에 따르면, 테라 주민들은 모든 실체적 <존재> 뒤에 철학적-이론적 연결을 벌써 오래전부터 끈질기게 시도하고 있었습니다.

우리 두 사람만 그 돔형건물 아래 서 있게 되었습니다. 안드로스는 그 건물의 기계들에게 말로 명령을 내렸습니다. 망원경들은 외부에 있고, 대형화면이 그 망원경들의 모습을 우리에게 보여주었습니다.

"저 달을 좀 보십시오." 안드로스는 평소와는 달리 오늘은 진지하게 말했습니다. 안드로스의 얼굴에는 가장 약한 미소도 보이지 않았습니다. 나는 안드로스가 에우라 일로 나를 질책할지도 모를까 걱정이 되었습니다. 나는 달의 분화구들을 살펴볼 수 있었습니다. 즉 그 분화구는 차가운 우주 공간에서 많이 고통을 입은 큰 암석입니다. "한때 일단의 고고학자들이 아주 옛날식 집 건물이 있던 터에서 원시시대의 필름 짜투리를 찾아냈습니다. 그 필름 중 하나는 아주 원시적 도구들의 도움으로 이루어졌습니다. 즉, 우리 선조들이 맨 처음, 가장 가까운 우주물체에 다가갔을 때의 모습이었는데, 얼마나 우스운 모습이었던가요 -그 사람들은 "미래를 향한 큰 한 걸음을 내디뎠다" 고 자랑스레 말해 왔습니다... 만약 그들이 아직은 그 길이 얼마나 먼 길이라는 것을 알았더라면! 그때부터 약 1만 년이 지났지만, 우리는 여전히 우주 일부분만 알고 있습니다. "우리" 우주에서조차도 놀랄 정도로 작은 부분을요..." 안드로스가 테라에서 가장 가까운 지역들을 말하겠지 하고 나는 믿었습니다. 그러나 안드로스는 -희미한 대강당에서 내 쪽으로 등돌린 채 선 채로, 달을 쳐다보면서 말입니다.- 한참 생각을 하고 난 뒤, 말을 시작했습니다. "우주는 하나의 거대한 전체입니다. 우리 인간들만 그런 상태를 상상해 볼 수 없습니다. 닫힐 수 없는 전체이지만 전체입니다. 정말 이 우주는 <모든 것을> 포함하고 있습니다. 내가 야르코스 당신에게 모든 "원시-폭발" 뒤, 맥동하는 우주가 아마 전혀 다른 물리적 형태로 밀집되고, 우주 법칙도 다른 법칙으로 바뀌었을 수 있다는 점을 끝내 말해야 하겠습니다. 그렇다면 이 생명에 대해 무슨 일이 있고, 무슨 일이 일어날 수 있었던가요? 모든 대세계의 모든 폭발 뒤에는, 그곳이 수백 혹은 수천 개의 부분으로 나뉜 채 -우주 공간에서 쾌속 질주하면서- 그 생명이 형성되었던가요?

그리고 그 지능을 가진 생명은요? 동시에 우주의 일부분에 살던 사고하는 생물들은 -수백 혹은 수천 억 년 동안 -간혹 몇 번만 유일한 형태로 나타난다는 것이 있을 수 있느냐고요? 소위 "우리의 팽창 우주"라는 우리의 작은 우주 지역에서 <여기 또 지금> 인간이 그 지적인 생물입니다. 그러나 5천억 년이나 1조 년 전에 이곳에는 (바로 이곳이 아니라 해도) 다른 "우주"가 팽창되었습니다. 그런 다른 우주 안에 아마 두족류(頭足類)나 유체류나 레이다 코 같은 생물이 그 당시의 "인간"이었고, 그 상태의 역사는 맨 처음의 행성을 추하게 만들었고, 그 생물들은 우주를 침범했고, 그들은 언제나 더 수많은 은하계를 점령하고, 슈퍼세계의 물리법칙을 발견했습니다... 나중에 그 맥동하는 "우주"는 자신의 맥동 방향을 바꾸었고, 처음에는 내부를 향했다가, 되돌아오

듯이 쾌속 질주하기 시작했고, 그 생물들은 …그만 멸망해버렸습니다.”

“그럼 만약 그들이 스스로 구원을 받았다면요?” 나는 물어 보았습니다.

“<어디로> 그들이 피난할 수 있었겠습니까?” 그는 이해가 되지 않는다는 듯이 물었지만, 나는 그의 의도를 파악할 수 있었습니다. 안드로스는 내게서 그 자신도 놀랄지 모를 의견을 듣고 싶었습니다. 안드로스는 자신의 동료들이 아마 한 번도 시도해 본 적이 없는 테라 밖 사람과, 우주를 충분히 잘 알고 있지만, 테라 과학자들의 이론을 모르는 누군가와 대화를 시도하려고 해 보았습니다.

“어디로, 어디로냐구요… 만약 높은 수위의 물이 어느 숲을 범람하게 되면, 들짐승들은 그 숲의 가장 높은지대로 피난합니다. 더 높아지는 물은 그 작은 섬을 에워싸게 됩니다. 그곳에서 그들 모두는 그 물의 위험이 사라지기를 기다리며 그곳에서 숨어 지냅니다. 공동의 적이 범람이었지만, 들짐승들은 서로를 위협하진 않습니다.”

“적절한 비유이군요, 아주 좋습니다!” 안드로스는 나를 향해 돌아서면서 말했습니다. “그럼, 야르코스 당신은 우주의 어느 곳에 한 점 내지는 여러 점에 남아 있을 수 있다고 -어느 은하계나 아마 유일한 행성 한 곳에라도- 그곳에 순서에 따른 맥동에서 나오는 지능을 가진 생물이 모인다고 말하는가요?”

"그런 상상이 가능합니다."

"하지만, 그 경우에 이 '섬'은 우리의 맥동하는 세계 바깥에서 <다른 공간>과 같이, 그 세계와는 물리적으로 독립된 채로 있어야 합니다..."

"아니요," 나는 단정적으로 반박했습니다. "어느 문명의 개개인이 전적으로 기회를 포착하려면, 먼저 그들이 그 방대한 거리인 슈퍼거리를 극복할 방법을 찾아내야만 합니다. 그렇게 하려면 빛의 속도로 쾌속 질주하는 우주선들이 충분한가가 중요 문제입니다... 피난 방법이 전혀 존재하지 않을지도 모르는 다른 차원에서 찾아야만 합니다. 좀 전에 우리는 말한 바 있습니다. 즉 측정할 수 없는, 끝없는 우주 공간에는 팽창하기도 하고, 수축하기도 하는 우주들이 여럿 있다는 겁니다. 저어, 그런데, 안드로스... 당신은 그 세계들의 맥동이 시간적으로 조율이 되어 있다고 강조하는 겁니까?"

안드로스는 곧장 나의 말을 이해했습니다.

"야르코스, 당신의 말이 맞습니다. 만약 우리가 그 거리를 극복한다면, 우리는 수축 세계에서 또 다른 세계로, 즉, 바로 팽창 세계로 피난할 수 있는 겁니다. 우리는 그곳에 가서 살 수도, 발견할 수도, 이용할 수도 있습니다. 그리고 −수천억 년이 지난 뒤 그 세계도 다시 수축할 수 있겠지요. 그러면 다시 우리는 무슨 다른 세계로 여행해야 할까요...?"

"물론, 내가 강조하고자 하는 점은 더욱이 이렇습니다. 즉 수축과 팽창은 똑같은 시간의 양을 필요로 하진 않는 것입니다."

"정말 그렇습니다." -안드로스는 활발하게 동의했습니다. -"'무슨 우주 지역'이 생겨, 발달하고, 나중에 연결되면서 자신 안의 생명을 파괴하고는 이 모든 과정 전부를 위해 그 지역에서는 (일정) 시간이 걸리는 반면 '다른 어느 지역'은 아마 그 지역에 비해 이 모든 과정을 진행하면서 아마 10배나 많은 시간이 필요할 수 있습니다."

"아니면 1,000배가 될 수도 있겠지요." 나는 평온을 유지하려고 애쓰면서 말했지만, 그런 주제는 나를 충분히 흥분시켰습니다. 그래서 내가 그 말을 계속 이어 갔습니다. "그리고 그 일은 아직도 완전히 끝나지 않았습니다. 안드로스! 우리는 그 지적 생물들이 벌써 영원의 순간부터 바로 이렇게 이 세계에서 저 세계로 "뛰어다닐 수 있음"을 상상이나 생각해 볼 수 있습니다. 겨울 날 강 위로 급히 흘러가는 얼음조각을 이용해 피난하는 사람이나 짐승처럼요?"

"바로 그것입니다! 그들은 '잠시의' 평안이라고 생각될 만한 그런 곳에 언제나 살게 됩니다. 그 '순간'이 물론 수십억 년의 세월이 됩니다... 그런 식으로 우리는 이 모든 것을 이해할 수 있습니다. 정말 그것이 <자연>의 진실된 명령입니다! 인간종을 더 오래 살게 하고픈 본능은 완전히 다른 차원에서 우리 눈앞에 나타납니다!"

"그만, 그만, 너무 앞서가진 마십시오." 나도 끼어들었습니다. "그럼 우리는 그 상상의 '섬'에 <다른> 지적 인종들이 모여 있음을 어디서 알 수 있습니까?"

"똑같은 시간대 속에 있지 않던 다른 세계에 대해 말하고 있다고 좀 전에 당신이 스스로 말했지요..."

"...그들의 사고 방식과 외부 모습에 관련해 보면, 다른 생물들이 확실히 만들어졌습니다. 물론 그렇게 된 것이 전혀 확실치 않을 수도 있습니다."

"정말 그런 일이 일어날 수 있습니다. 그러나 우리 앞에 <우주>에서 진보해 온 지적 인종이 하나만 아닌 것과 같단 말씀인가요?"

"아마도, 안드로스. 그러나 당신은, 어디선가, 아주 먼 옛날에, 이 우주의 어느 부분에서 <인간>의...인간종이 진보했다는 그 이론에 대해 어떤 의견을 갖고 있나요?"

"인간이라고요?" 안드로스는 깜짝 놀라 되풀이했습니다. 정말 그는 그런 걸 생각해 보고 있지 않았습니다.

"그렇습니다. 안드로스. '오리지날' 인간, 원형의 인간, 그 원형-인간은 우리 세계에서 형성되지 않았고, 우리의 원시-폭발 뒤도 아니지만, 다른 물질로 만들어져 있었습니다. 그런 종류의 구성원들은 외부 모양은 우리와 같은 모습일 겁니다. -그러나 벌써 수십억 년 전, 그들은 뭔가 수축하는 우주에서 다른 우주로 피난을 시작했습니다....그리고 그때부터 그들은 우주에서 떠돌아다니고 있습니다."

"그런데 정말.. 그 인간이 이곳에 형성되었다고요! 테라 위 여기서요! 그 영장류 중에 한때의 두족류가 처음

사람으로, 나중엔 지적 생물로 변했습니다. 그런 것에
관한 고고학적, 생물학적 증거들이 존재합니다!"

"나는 그런 증거에 의심하지 않습니다. 아마 그 인간은
<이곳에서도> 형성되었을 겁니다. 더구나 -아마 테라
주민들의 완전한, 더 늦은 진보는 10만 년 전에 <그들
에 의해> 만들어진 무슨 유전자 수술의 결과입니다. 그
래서 우리는 그렇게 변형된 사람들입니다. 아마 그 원
형-인간들은 영원히 우주에서 여행하고 있고, 어디서나
그 씨앗들을, 즉 인간을 퍼뜨려 놓습니다."

 "당신은 그런 말을 하고 싶어 하는군요..."

 "그래요, 안드로스. 나는 이 말을 하고 싶습니다. 즉,
우리는 <외계인들을> 찾는 헛된 일을 하고 있습니다.
외계인들은 존재하지 않습니다. <우주>의 온 천지에도,
가장 가까운 부분에도 인간들만 존재합니다. 원형-인간
들이 '심어 놓았고', 진보의 다양한 단계에서 존재하는
사람들이지요. 그들은 생명의 초행자들을 데리고 다녔
습니다. 즉 해초류들이 이 행성에서 저 행성으로, 이 은
하계에서 저 은하계로 떠나가듯이요."

 안드로스는 잠잠해지더니 나중엔 한숨을 한번 내쉬었
습니다. 나는 그가 무슨 생각에 잠겼는지 알 수 있었습
니다. 흥미로운 것은, 내가 에우라와 안드로스가 함께
있을 때는, 그때 나는 그들이 무슨 생각을 하는지 알
수 있었습니다.

18. 안드로스와의 대화

'만일 내가 이 테라에 영원히 남게 된다면, 항상 그걸 느낄 수 있을까? 그렇게 하면 나에겐 이로운 일일까?'

안드로스는 머뭇거리더니 말을 계속해 나갔습니다.

"우주는 무한하고, 그래서 그 우주가 포함하고 있는 세계의 수효도 무한합니다. 전체 시스템은 영원히 존재합니다. 그래서 그곳 세계들은 무한하게 생성되었다가 사멸했습니다... 그러나 아마 그 안에 사는 것은 사람뿐만은 아니지요."

"맞는 말일지도 모릅니다. 우주의 수십억 개 다른 부분들은 다른 종의 생물들이 지배할 수 있습니다. 그러나 우리는 아직도 한번도 외계인을 만난 적이 없습니다."

"원형-인간도 만나지 못했군요."

"정말입니다. 그러나 가장 중요한 것은, 어느 정도 기술 발달이 이루어진 뒤, 인간은 이 우주에서 저 우주로 피난할 수도 있다는 겁니다. 언제나 그 인간은 자신이 적당한 살아갈 조건들을 발견하는 곳이라면 그곳으로 이동하고, 그곳에서 인간은 다음 수백억 년간 안전하다고 느낄 겁니다."

"그러나, 만약..." 안드로스가 다시 말했습니다.

"만약?"

"만약 그 물질 집단들의 폭발이 조율되어 있다면, 만약 온 천지에서 그 세계들의 팽창과 수축이 동시에 일어난다면... 그때는 원형-인간들도 존재하지 못합니다. 왜냐하면, 그들은 맨 처음 수축이 이루어졌을 때, 이미 사멸해 버렸습니다. 그런 걸 생각해 보면서, 당신은 동시에 뭔가 중앙의 희망이 우주를 지도한다고 생각하고 있군요.- 그래서 이제 우리는 신을 넘어선 단계에 도달했습니다... 바로 그 가면의 또는 진실의 혼돈상태는 그런 종류의 더 높은 권력은 존재하지 않는다는 것을 입증해 줍니다."

안드로스는 답하지 않았습니다. 화면에는 연이어 인근 행성들이 나타났습니다. 어떤 그림은 놀랄 정도로 날카롭고도 깨끗하게 보였습니다. 아마 테라 주민들은 인근 행성들을 관찰해 왔을 뿐만 아니라, 동시에 '금지지역을' 방어하는 이 태양계 안의 우주음성 기기들을 순화시켜 두었습니다. 나는 여전히 그 원형-인간에 관심을 두고 있었습니다.

"안드로스! 당신은 우리가 한 번도 '외계인들을', 또 우주공간의 다른 부분에서 온 인간들도 만나 보지 못했다고 말했지요...그럼 당신은 그런 만남에 대해 들어 본 적은 있나요?"

"그것은... 나는 그런 만남에 대해 들은 적이 없습니다."

"그런가요? 우리가 그런 외계인들을 만나지 않았지만, 원형-인간들은 아마 이미 우리를 방문했을 수도 있습니다."

이젠 침묵이 무거웠습니다. 나는 말을 계속했습니다.

"...그들은 <외부 세계>를 방문할 수 있었습니다. 또 당신들의 세계로도요. 테라로 말입니다. 안드로스. 당신들의 방어 시스템은 -그들의 기술기계들을 생각해 보면 - 그들을 막지 못했습니다. 그 원형-인간들은, 아마 당신들이 그런 것에 대해 아무것도 모른 채, 도착했을 겁니다. 아마 그들은 당신들만 관심 있지만, 그들이 동시에 뭔가를 만들어, 당신들의 일 속에 섞어 놓을 수도 있습니다..."

나는 안드로스를 보고 있진 않았지만, 안드로스는 나의 말에 긴장하며 듣고 있음을 알았습니다. 빛 분화구들의 은빛 반짝거림을 보면서, 나는 천천히 말을 이어 갔습니다.

"그 사람들은 테라를 발전시켰을 수도 있고, 계속 영향력을 행사하고 있을 수도 있습니다. 마찬가지로 대중의 생각도 말입니다. 지배적인 사상을 말입니다. 당신들이 미래의 가장 큰 관심사가 무엇인지에 대해서 말입니다. 테라가 <외부 세계>와 격리되어 있다는 사실은 아마도 -<그들의> 심리적 실험일 수도 있겠지요...?"

안드로스는 갑자기 내게 다가와, 내 어깨를 잡고는 가까이, 내 두 눈을 쳐다보았습니다. "뭔가 당신은 알아차렸군요?"

"내가 뭘 알아차릴 수 있었던가요?" 나는 대답 대신 물어보았습니다. 그 순간이 마치 한 시간 정도로 여겨지고, 우리는 상대방의 두 눈만 바라보고서, 우리 둘 위로 침묵이 휘감았습니다. 나중에 안드로스는 한숨을 내

쉬고는, 자신의 손을 내 어깨에서 떼어 냈습니다.

"때때로 내겐 뭔가 이곳에 무슨 일이 일어나고 있음을 느낍니다. 테라에서 이상한 생각을 퍼뜨리는 사람들이 나타났습니다. 때로 전혀 익숙하지 않은 생각을 하게 되고, 그런 생각이 어디서 나왔는지, 무슨 목적으로 그리 되는지 아무도 모르지만, 곧장 많은 사람이 그런 생각을 지지합니다. 그러나 이 모든 것엔 물론 물증이 없습니다."

"증거가 없군요." 나는 동감을 표현했습니다. "더구나 <그들이> 테라에 관심이 있는 것이 아니라, 수많은 다른, 테라 외부의 인간 세상에 관심이 있을 수 있습니다."

"만약 당신 이론이 전적으로 맞는다면야, 만약 전적으로 원형-인간들이 존재한다면요." 그러고는 안드로스는 불확실하게 중얼거렸습니다. "희망으로 하는 말일까요?"

시데루스 교수는 머리를 한 대 맞은 것처럼, 그 동화를 계속 시청하고 있었고, 반쯤 마비된 채 그는 TV화면 앞에 앉았다.

비슷한 생각들을 물론 그도 최근 몇 년 동안 하였으나, 그렇게 멀리로 그 생각은 나아가지 못했다. -왜냐하면, 그 스스로 그런 걸 원하지 않았다. 그는 알게 될 철학적 가능성이 무서웠다. 그는 때때로 비슷한 질문을 던지는 방랑 철학자들과 토론도 하고 싶지 않았다. 모

든 과학자들과 마찬가지로 시데루스도 불확실성을 싫어
했다. 다른 생물의 존재, <우주>의 다른 부분에서 형성
된 우주 인간들의 존재 -그 자체가 불확실성의 핵심이
었다. 아마 이론적 가능성으로 그런 말을 할 수 있지만,
아무도 보거나 만져 보거나, 스스로 경험해 보거나, 실
험적으로 경험해 본 적이 없는 뭔가.

　시데루스는 한숨을 쉬고 난 뒤, 무거운 몸으로 자리
에서 일어나, 자동기기를 통해 얼음처럼 차가운 물 한
컵을 가져 왔다. 시데루스는 그 물에 입맛을 돌게 하는
알약을 하나 던져서는, 그 물컵을 마셨다. 나중에 한동
안 그는 물컵을 들고 서 있었다.

　'어떡한담?' 처음에 그들은 야르코스가 테라에 대해
말할 것으로 믿었다. 벌써 그런 의도조차도 여기서는
'체제 전복'을 의미했고, 그와 관련해서 오오르트도 동
의를 나타냈다.

　메타 스텔라 위에서 테라를 언급함이란 더 아름답고,
더 낮고, 살아 있는 인간 세계를 말하는 것이고, 다른
가능성의 길을, 선택적 세계를 보여주는 것을 의미한다.
생명의 다른 형태를, 메타 스텔라에서의 생명의 의미와
는 확연히 구분되는 그 무엇을. 그 때문에 이곳에 80억
사람에게 강력한 염원을 불러일으키는 그 무엇을. 왜냐
하면, 만약 야르코스의 동화가 수천 사람들의 환상에게
만 효과적이라면, -사람들은 그렇게 강력한 그의 의도
에 전혀 무관심하게 여길 것이다. 그러나 그런 식으로
야르코스는 활발하게, 특히 대중의 반응을 가져온다...

시데루스는 물컵을 올려놓고는, 다시 제자리에 앉았다. 화면에는 색깔들이 환해졌고, 야르코스 얼굴엔 지금 그 색깔들이 아주 가까이 보였다.

'당신은 도대체 누구요?' 시데루스 교수는 야르코스를 보며 말없이 물어보았다.

"...안드로스는 그 장치들의 가동을 중단시켰습니다. 빛들은 모두 사라지고, 화면들도 사라지고, 달도 사라졌습니다.

"이리로 오시오." 안드로스가 말했습니다.

우리는 그 관측소를 떠났습니다. 그 돔형건물 위로 하늘이 팽팽히 있는 것 같았습니다. 나는 마른 풀 향기를 느꼈습니다. -그때 이후로, 테라를 생각하기만 하면, 나는 언제나 그 향기가 생각납니다.

안드로스는 계단 아래 서서, 저 아래를 내려다보았습니다. 그의 두 눈엔 몇 개의 밤에 뜨는 별빛이 반사되고 있었습니다.

"아마 우리가 그 원형-인간들을 과하게 두려워할 필요는 없을 것 같아요." 안드로스가 다시 말을 꺼냈습니다. "나는 다른 뭔가를 걱정하고 있습니다. 그 지성을 갖춘 생명은 전 <우주>에 똑같은 형태라는 걸 우린 가정해봅시다. 나는 그 "지성"만, 물론, 그 지성만 생각합니다. 생물들은 다양한 몸체를 가질 수 있지만, 그들의 지성은 똑같은 형태입니다. 그 모든 지성적 생물을 특징짓게 만드는 것은 비슷한 반응, 성질, 목적입니다.

그들도 기뻐할 줄 알고, 화낼 줄 알고, 고통을 느낄 수 있고, 승리할 수도 있고, 증오나 사랑도 할 줄도 압니다. …빵-정낭기관의 가설에 다르면, 원시 생명은 이 은하계에서 저 은하계로 이주를 계속하고 있습니다. 그 원시 생명이 좋은 환경을 만나면, 그 환경에서 살게 되고, 진화를 시작합니다. 그러나 만약 <일단의 누군가가> 자발적으로 확대되는 생명의 발자취 위에서 방랑한다면, 여기저기에 그들은 그 원시 생명에서 지적 생명이 만들어진다고 할까요? 유전학적 수술을 통해, 예를 들어 그 생명을 만드는 것은 우주의 영원하고도 독특한 거주자들인, 그 지성적 생명들입니다… 정말 영원히 사는 그들은 정말 영원히 방랑합니다. 그들은 사회처럼 영원히 생명을 영위해 가지만, 반면에, <시간은> 아마 개개인을 죽입니다. 행동의 전체 사슬을 생기게 한 그들은 벌써 사멸해 버렸지만, -그 '기계'는 기름칠이 잘 된 채 계속 작동하고 있고, 또 시간이 흐르면, 새로운 '가족 구성원들이' 그 역전의 기수 역할을 계속할 것입니다. 새 문명들은 그 지성의 문턱에 도달합니다. 그 문턱 너머엔 새 문명들에게 모든 걸 설명해 줄 수 있을 겁니다."

그 전망은 우리를 침묵하게 해 버립니다. 반쯤 밝음 속에서 나는 안드로스가 아주 창백해져 있음을 보게 되었습니다.

목소리를 떨며, 안드로스가 말을 시작했습니다.

"그리고 그것은 이미 1천 억 년, 1조 년 전부터 계속

되었습니다... 우리도 그런 사슬의 부분 부분이지요. 우리의 진보의 처음에, 야르코스, 어떻게 그 창의가 시작될까요?"

"나는 모르겠습니다. 확실히 모든 곳에서 다른 방식이 겠지요. 논리적 상황에 따라서요. 만약 지성적이지만, 아직도 창의적이지 못한 문명이 이미 이 우주 공간의 어느 부분에 거주하게 되었다면, 그때는 그 원시-생물들은 그 상황을 분석하는 일을 먼저 시작하고, 나중에 어떤 방식으로든지, 그 사건들 속으로 들어갑니다. 그들은 정말 자신들의 가면을 벗지 않고, 적어도 대중 앞에서도 벗지 않습니다. 처음에 그들은 몇 사람만 선택합니다..."

"지도자들을요."

"반드시 그렇지만 않습니다. 아마 정반대일 수도 있습니다. 그들은 비교적 덜 알려졌지만, 다른 사람들에게 영향을 줄 수 있는 개인들을 선택합니다. 아마 원형-작가들이 그 사람들의 의식에 몇 년 더 일찍 '지배하고' 있습니다."

안드로스는 몸을 떨고 있었습니다. 그가 감기가 걸렸을까요? 나는 이미 떠나려고 했지만, 그는 마치 느낌표처럼 서 있기만 했습니다.

"야르코스.. 당신이 그 사람 중 한 사람인가요?"

나는 주변 나무에 있던 새 몇 마리가 소리치며 날아갈 정도로 크게 웃었습니다.

"아뇨, 안드로스. 나는 그들을 생각 속에서만 만났습니다. 좀 전에. 내가 당신과 이야기했을 바로 그때... 갑시다."

그는 출발했지만, 나는 그가 매우 흥분해 있음을 볼 수 있었습니다. 나는 발아래 좁은 길을 내려다보았습니다. 그때, 다시 나는 안드로스가 에우라와 나에 대해 뭘 알고 있을지 생각해 보았습니다. 아마 -모든 것을요. 우리가 함께 지냈다는 것도. 정말로 그리고 그때 나는 내가 에우라에 대해 얼마나 조금 알고 있구나 하고 생각해 보았습니다.

바로 나는 그 점을 말해 보려고 했지만, 그때 에우라를 다시 만나게 되었습니다. 에우라는 조그만 집의 풀로 덮인 지붕 위에 서 있었습니다. 에우라의 옷과 머리카락은 미풍에도 흔들리고 있었습니다. 에우라는 마치 날고 있는 것 같고, 우리를 쳐다보고는, 여전히 우리를 기다리고 있었습니다.

"저길 봐요!" 나는 안드로스에게 가리켰습니다.

안드로스는 응대하지 않고 복종하듯이 계속 걷기만 했습니다. 나는 그를 뒤따랐습니다.

(...때로 안드로스가 말했었지. "난 야르코스와 에우라에 대해 말하고 싶습니다." 그러나 나는 안드로스가 내게 말해 준 걸 저 사람들에겐 말할 순 없어. 나조차도 그걸 믿지 않고 있으니. 그때는 아직 믿고 있지 않았지.

그러나 지금 나는 그 점도 침묵해야만 한다. 내가 내 이야기 끝에 가까이 가면, 그때, 내 머릿속에서만 숨겨 둬야 하는 사실들이 그만큼 많아지겠구나. 이것은 나만 알고 있는, 내 생명의 일부분이야. 대부분은 에우라에게 도 아직 비밀이야. 아직은 비밀로 남겨두기로. -나는 희 망했었지.

나는, 이 사람들이 나를 보듯이, 그들을 보고 있어. 나에겐 수천 개의 두뇌가 비추고, 지금은 나만 비추고 있어. 모든 사람의 눈은 내 얼굴만, 자신의 두뇌 화면에 내 머리만을 비추고 있어. 모두 나를 생각하고, 나를 갖 고 싶어하고, 테라를 소유하고 싶어하겠지. 매 순간 그 들은 그 행성에 대해 꿈꾸고 말을 시작하지. "테라, 제 발 존재하거라! 존재해야지, 생명의 일부가 되어 있어 라, 왜냐하면, 나는 그곳에 가고 싶어...존재하기만 해, 테라!")

"그는 양자택일의 기회를 제시하기만 하고 그걸 말하 지 않는군요." 오오르트는 지금 시데루스 교수와 대화 를 나누는 중이다. 그 의장은 동시에 두 개의 화면을 보려고 애썼다. 그는 야르코스의 강연 한마디 한마디를 들어 보려고 했지만, 자신이 시데루스에게 직접 전화했 기 때문에 시데루스와도 대화를 나누어야 했다. 더구나 그는 그 아카데미 회원의 신경이 날카로움을 알고 있 다. 아주 신경이 날카롭구나. '그래, 만약 이 사람에게 도 저 일이 고통스럽다면, 그것이 다른 사람들에게도 효과가 있겠지?'

"나는 처음부터 나쁘게 될 것이라고 말했어요." 시데 루스가 속삭이는 듯 헌 목소리로 말했다. -"그가 사람들을 일깨워 실현할 수 없는 꿈에 도전하게 하는군요!
그 경우 범죄가 된다는 법조문을 우리가 갖고 있지 않
나요?"

오오르트는 입술을 깨물며, 침착한 모습을 보였다.

"메타 스텔라 주민들에겐 테라는 정말 파라다이스가
될 수도 있습니다. <그럴 수가 있겠지요>, 이해가 됩니
까?"

"이해합니다. 그럼, 그래도 크로스 의견이 맞다는 말씀
인가요?"

"나는 아직 확실하진 않았습니다. 야르코스에 대항하
여 우리가 만약 공식적으로 이 이야기를 <단순히 동화
라고> 강조하는 그 순간, 재판을 시작할 수 있습니다.
나는 그를 고소하기 위해 법적 근거를 찾아내려고 심리
-법학자들에게 이미 명령을 내렸습니다."

"의장님은 쓸데없는 일만 계속하는 것처럼 보이는군
요." 시데루스는 말했다.

"난 포기하지 않아요." 위원회의 의장은 가볍게 대답
했다.

19. 우주여행에 몰리는 시청자들

"이틀 뒤, 내게 공식적으로 말하는 자리가 있었습니다. 다음날에 제1번 구역에 가야 하고, 그 자리는 사고하는 사람들의 최고 평의회 자리였습니다.

"내가 당신을 동행하게 되었습니다." 안드로스가 주저 없이 말했습니다. "나도 그 평의회 의원 중 한 사람입니다."

"그리고 당신은?" 나는 에우라를 쳐다 보았습니다. 에우라는 웃으며, 고개를 저었습니다. 즉, 에우라는 그때, 다른 일이 있다면서, 그러나 그 모임이 마칠 때, 그곳에 가 있겠다고 했습니다. 우리는 나중에, 점심을 함께 먹자고 그녀가 약속했습니다. 그리고 에우라는 집의 컴퓨터로 돌아가서는 그 집의 컴퓨터를 이용해, 계속 중앙정보기기로 묻곤 하였습니다. 그 일은 내 마음에 들지 않았지만, 내가 뭘 하겠어요? 안드로스가 있기 때문에, 나는 토론하고 싶지 않았습니다. '그 평의회는 내 운명을 결정할 것이고, 에우라는 그때 그 자리에 없게 될 것이다.' 그 일은 나에겐 작은 아픔이었습니다.

"그 점은 생각하지 마시오." 나중에 우리는 바다 위를 날고 있을 때, 안드로스 노인은 말했습니다. 그는 에우라를 넌지시 말하고 있고, 나는 그 암시가 뭘 뜻하는지 알게 되었습니다. 화제를 바꾸려고 나는 그 사고하는 사람들에 대해 그에게 물어 보았습니다.

"뭔가를 당신에게 설명해야겠군요." 안드로스가 대답

했습니다. "당신의 경우는, 그 특별 집단이 당신을 테라에서 나가도록 결정을 내릴 수도 있습니다."

"그러면 환영입니다. 하지만 내 기억 속에 들어있는 이 행성과 관련된 모든 것을 다 없앤 뒤에 이 테라를 떠날 수 있겠지요." 나는 마음이 우울해져 대답했습니다.

"그래요, 야르코스, 우리 법률엔 그것을 당신이 증인들 앞에서 선서할 때, 당신이 동의가 있을 때만 그렇게 할 수 있습니다. 그리고 물론, 테라 기억을 없앤다는 것은 출발하는 우주선 안에서 최종적으로 이루어질 겁니다."

테라를 잊는다는 것이...? 나는 바다를, 파도를 내려다보았습니다. 하늘을 쳐다보았습니다. 이 모든 것을 잊게 된다면? 그리고 에우라에 대해서도... 잃어버린다는 것, 더 이상 그녀를 기억 못하면?

"내가 선택해야만 합니까?" 나는 물어보았습니다.

"물론, 테라에서는 강제력을 사용치 않습니다. 결국 당신 운명은 당신 스스로 결정하게 됩니다. 왜냐하면, 사고하는 사람들의 의견은 자신들이 이런저런 결정을 내리면, 그 결정에 따라 당신은 그렇게 행동해야 합니다."

"정말 좋은 사람들이군요!" 나는 화를 내며 외쳤습니다. 안드로스는 좀 마음이 상한 듯이 잠자코 있었습니다. 나는 안드로스의 어깨를 포옹했습니다.

"화를 내지 마십시오, 친구. 하지만 나는 <그래도> 강제력에 근거를 두는 그 행동을 윤리적이라고 표현하고 싶진 않습니다. 그 사람들이 두 가지의 좋은 일 가운데서 한 가지를 선택<해야만> 하도록 하는군요. 그럼 나는 그 나머지 한 가지는 포기해야 합니다. 물론 이 두 가지 다 내 것으로 남겨 둘 수 있음에도!"

"당신 말이 거의 맞군요. 하지만 아니오. 사람들이 선택해야만 하는 상황은 존재합니다. 인간은 힘도 있어야 하고, 포기하는 능력도 가질 필요가 있습니다."

"연설하려고는 하지 마십시오! 우리 한 번 솔직히 말해 봅시다. 나는 방랑하러 태어났습니다. 수천 명의 유목민 선조들이 나에게 그런 유전적 벌을 유산으로 남겨 주었는지 누가 아나요? 그런 내 선조들이 한때 바로 이곳, 테라 대륙들로 이주해 왔습니다. 환경 요인들, 야생 짐승들, 반대자들과도 싸우면서 그들은 앞으로 나아갔고, 그들 전 재산을 말의 등에, 마차나 작은 배 위에 싣고 갔습니다... 그래요, 그들은 사막에 정착하였고, 농토를 일구었고, 나중엔 다른 행성으로 여행했습니다. 그들은 새롭고, 차갑고, 위험한 돔형 구조의 도시에서, 강력한 기지 위에서 살았고, 그들은 <우주 공간>에 최초의 에너지 센터들을 건설했습니다... 그들은 내 피 속에 살아 숨 쉬고 있습니다. 안드로스."

"지금은, 당신이 연설을 하는군요."

"그럴 수도 있습니다. 그러나 바로 그 때문에... 모든 다른 생명 양식이 나를 슬프게 하고 화나게도 만듭니다. 나는 우주에서 여행해야만 합니다, 안드로스. 원형-인간들에 대하여, 우주의 다른 주민들 생각을 해 주십시오. 아마 나는 간혹 그 사람들을 만날 것입니다. 비록 내 몸이 단순히 인공 기관으로 구성되어 있다 해도, 아니면, 내 두뇌가 내 몸체 없이 살아간다해도, 나는 그 일로 살아갈 것입니다..."

"그러면 에우라는 어쩌구요?" 그는 간단히 물었습니다.

"나는 지금 에우라 없인 살아갈 수 없습니다." 나는 옛 방식으로 고백했습니다. 나는 바다를 내려보면서, 이렇게 말을 이어 갔습니다. "그리고 테라도 이젠 내 몸 일부가 된 것 같습니다. ...내 코안의 향기, 폐 속에서 느끼는 이 공기...어디에도 이만큼 아름다운 공기는 없습니다. 우주 공간에서 나의 이 두 눈은 그만큼 야성적이고, 불가능한 것과 같은 색깔을 받아들였습니다... 여기 색깔은 다릅니다. 더욱 온화하고, 더욱 아름답습니다. 나는 이제 이해할 수 있습니다. 이 색깔이 나의 색깔이라는 것을요. 이 색깔들은 나를 위해 존재합니다. 테라는 나에게도 속해 있고, 정말 나이고, 바로 인간입니다. 아마 정말 그럴 겁니다. 내 몸을 구성하는 그 물건이 -바로 이 땅에서 왔습니다."

우리 앞에는 무인도가 나타났고, 바람에 강가 나무들이 흔들렸고, 나중에 모든 것은 아래에서 사라졌습니다. 나는 이제 다시 성난 파도만 보게 되었습니다.

"당신은 <우주 공간도> 테라도 여전히 동시에 가지려고 하는군요...야르코스, 그건 불가능합니다. 난 야르코스 당신에게 말씀드려야겠습니다. 난 에우라가 걱정됩니다. 에우라의 어머니는 -내 딸은 -지진에 그만 숨을 거두었답니다. 내가 에우라를 키웠습니다. 또..." 그는 말이 없었습니다.

"에우라는 걱정하지 마십시오. 하지만 안드로스, 당신은 무슨 조언을 하려고 합니까?"

"여기에 남으십시오, 야르코스."

그랬습니다. 그렇게 하면 일은 간단합니다. 에우라와 테라는 나의 것이 됩니다. 그러나 이 우주 공간은...?

"그럼, 우주 공간을 방랑할 방법이 전혀 없게 됩니다. 하지만 테라에 머문다는 것은? 여기에 되돌아오려면, 모든 여행을 끝마친 뒤에 뒤에요? 에우라도 나와 함께 가게 해 주십시오. 그리고 우리가 언제든지 집으로 되돌아 올 수 있게도 해 주십시오.

그 <집으로> 라는 낱말이 내 입에서 자연스레 튀어나왔습니다. 그러나 안드로스가 끈기 있게 침묵하자, 나도 어쩔 수 없이 입을 다물었습니다.

나는, 얼마 뒤에, 나를 아주 놀라게 하는 뭔가가 있을 것이라고는 예측을 하진 못했습니다.

20. 테라 최고 평의회 의장의 신문

루나라 여사는 황급히 무슨 호출번호를 찾아내고는 곧장 비디오 폰을 터치했다. 화면엔 피곤한 기색의 젊은 여직원이 보였다. 그 여직원의 탁자에는 마이크, 계산기와 노트가 보였다.

"범-은하계 여행사예요." 그 여직원은 살짝 웃으며 말했다.

"부탁 하나 할 수 있겠지요... 여행하고 싶은 곳이 한 곳이 있는데요, 내가." 그 여고고학자가 말했다.

"어딥니까?"

"나는...나는 모르겠군요." 루나라 여사는 살짝 웃었다. "당신 회사에선 은하계 사이의 여행을 주선하지요... 말하자면, '올레올'행이든 마찬가지예요. 어느 태양계든지 상관없어요... 여행 중에 10년 혹은 20년간 동면 상태로 누워 있어도 좋아요. 난 이미 은퇴한 사람이니."

젊은 여직원은 웃음을 억지로 내보였다.

"저희는 '올레올'행 우주선은 매년 4척 출항합니다. 가까운 두 해는 이미 예약이 끝났습니다."

"그럼, 다른 곳은요...? 나로서는 마찬가지예요. 목적지가 보레아스 거나 칼리스 이거나 아니면..."

"업무 마감할 시간인데, 은하계 사이를 여행하려는 고객들이 서로 등록하려고 야단입니다. 모두가 미쳤습니다." 여직원은 입에서 깊은 한숨과 함께, 갑자기 그런 말이 튀어오르자, 그녀는 여자고객에게 양해를 구하는 듯이 쳐다보며 말했습니다.

"화내지 않았으면 합니다..."

"화내진 않아요. 하지만 나도 미칠 것 같아요." 루나라의 내부 긴장은 끝나지 않았다.

"이 모든 건 저 야르코스가 만들어 놓았어요!" 그 여직원은 신경질적으로 외쳤다. "그가 동화를 시작할 때부터, 고객들이 우리에게 몰려들었어요!"

"그럼 당신 회사는 그에게 저작권 사용료라도 지불해야겠군요... 정말 예약이 끝났나요? 어느 행선지라도 한 자리 남아 있진 않나요?"

여직원은 한동안 늙은 고고학자를 쳐다보고 난 뒤, 여직원의 눈길은 좀 온화해졌다. 여직원은 자신의 메모철을 집어 들었다.

"'게움' 태양계의 '아쿠아르' 은하계 행은 한 좌석이 남아 있군요. 동면상태에서의 편도 여행에 9년 걸립니다. 규모가 크고, 사람들이 사는 행성으로 물속 건축물이 특별합니다. 이국적인 식물들도 있습니다. 위성 중 한 곳엔 기묘한 기상 현상들도 있구요. '게움-1'의 방문 프로그램 내용은, 지하 강을 불 밝힌 채 여행하구요. 물론 빠지지 않는 뗏목으로요. 그때의 인간 문명은 제5천년기에 해당된다고 보시면 됩니다."

"됐어요. 그럼, 언제 그 우주선이 출항합니까?"

"34중간시간단위 뒤 입니다."

'한때 쓰던 표현대로 오늘 우린 34일 뒤라고 표현하면

될 일을 가지고서.' -그 고고학자는 생각한 뒤, 갑자기 고개를 끄덕였다.

"그래요, 좋아요. 등록하겠습니다. 곧 신상정보를 알려드리지요. 내 등록번호는…"

"시민들의 정신 상태에 관한 가장 최신 보고서가 도착되었습니다." 알펜이 기계에서 넓은 줄의 인공종이를 꺼냈다. 그 분석기계가 이미 그 내용 중에 무슨 줄을 붉게 밑줄을 쳐 놓고 있었다.

"뭐 재미난 게 있는가요?" 오오르트는 다시 사탕 한 개 먹고는, 화면에 나타난 야르코스 얼굴을 쳐다보고 있었다.

"이 순간엔 있습니다. 은하계 사이의 여행사들이 자체에서 오늘처럼 이렇게 보고한 경우가 처음입니다. 앞으로 2년간 모든 행선지로 가는 항공권이 심지어, 최장거리까지도 매진입니다."

오오르트는 사탕 먹는 걸 멈추었다. -그는 지금 생각하고 있다. -나중에 그는 한 조각을 삼키고는, 이렇게 말만 했다.

"좀 시간이 지나면, 그 사람들은 어리석은 짓을 잊어버리게 될거요. 저런 여행꾼들의 4분의 3 이상이 출항하기도 전에 포기할 거요. 두고 보시오…!"

"그 사고하는 사람들이 그 행성의 적도 인근의, 어느 아주 아름다운 초록 섬으로 나를 영접했습니다. 정말 그리되었습니다. 종려수 숲과 공원들 이외엔, 나는 아무 것도 보지 못했습니다. 그렇게 나는 숨이 막힐 지경이었습니다. 내 인생 처음, 내가 그런 상황에 놓여 있으니, 또 아마 마지막이 될지 모른다고 생각하자, 나는 다른 사람들이 나의 운명을 결정하는 걸 지켜봐야만 했습니다. 지금까지의 위급 상황에서는 내가 내 자신만 구하면 되었습니다. 그러나 지금은 내가 달리 생각해야 했고, 나는 주변도 쳐다보지 않았습니다. 이 점만. 즉, 착륙지점에 우리를 기다리던 이는 어느 흑인이었다. 우리는 인사를 나눈 뒤, 그 흑인이 아름답게 꾸며 놓은 지하 계단으로 우리를 안내해 준 점만 기억이 납니다. 인공 빛이 점점 많아졌습니다. 그 복도 끝에서, 나는 무슨 떠들썩한 소리를 듣게 되었습니다. 많은 사람이 떠들어대는 소리를요. 안드로스와 나는 여러 갈래의 길로 나뉘는 곳에서 헤어져야만 했고, 그가 나에게 작별인사를 했습니다.

"나의 자리는 <저 사람들> 사이에 있습니다. 야르코스. 당신 혼자 우리를 마주 보며 서게 될 겁니다. 용기를 내어, 잘 대처하십시오." 그 말을 마치고는 그가 떠나갔습니다. 그가 나에게 이 사항 저 사항을 강권하지 않았다는 점이 내 마음에 들었습니다. 결정권은 -이미 지금도 나는 그 점에 있어, 확실한 것은 -나에게만 속해 있을 겁니다. 그러나 그것도 나를 평온하게 만들지는 못했습니다.

그 흑인 남자와 내가 계속 걸어갔습니다. 어느 대문

에 들어서자, 그가 마이크로 말했습니다.

"외계인 야르코스가 가까이 왔습니다."

그 문장은 무슨 행사처럼 내보냈지만, 아마 그곳 테라에서는 오래전부터 사용해 온 것 같습니다. 그 말은 내가 출입허가를 구하는 동시에 그 평의회 자신들도 준비하고 있으라는 걸 알려 주는 겁니다.

출입문이 열리자, 그 흑인이 앞장섰고, 그는 어느 자리를 차지하고 앉았습니다. 나는 그 흑인도 사고하는 사람들 일원이구나 하고 알았습니다.

나는 원형의 대강당 중앙에 섰습니다. 이 건물도 아마 땅 밑에 있는 것 같았습니다. 그러나 사방 벽만, 왜냐하면 그 돔형건물을 통해 진짜 햇빛이 들어 왔습니다. 안에는 낮처럼 밝았습니다. 벽들 주위에 약 250명의 남녀가 앉아 있고, 더구나 나는 TV-카메라와, 적어도 70개 화면을 볼 수 있고, 화면마다 무슨 사람 얼굴이 나를 쳐다보고 있었습니다. 나는 저 사람들도 사고하는 사람들일 것으로 추측해 보았습니다. 하지만 육체적으로 그들은 이 섬에 없고, 저 멀리서도 그들은 가장 중요한 평의회 회의에 참석하고 있었습니다.

아마 내가 그 무대 중앙에 어찌할 바를 모른 채, 홀로 서 있었습니다. 내 머리 위로 큰 빛 하나가 비치고 있었습니다. 잠시 나는 내 자신을 적으로, 이상한 "다른" 생물로 보였습니다…"야르코스가 외계인이라니."…나는 확실히 그들 중 한 자리를 차지한 채 앉아 있는 안드로스를 보진 못했습니다. 그리고 그때 나는 에우라 생각이 났습니다. '왜 그녀는 오지 않는가?' 나는 그 사고하는 사람들의 회의와 진행 방식이 전자 방식으로 공개되고, 테라의 글로벌 텔레비전망의 어느 채널에선 지금 이 프로그램이 방영되는 걸 알게 되었습니다. 그 카메라들은 필시 내 얼굴을 보여주고 있었습니다. 내 얼굴은 굳어졌고, 끊임없이 생각했습니다. '나는 포기하지 않을 것이다! 에우라는 어디 있지?'

"야르코스, 당신을 만나 반갑습니다." 하얀 머리의 늙은 여자가 말을 시작했습니다. 아마 그녀가 의장인가 봅니다. "나는 인겔라 라고 합니다. 평의회 전체를 대신해 내가 야르코스 당신을 신문하겠습니다."

"안녕하십니까, 여러분." 나는 대답했다.

"야르코스. 당신은 우리가 사는 곳으로 강제 착륙했습니다. 왜 그런 행동을 했습니까? "

"나는 이 세상을 떠돌아다니는 사람입니다. 사람들이 사는 곳이면 어디든지 나의 고향입니다."

그들은 서로 속삭이기 시작하더니, 좀 이상한 광경은 그 평의원들의 몸이 오른쪽으로 -왼쪽으로 물결치고 있은 것입니다. 그런데 화면에 비친 얼굴들은 꼼짝 않고 있었습니다. 정말로, 그들은 지금 집에 혼자 있었던 것입니다.

"그럼, 당신이 테라를 찾아온 것이 정당하단 말씀인가요?"

"물론입니다. 나는 헤아릴 수 없이 많은 은하계와 태양계를 이미 방문했습니다. 어디에나 그 사람들은 나를 정중하고 적절히 반겨 주었습니다."

나는 그 일을 자세히 설명하진 않았습니다. 그들은 확실히 그 말을 이해했습니다. 인겔라는 -그녀의 갈색 얼굴엔 주름 하나 보이지 않았고, 그녀는 어떤 의미에서는 아름답기조차 했고, 그녀 나이는 200살을 넘은 것 같아 보였습니다. -나의 말에 놀라지 않고, 급히 계속 말했습니다.

"우리 테라에선 다른 의견이라는 걸 이미 알려 드렸으리라 봅니다. 많은 사람은 이렇게 생각합니다. 즉, 만약, 우리의 작은 사회가 기술적으로 급속도로 진보하는 다른 인간 문명들과 격리된 채, 살아간다면, 그것이 최상이라 봅니다. 우리는 진화의 다른 길을 선택했습니다. 우리는 사고의 길을 택했습니다. 기술의 길이 아니란 말입니다..."

(...내가 지금 인겔라의 논점들을 이야기해 줄까? 아니면... 아니면 내가 무슨 이야기를 하든지 메타 스텔라의 사람들이 이해해 줄까? 확실히 내가 설명해 줄 필요가 없는 사람들이 여기에도 있다. 그리고 다른 사람들에게 내가 이야기해도 소용없겠지...? 하지만, 만약 바로 그 충격이 이곳에 있는 사고하는 사람들을 밀쳐 버릴까? 나의 이 프로그램을 많은 사람이 크리스탈에 기록해 둘 것이다. 그러면 나중에 집에서나, 사회에서나, 공동 기록저장소에서도 찾아볼 수 있을 것이고, 지금 자라는 아이들은 언젠가 이것을 열람하게 될 걸 난 알아. 이

사람들은 그것을 좀 늦게야 이해하게 될 거야. 나는 머뭇거리고 있지만, 그들에게 이야기해 주어야 한다. -테라에서 나온 사고의 핵심을 머릿속에 집어넣어 두려면...)

인겔라는 주변을 둘러보고는 말을 이어 갔습니다.
"외계에 사는 당신들은 당신들이 행복하게 살아갈 수 있도록 갖춰진 기계장치들로 충분합니까? 정말 당신들은 신체조차도 기계로 만들고, 생물적 사망 뒤에도 당신들의 두뇌는 수백 년간 생명을 유지했고, 그런 이상한 상태로 당신들은 당신 세계의 일들에 참여합니다. 당신들은 수백 년간 계속되는 여행을 위해 우주 비행사들을 내보내고, 그 우주 비행사들이 가장 먼 사멸된 세계들로 날아가도록 합니다. 당신들은 이미 많은 행성을 지배했고, 파괴했어요. 맨 먼저, 당신들은 행성들 가운데 모든 필요한 광물을 파내 사용해 버리고는, 끝내 흘러 다니는 철-니켈의 핵심조차도 쓸어 담았습니다.
자연적 진보로 인해 당신들은 인구만 늘어난 게 아니라, -더 **빠른** 속도로- 더 많은 소유를 위한 변명거리를 통해 발전해 왔습니다. 당신들은 과거에 믿어 왔고, 지금도 믿고 있기를, 당신들의 진보의 길은 유일하고도 가능한 길로 인식하고, 그로 인해 그 길이 유일하면서도 옳은 길이라는 것입니다. 당신들은 당신들을 위해 최적의 자연환경들을 갖춘 행성들을 침범해 왔습니다... 당신들은 그 태양계 중에 더 규모가 크지만, 죽어 있는 행성들을 그렇게 간단히 산산 조각내, 그 행성 중에는 태양계의 절반을 닫으려고 구 모양의 표면들을 건설하기도 했습니다.... 당신들이 눈치채지 못하는 에너지의 진보는 범은하계의 승리의 행진이 되어버렸습니다. 물론 당신들에겐 충분한 시간이 있음에도 불구하고 그 일은 끝까지 생각해 보지 아니한 까닭입니다. 여기 테라에 사는 우리는 당신들을 뒤따라 하진 않습니다. 당신들은 여전히 무슨 소비라는 낭비벽 영향 아래 있고, 당신들은 더욱 새로운 땅을 소유하려고, 새 행성들을 강탈해 보려고 사람들을 어디로든지 보내어, 단지 인간의 위대함을 입증하고 싶은 욕심으로 비인간적 여건으로 사람들을 살게 합니다. 당신들 자신을 위해 입증하는 것이지요! 당신들 에너지의, 살인마 같은 길엔 지금 황무지가 되어 버린 수백 개의 세계가 남게 됩니다. 얼마 전에는 당신들은 대행성들 모두를 태양으로 만들 수 있게 하더군요. 즉 새로운 핵 "에너지 센터들이" 이젠 무생명의 어둠만 지배하던 우주의 다양한 장소에서 그렇게 반짝일 것입니다. 당신들은 온 위성들을 다시 건설할 것이고, 그것들은 지금 유체 상태의 헬륨으로 만들어진 거대한 전자 두뇌입니다...

21. 메타 스텔라의 대응방식

그리고 당신들은 언제나 더 새롭고, 새로운 발명품들을 고안하고 또 고안하고 있습니다. 당신들은 앞으로만, 솔직히 말해, 아무 생각 없이 내달리기만 합니다. 당신들에게 있어선 기술은 언제나 윤리보다 앞에 있더군요. 당신들은 조심하라는 경고를 해주는 한 명의 사고하는 사람보다 수십만 명의 발명가들이 먼저 발언하도록 하고 있습니다. 그럼, 당신들은 이젠 결코 멈추지 않을 겁니까? 당신들이 이 온 우주를 다 집어삼켜 망쳐 놓을 때까지 말입니까?

그 연설은 고발로 압축되어 있었습니다. 상황은 이미 나에겐 절대적이었습니다. 내가 -테라 주민들에겐- 외부 세계를 대표하고 있었던가요? 사람들이 나를 질책했고, 혼자 나는 그들에 대항하여 서 있고, 끈기가 내 의식 속에서 생겨났습니다. 정말 나는 피고소인의 역할을 받아들일 수 없어, 내가 이제 말했습니다.

"나는 60메가 시간단위 전에 태어났습니다. 나는 그런 세계에 살았고, 그런 종류의 사회가 나를 오늘날의 나로 만들어 놓았습니다. 나는 그런 사회의 일원입니다. 나는 ...그렇다고, 내가 그 사회의 실제적 또는 상상의 죄과들에 대해 책임질 사람은 아닙니다. 또 나는 그것을 방어하고 싶지도 않습니다. 지금은 나에 대해서만, 나의 운명에 관련해서만 말씀드립니다. 나는 테라가 자신이 유일하게 존재해서 <외부 세계>에서 온 사람들의 행동에 반대할 양자택일권을 갖는다고 한 의미를 이제 알게 되었습니다. 그러나... 그것과 관련하여 여러분 스스로조차도 불확실하고, 정말 여러분도 회의적입니다. 그런 열변으로 당신들은 설복시키려고 하는군요. 누구를 설복시킨다는 말입니까? 나를 아니면, 여러분 스스로를 말입니까? 인겔라, 당신은 좀 전에 이런 말씀을 하셨습니다. "많은 사람은 우리 자신을 격리하려는 생각이 더 났다고요." 그럼, 그런 의견을 가진 사람이 테라 사람 전부는 아니겠지요? 아마 이 대강당 안에서조차도, 사고하는 사람들 가운데서도 의견을 달리하는 사람들이 있지요?"

그것은 최고의 술수였지만, 나 스스로조차도 처음에는 그 말을 이해하지 못했습니다. 그러나 나중에 인겔라의 얼굴은 조금 어두워졌습니다. 그때, 나는 알게 되었습니다. 내가 목표를 제대로 맞혔구나 하구요. 그 사고하는 사람들은 다시 쑥덕거리더군요. 남자 한 명이 손을 번쩍 들었습니다. 그는 나를 보진 않고, 인겔라를 쳐다보았습니다. 인겔라는 내키지 않는다는 듯이 고개를 끄덕였습니다. 그 남자는 자리에서 일어났습니다.

"나는 트리앙이라고 합니다." 트라앙 이라는 시람은 갈색 머리를 하고 있지만, 인겔라보다 훨씬 젊었습니다. 검은 눈, 높은 이마, 지적이고도 비웃는 듯한 시선, 활발한 동작. "야르코스 말이 맞습니다. 우리 테라 주민들도 다양한 생각을 하고 있습니다. 인겔라 여사와 다른 생각을 하는 사람들이 나에게 말하길, 자신들의 의견은 전혀 다르다고 합니다. 즉, 만약 야르코스가 테라에 남지 않는다면, 그편이 더 적절하다고 우리는 믿고 있습니다."

"그 일은 그 사람 스스로 결정해야 합니다." 인겔라가 재빨리 말하더군요.

"한 가지 경우를 예외로 하고요." 트리앙은 똑같은 빠르기로 말했습니다.

"그렇게 의견을 가진, 이 사고하는 사람들 가운데서요?" 인겔라는 주변을 둘러보며 말했습니다. 아직도 나는 무슨 이야기인지 이해되지 않았지만, 나는 이 대강당의 긴장이 높아감을 느낄 수 있었습니다. 트리앙과 그의 동지들은 아마 그리 많지는 않은 것 같았습니다. 그래서 나는 그 남자가 내 말에 동의하는 것이 이유가 있었고, 여의장과 공공연한 토론을 벌인 것이 우연한 일이 아님을 추측해 볼 수 있었습니다.

"아마 우리 수효가 많지는 않을 것입니다." 트리앙은 말을 이어갔습니다. "그러나 우리는 독자 의견을 내려고 합니다. 야르코스는 무엇을 선택할 수 있습니까? 아마 야르코스가 여기 남아 우리처럼 살고, 아마 아주 행복하게 또 장수를 누릴 수도 있을 겁니다. 외계의 아무도 이 사람을 찾으러 오지 않을 것이고, 이 사람 이름이 우주 공간에서 자취 없이, 아주 긴 실종자 리스트에 추가될 것입니다... 또 다른 한 가능성은, 테라와 관련해 그의 모든 기억을 지운 뒤, 그를 다시, 수리가 끝난

자기 우주선을 타고서 완전히 공간으로 다시 날아가, 이십-삼십-사십 년 뒤의 동면에서 깬 뒤, 그는 한때 그가 테라를 방문한 것과, 그 테라가 존재하고 있음에 대해서도 모른 채 말입니다...”

“선택이 의무로 주어진다면, 바로 그 두 가지 가능성 <뿐>입니다.” 인겔라가 말을 가로챘습니다. 이제 나는 안드로스가 어디에 앉아 있는지를 알 수 있었습니다. 그는 둘째 상부의 좌석 열에 앉아, 토론을 경청하고 있었습니다. 그때, 안드로스는 무슨 생각을 하고 있었겠습니까...?

“아닙니다. 그 두 가지 해결책 말고 또 하나가 더 있습니다.” 트리앙의 목소리는 딱딱해졌고, 그는 주변을 둘러보았습니다. 흥미로운 것은 그는 전혀 나를 개의치 않았고, 마치 그가 나를 보지 않는 듯이 그렇게 행동하고 있었습니다. 그가 인겔라에게 또 그를 따르는 다른 사람들에게 반대 토론을 했습니다. 조금씩 조금씩 나는 이해하게 되었습니다. 정말 여기서는 나 개인과 나에 관한 사건은 허울일 뿐, 지금 이곳에선 두 개의 사고하는 집단들이 뭔가 아주 중대한 일을 두고서 서로 공격하고 있음을 볼 수 있다는 것입니다. 그때, 나는 틀리지 않았습니다.

“우리 단체는 제3의 해결책을 봅니다. 이런 부류의 사고하는 사람들은 벌써 오래전부터 그런 의견을 가진 것이 비밀이 아니었습니다. 즉, 우리는 이제는 테라가 고립해 있는 것을 중단해야 한다고 말하고자 합니다. 또 마침내 우리가 영원한 대립과 폐쇄라는 사상을 버려야 합니다. 우리가 <외부 세계>의 기술 분야만 뒤떨어져 있다고 믿고 있는 우리가, 다른 분야에서도 뒤떨어져 있다는 사실도 정말 알고 있습니다. 저 다른, 외부 세계는 우주에서뿐만 아니라 발전해 갔습니다. 수없이 많은, 수천-수천억의 인구 중에는 아주 위대한 철학가들도 존재합니다. 우리 테라의 사고하는 사람들과 같은 수준의, 생각의 사고하는 사람들 말입니다.. 아마 우리보다 이 슈퍼세계들을 잘 설명해 줄 수 있는 그런 사람들도 어딘가에 살고 있을 수도 있습니다. 우리의 '우아한 고립'이란 근본적으로 무의미합니다. 더구나, 우리 자신을 위해서도 바로 쓸모없기도 합니다. 장래 우리는 다르게 행동해야 할지도 모릅니다. 너무 현대화되고, 너무 기술적으로 진보된 세계를 들여놓는 것을 허락하는 것이 나으리라고, -하지만 그런 지식을 받아들이도록 허락하는 것이 우리에게도 필요합니다. 친구 여러분, 나는 진짜 사고하는 사람들의 가치를 지닌 입장에서 온 인류의 지식에 대해 말하고 있습니다. 동시에 -그리고 나서 나는 그 점을 강하게 믿습니다. -즉, 테라가 <그 외부세계를> 위해 아주 많이 봉사할 수도 있다는 것입니다. 여기서 누군가 이미 '양자택일권'이라는 낱말을 사용했습니다... 그것은 아주 중요합니다. 수조에 해당하는 인구가 우리 인종의 원래 조상 나라가 이 행성이라는 것을 모른 채 살고 있습니다. 그들은 결코 한 번이라도 '원래 조상의 나라'라는 말을 듣지 못했습니다. 그러나, 만약 그 사실을 알려 준다면, 그 수조의 인구의 사고에도 대단한 변화가 있을 겁니다. 그들은 모두가 같은 둥지에서 나왔다는 것을 이해할 것이고, 그러면, 그들은 더욱 서로를 사랑할 겁니다. 테라를 향한 강력한 그리움도 생겨날 것입니다. 많은 사람이 이 원시-행성을 보고 싶어 할 것이고, 그것이 어떤 모습으로 있는지 방문하려고도 할 것입니다. 그리고 이 아름다운 자태를 보면, 그들은 흥분하고, 생각에도 잠기게 될 것입니다. 즉 자신들은 집에서 바르게 행동하고 있는가? 또 기술적 발달의 가속화가 의미 있는 것일까?... 테라는 진보의 다른 길에 가 있고, 그 길을 나중에도 잃지 않을 것입니다. 진정한 양자택일은 지금 존재하지 않습니다! 우리 테라 사람들은 조금씩 외계인의 생활과 사고방식을 알게 됩니다. -그러나 그들은 우리 생활과 사고방식을 모르고 있습니다! 그들은 자신들의 결론과 장애물을 우리의 것과 비교할 줄 모르고, 그들 사고방식과 테라 주민들의 사고방식을 비교할 줄 모릅니다.

 그래서 외계인들은 자신들이 다른 방식으로 자신들 세계를 구축할 수도 있다는 것을 모르는 일종의 장애인들입니다. 우린 그 사람들을 도와줘야 할 것입니다...!"

 시데루스는 고개를 숙였다. 시데루스는 위장이 메스껍고, 목이 꽉 잠겨 왔다. 떨리는 손으로 그는 비디오 폰의 버튼을 누르고는, 물 한 잔을 마셨다.
 알펜의 얼굴이 화면에 떴다. 그 비서는 1초 동안 아무

말 없이 그 과학자를 쳐다보고는, 고개를 한번 끄덕이고는 카메라를 돌렸다. 시데루스의 화면에 오오르트가 나타났다.

"교수께서 무슨 일입니까? 어디 불편하십니까? 의장은 가증스런 평온 속에 물었다.

"야르코스가...지금 이미 모든 걸 발설해 버렸습니다."
그 과학자는 창백한 표정으로 한숨을 내쉬고는 침을 삼켰다.

"그 때문에 교수의 안색이 그런가요?"

"그러하다니요?... 예, 우리가 두려워해 온 그 일이 벌어졌습니다."

"그럼, 적어도 우리가 저자에 대응할 뭔가를 시작할 수 있겠군요." 오오르트는 알펜을 쳐다보자, 비서는 곧장 몇 분 동안 자신의 업무에 대해 보고했다.

"먼저 내가 그 돔형건물에 전화했습니다. 그런데, 건물 국장은 야르코스의 텔레비전 프로그램을 중단시키지 못한다고 했습니다."

"자넨, 그 사람에게 그 일이 <나의> 요청임을 알렸는가?"

"예, 이번은 '요청' 정도로는 안 되고 명령일 경우만 가능하다고 대답했습니다. 개인적으로 위원회 오오르트 의장이 그 사람에게 공공프로그램에 중단 명령을 할 권한이 있지만, 그는 그 명령을 물론 크리스탈에 기록해 둘 것이고, 나중에, 그 돔형건물 국장이 이 위원회를 상대로 아주 큰 배상 소송을 제기할 거라고 말입니다..."

"저런! 정말 간 큰 국장이네..." 오오르트는 중얼거리
자, 다른 두 사람은 계속 듣고 있다. 그리고 그들은 오
오르트 얼굴도, 두 눈 아래 피부의 신경질적 움직임도
보게 되었다. 그러자 오오르트는 이젠 확신이 서질 않
았다.

"...나중에 내가 텔레비전망의 지도자에게도 전화 걸었
습니다. 물론 그도 동화 프로그램을 시청하고 있었고,
물론, 야르코스의 영향아래 들어가 있었습니다... 내가
텔레비전 프로그램 중단을 그에게 언급했을 때, 그는
크게 웃었습니다. 정말 그 지도자는 내가 농담하는 줄
로 알았나 봅니다... 그 지도자는 ...." 그리고는, 그는
말을 멈추었다.

"계속해 보세요!" 오오르트가 외쳤다. 알펜은 내키지
않는다는 듯이 계속해 말했다.

"그 지도자는 메타 스텔라에 야르코스 동화가 끝나면
무슨 일이 벌어질지 전혀 기대하지 않는 단 한 사람이
있다는 걸 믿지 않았습니다."

"그래서?"

"그도 '요청'을 받아들이길 거부했습니다. 그는 그런
방향으로 한 걸음 나아가는 것은 직업적 자살이 될 것
이고, 그럴 경우, 주민들이 화를 내면 곧장 자신은 그
자리서 물러나야 한다고 말했습니다. 그는, 또, 만약 메
타 스텔라 의장이 직접 문서로 된 명령서를 가져온다
해도 그 명령을 받아들이지 않겠다고 말했습니다...그러

면서 그는 메타 스텔라에서는 약 80억의 인구가 이 프로그램을 시청하고 있다면서, 그것은 어느 다른 기관의 명령보다도 더 중요하다고 했습니다. 왜냐하면, 우리 은하계 역사에서는 아직까지 한번도 그만큼 많은 사람이 똑같은 프로그램에 관심 가진 채 시청한 적이 없다고 했습니다."

"그럼... 반란이군." 오오르트가 고개를 끄덕였다. "평온하게만, 특히 그들의 눈 앞에선..."

"의장님의 요청 없이 제가 이미 여러 가지 일에 자문 역을 하고 계시는 다른 법률전문가에게도 전화를 걸어 보았습니다..."

"그래, 그는 무슨 말을 하던가?"

"우리가 야르코스를 공격할 만한 법적 근거가 없다고 했습니다."

"그럼, 그 사람도 크로스가 옳다고 했겠네? 동화는 동화로 놔두라고?" 의장은 외쳤다. 알펜은 좀 두렵게 대답했다.

"정말 그렇습니다. 모든 전문가가 활을 너무 당기진 말라고 충고를 하였습니다."

'만약 전화 중앙국의 기능을 마비시키고, 기술적 결함 때문이라고...시청자에게 알려주기라도 하면....' 오오르트는 그런 생각에 골똘해 있었지만, 그 자신조차도, 그 길은 자신과 위원회 전체를 파멸로 이끄는 길이라는 걸 알고 있었다. 이 중단의 진짜 이유를 몇 분간 비밀로 해 둘 수 있지만, 나중엔... 텔레비전 방송국장이 뭐라

했던가? '주민들이 화를 내면...' 그는 입술을 꽉 다물
고는 말이 더 없었다.

"트리앙의 연설은 그 사고하는 사람들에게 강한 영향
을 끼쳤습니다. 아니, 그들은 놀라지 않고, 정말 그런
논쟁들은 그들 머릿속에서도 여러 번 나타났습니다. 그
리고 트리앙은 연설을 아주 잘 했고, 좀 노란 얼굴은
마치 그의 기울어진 검은 두 눈이 불타는 것처럼 보였
고, 동시에 그는 미동도 없이 -연설만 하고 있었습니다.
그러나 그 거짓 평온함 아래는 열정이 타올랐고, 이 모
든 것을 그의 동료들도 느끼고 있었습니다. 아마 그 테
라 주민들은 두뇌 파동이나 정보와 감정과 정신 상태를
전파의 형식으로, 정보를 이미 다른 곳에선 잊혀진 원
시적인 교환 형식을 훨씬 더 자주 쓰고 있었습니다. 나
는 에우라가 뭘 생각하고 있는지 자주 느낄 수 있었습
니다. - 테라 주민들은 그와 같은 방식으로 서로 서로
의 생각을 '보고' 있었습니다. 바로 정말 지금 그 일이
벌어졌습니다. 그리고 그들뿐만아니라 -나도요. 내 두뇌
엔 뭔가 좋은 느낌이, 지금까지 한번도 몰랐던 느낌이
내려 앉기 시작했습니다....
"저 바깥에 사는 사람들은 테라가 존재한다는 것과,
우리가 진보의 다른 길을 선택했다는 것을 알아야만 합
니다. 만약 그들과 우리가 경험을 공유하게 되면, 그것
은 우리 모두에게 좋을 것입니다. 나는 테라 위에 기술
발전뿐만 아니라, 생각의 발전이 멈추는 게 두렵습니다.

새로운 발명품과 계획과, 신사고를 알리는 청년들이 이곳에선 더욱 줄어갑니다. 요즘 테라 상에 일어나고 있는 것은 창의의 죽음을 뜻합니다."

"만약 우리가 외계인들에게 우리 세계를 개방하면..." 인겔라가 말을 시작했지만, 갑자기 그 여의장은 말을 끊었습니다. 아마 그 여의장 스스로 정반대 입장에 서는 것이 절망적이라고 믿었나 봐요? 트리앙도 그 여의장이 그 문장을 끝낼 때까지 기다리지 않았습니다. 그것은 이미 이상했습니다. 그가 여의장이 문장을 끝내지 않을 것이라는 것을 예견이나 했다는 듯이, 곧장 자신이 말을 시작했습니다.

"...그것도 나쁘진 않을 겁니다. 우리는 외계인들이 이주해 오는 것을 법으로 제정할 수 있을 겁니다. 우리는 이 행성이 생태 조건을 누구를 위해서도 절대 바꾸진 않을 것입니다. 테라는 언제나 아름다운 자연 경관, 순수함, 고상한 생각을 사랑하는 사람들의 것으로 남을 것입니다. 그러나 정말 그 경계는 ...여기서 ...태어났던 사람들에게도 개방될 것입니다. 테라의 모든 청년은 떠날 수 있는 권리도, 또 다른 인간 세계를 볼 수 있는 권리도 있습니다. 그들은 '영원하다'고 믿는 저 먼 은하계들에서 문명들을 건설해 놓은 '외계인들이' 어떻게 살고 있는지 경험해 볼 수도 있습니다. 그리고 그들은 나름대로의 삶의 방식과 장소를 선택할 권리가 있을 겁니다."

아마 그 순간, 트리앙이 목소리를 바꾼 것을 주목하게

된 것은 나뿐이었습니다. 그는 자신이 그곳에 없고, 마치 다른 곳에서, 수많은 곳에서, 수많은 세계에서 동시에 말하는 것 같았고, 그는 이 모든 것을 알고, 인지하고, 조절하고, 동의하는 듯 말입니다...

그 순간, 트리앙은 테라 주민 중 한 사람이 아니었습니다. 무슨 <다른 세계의> 사람처럼 보였습니다.

나는 내가 왜 그렇게 느꼈는지 모르고 있습니다. 물론 내 머리 안에서만 그런 생각이 떠올랐습니다. 그 대강당에서 모두 침묵하였습니다. -아마 나에 대해선 모두 잊고 있는 것 같았습니다.

"야르코스가 <외부세계>로 되돌아가 어디서나 <테라가 존재한다>는 걸 알려 줄 것을 나는 제안합니다...!"

22. 야르코스가 말하는 세계

(...그들이 그때 그렇게 흥분한 것은 말로 표현할 수 없지. 그 사고하는 사람들은 이미 수백 년 전부터 그렇게 열정적으로 싸운 적이 없었지. 그들 위로 지금까지 보이지 않던 족쇄들이 떨어져 나가듯이, 그들은 가벼워진 몸으로, 때로는 화를 내며 토의를 했지. 논쟁거리들이 앞다투어 튀어 나오고, 새 생각들이 날아다녔고, 연설들조차도 불을 튀었다. 수많은 사람이 트리앙의 의견에 동의하는 점이 분명했지. -사람들이 처음에 믿었던 것보다는 더 많이. 그것은 인겔라 당파를 놀라게 했고, 인겔라 자신도 놀랐지.)

"그 토론은, 나로 인해서나, 나를 위해서도, 나를 반대하려고 하는 그런 이유 때문이 아니라, 계속 진행되었습니다. 나는 그 점을 느끼고, 알 수 있었습니다. 나는 단순한 원인 제공자였습니다. -변명거리였을까요?- 세 당파 모두에게도요. 왜냐하면, 몇 명은 원래의 두 가지 관점도 제시했습니다. 그건 트리앙에게 도움이 되었고, 정말 그의 반대자들은 뿔뿔이 흩어졌습니다. 마침내 인겔라 여사는 투표로써 결정하기를 명령했습니다.

 의식 속에 나는 아직도 그 이상한 마취 상태를 느끼고 있었습니다. 마치 내가 외부 희망에 영향을 받은 듯이 말입니다. 그들도 똑같이 느꼈을까요?

 그 사고하는 사람들 대다수가 트리앙의 제안에 동의하

는 표를 던졌습니다.

그 돔형건물 아래서 소동이 벌어졌다. 시청자들은 자신의 의자에서 일어섰고, 많은 사람은 날카롭게 휘파람을 불었다. 여자들, 남자들의 목소리에, 박수와 불만 섞인 외침에 그만 동화가 중단되었다.
"정말 그렇게 되었나요...?"
"야르코스!"
"그 때문에 당신이 이곳으로 왔나요?"
"그 사람들이 당신을 우리에게 보냈군요! 우리에게, 또 다른 곳으로도?"
"그럼, 지금 하는 이건 동화요, 아니요?"
"동화! 동화!"
"정말 교묘하게 만들었군요, 야르코스!"
"계속해 봐요!"
"당신이 테라를 떠나게 허락하던가요?"
"야르코스, 야르코스!"
"오, 그건 동화일 뿐이라구요!..."

야르코스는 자리에서 일어났다. 곁눈으로 야르코스는 저 무대 커튼 뒤에 앉아 있던 그 하얀색 머리의 아가씨가 곧장 자리에서 일어나 뛰쳐나오는 것을 보았다. 그러나 그는 그 아가씨에게 손짓하지 않고, 그 아가씨를 무대 위로 부르지도 않았다. 야르코스가 일어났을 뿐, 그 소란이 멈출 때까지 꼼짝 않고 서 있다. 그 떠들썩

한 물결이 그의 두뇌에까지 닿자, 그 순간 야르코스는 자신의 두 눈을 감았다. 고유의 어둠이 그의 마음에 내려앉았고, 그곳에서 그는 자신을 재발견했다. 침묵은 천천히 자신의 제국을 다시 지배하고 있다. 청중들은 이제 조용해졌다. 야르코스는 두 눈을 떴다. 야르코스는 사람들을 쳐다보진 않았다. TV-카메라도 보진 않았다. 불빛이 지금 저 멀리 작은 별들처럼 되어 있었다. -정말 그는 상상 속으로 자신 앞에 <우주 공간>을 보고 있었다.

"...이젠 이 길에 있는 우리를 멈추게 할 수 있는 것은 아무것도 없습니다. 모든 것, 즉, 법률, 관습, 도덕은 탄력적이 되었습니다. 법률은 생물학적 경계를 돌파하는 것을 뒤따랐습니다. -우리가 넘을 수 없다고 더 일찍 믿었던 그런 경계를 말입니다. 물론 아이들 중 많은 이가 자기 어머니 자궁이 아닌 곳에서 출생합니다. 그 아이들은 자신의 아버지, 어머니가 누구인지 아무도 모릅니다. 그 '아버지'는 오래전에 냉동되어 있던 정자가 되기도 합니다. 그래서 오늘 '아버지'가 된 그 남자는 수세기 전에 이미 죽은 사람일 수도 있습니다. 아니면, 그 아버지가 살아 있지만, 그의 자식을 낳은 이곳이 아닐 수 있습니다. 그 아이를 낳은 어머니는 그 남자가 한 번도 만난 적이 없는 여자입니다. -정말 그 남자는 이미 금세기 전부터 동면한 채로 이 우주에서 저 먼 은하계로 향하는 우주선 안에 쾌속으로 날고 있을 수도 있습니다…아니면 그의 아이는 여자에게서 태어난 게 아니라, 어느 잘 만들어진, 훌륭한 기계 '자궁'에서 만들어졌지만, 그 아이는 수천 년 이전의 아이들보다 더 강하고 더 건강합니다. 이 세계는 그런 이상한 생물로 충만되어, 이 모든 생물을 우리는 '사람'이라고 부릅니다.

이젠 '세대'라는 말도 없습니다. 동시대에 사는 사람들의 공통의 노력, 그들을 한 곳으로 모으는 노력은 없어져 버렸습니다. 머나먼, 동면의 우주여행에서 귀환하는 아버지들은 같은 나이의 자기 자식을 만나거나, 아니면, <그들 자신보다 더 나이 먹은> 자기 자식들을 만납니다. 임무를 완수하기 위해 떠난 사람들은 수백 년간 사라지기도 합니다. 우리는 그들을 더는 만나 보지도 못합니다. ─하지만 우리는 알고 있습니다. 그들은 죽지 않고, 어디선가 살고 있고, 언젠가 귀환하리라는 말입니다. 인공 조직들과 기관들을 이용해 우리는 우리 생명을 그렇게 더 오랫동안 장수를 누릴 수 있습니다. 그리고 우리는 인공두뇌도 이미 갖고 있습니다. 그리고 몸체가 없는 사람들도요, 하지만 아직도 살아 있는 두뇌를 갖고요… 자신의 육체적 존재를 오래전 상실해 버린 우리 할아버지는 ─지금 자신의 두뇌만으로, 기계들과 연결해서 매일 텔레비전을 시청하고, 신문잡지를 읽고, 우리와 이야기하고, 때때로 가족 문제를 해결하는데 도움을 주기도 합니다. 그래서 그가 <죽었다>고 할 수 있을까요, 정말 그의 의식은 여기 우리 사이에 있는데도 말입니다. 이게 그분의 두뇌이고, 이게 우리의 두뇌인데, 대부분은 비어 있습니다. 그 두뇌는 기능을 하고 있지는 않습니다. 다만, <텅빈 채로 기다리고 있습니다>-이게 그 신호이자 동시에 증거입니다. <우리가 미래를 가질 것이다>라고요...

길고 긴 것이 그 길이었습니다. 처음에 우리는 세계를 신의 창조물로 믿었습니다. 그러나 우리 앞에 새롭고도 새로운 세계들이 펼쳐져 있습니다. 우리는 새 법칙들을 알았고, 우리는 쉽게 견딜 수 있는 환경에 적응하게 되었습니다. 그리고 지금 우리는 -우리가 기술에 의지한 채 -우리를 우주의 주인이라고 주장합니다... 물론 지금까지 우리는 우리 땅이나 법률이나 가능성들의 작은 부분들만 알고 있는데도 말입니다.
우리는 아직 자연 법칙이 우주 변화와 함께 변하고, 형성된다는 것을 모르고 있습니다. -다만 추측할 뿐입니다. 그러나 만약 모든 변화가 -예를 들어 회전하며 되풀이 하는 팽창과 수축처럼 -영원히 계속되는 <진보>의 개별적 역할들이라면 무슨 일이 있겠습니까? 그때 우리는 물어보아야 합니다. 무엇이 이런 과정을 있게 하고, 무슨 목적인가를 말입니다. 그것은 어디서부터 시작되어, 어디로 가는가를요? 그 변화는 정말 목적지가 있는지를 요? 그 목적지는 아마 생물학적으로 진보된 자연 지성이 일정 시간이 지나면 인공적, 또는 인공지능의 지성을 생산할 수 있다는 것입니다. -그럼 그 지성은 아마 완벽한 지성이 되겠지요? 완벽하다는 것은,

만약 그것이 우주 공간과 시간과는 독립적으로 영원히 존재할 수 있기에... 아니면 우리가 물질의 어느 거대한 놀음에, 우연이 지배하는 아무 원칙과 목표가 없는 놀음에 원치 않고 참여한 꼴이 된 것입니까?

우주 공간에서는 세계들이 쾌속 질주하고 있습니다. 그중에는 광속의 절반 속도보다 더 빠르게 쾌속 질주하는 세계들도 있습니다. 여러분은 이 모든 것이 무슨 목적으로 질주하는지 물어본 적이 있습니까?...어디서, 저 10억의 10억배로 많은 물질이 어디로 날아가는지를 또, 왜, 언제까지 날아가는지를요? 언제, 뭔가가 여기서 마침내 변하는 지를요?

우리는 외계인들을, 다른 세계의 사람들을 찾고 있습니다. 그런데 다른, 아마 현존하는 문명들을 보면서 그곳의 가장 중요한 일이 에너지 확보요, 천체학이요, 우주여행이라는 걸 왜 여러분은 말하고 있습니까? (세력) 팽창인가요? 아마 그들도 마찬가지로 우리와 같이 진보되어 있다면, -우리와는 전혀 다른 문제에 봉착되어 있을 수도 있습니다. 아마 그들은 벌써 오래전부터 자신들이 우주에 대해 거의 모든 것을 아는 채로 존재하고 있을 수도 있습니다...

나는 테라와 모든 인간 거주지는 계속 존재하리라 믿고 있습니다. 나는 이젠 아무 재앙도 인류를, 우주에 뿌려져 있는 지적 집단을 패망시킬 수 없기를 바랍니다. 이마 우주 그 자체도 우리 모두를 동시에 죽이진 못할 겁니다. 우린 계속 발전해 나갈 것입니다.

인류 여러분, 나는 동화를 이제 마치고자 합니다. 내 말은 자주 너무 운문적이었음에 용서하십시오. 내가 그런 식으로 말해야만 하는 일들이 존재합니다. 나는 테라에 대해 이야기했고, 나는 여러분에 관한 이야기를 했습니다. 우리들 자신에 대해서요. 이젠 많은 세계가 있습니다. 길을 잃지 마십시오 얼마나 많은 그 <전체>들이 있습니까? 말로는 소용이 없습니다. 말로는 소용이 없습니다. 그, 전체란 바로 전부요, 완벽함 그 자체이고, 그 전체의 일부분이 각각 우리이기도 합니다. 여러분이 우주에서 얼마든지 무엇을 발견하든지 간에, 언제나 그 무엇의 일부분은 바로 여러분에 속해 있습니다. 모두라는 것은 -그것보다 더욱, 더욱 많습니다.

야르코스는 여전히 1분간 더 서 있고, 주변에 불이 환해졌다. 박수 소리가 그의 귀로, 온몸으로 느낄 수 있게 되었다. 청중들은 이렇게 끝나는 것에 만족하지 못한 듯이 야단법석이다.

"더 해 줘요, 야르코스!"

"계속해 줘요!"

"테라, 테라!"

"계속해 줘요, 야르코스!"

야르코스는 대답하지 않았다. 야르코스가 전혀 그 외침을 못 들은 듯이. 무거운 납덩이 같은 피곤함이 그의 허벅지에까지 기어 올라왔고, 아마 이젠 무릎이 떨리기조차 하였다. 그가 무엇을 경험해 왔는지 아무도 몰랐다.

야르코스가 지금 처음으로 테라 이야기를 털어놓았다.

"야르코스!"

"계속해요!"

"말해 줘요, 야르코스!"

짜랄라가 무대 위로 올라와, 야르코스 옆에 섰다. 지금 짜랄라는 커피색 톤의 갈색 옷을 입고 있고, 머리카락 사이로 불꽃처럼 붉은 조화 꽃을 붙여 두고 있다. 짜랄라는 살짝 웃으며 <야르코스의 유명세>를 즐기고 있다.

나중에 야르코스는 마지막으로 몸을 숙여 한 번 더 인사했다. 좀 늦게 그 아가씨도 그를 따라 했다. 미친 듯이 빠른 속도의 조명들이 아주 붉게-푸르게-자주색- 오렌지 색-녹색-하얀색으로-노란색으로 색을 바꾸어 갔다. 열정적이고도 눈부신 전등 불빛. 박수 소리가 천지를 진동하고 끝이 없다...

야르코스는 몸을 돌려 무대를 빠져나갔다.

알펜은 한번 몸을 움직여, 능숙하게 모든 비디오 폰을 작동시켰다.

"끝이 너무 비장하네." 그런 비평을 한 것은 물론 크로스였고, 그는 자신의 얼굴이 화면에 보이자마자, 곧장 그 말을 했다. '저 노인은 언제나 모든 걸 비판하는구나' 하고 비서는 생각했지만, 그는 물론 그 말은 하진 않는다. 오오르트가 재빨리 무슨 약을 마셨다.

임마 여사는 여전히 기다리면서 오오르트를 보고 있다. 포티의 얼굴엔 땀방울이 반짝이고 있다. 포티는 중얼거리고 있다. 그가 그 원형-인간에 대해 들은 것으로 인해 아주 놀랐다. 그는 조심스럽게 형용어는 피했다. 왜냐하면, 그는 오오르트가 그 "동화"의 끝에 대해 어떤 의견일지 아직 모르고 있다. 물론 아무도 오오르트에 대해 주의를 하고 있진 않다. 시데루스는 텔레비전 카메라를 쳐다보지 않고, 이마에 인상을 찌푸렸다.

위원회 위원들은 이제 새로 싸움이 시작되었구나 하고 추측했다. 의심에 여지없이 오오르트는 양보하지 않을 것이다. 그 이유는 바로, 지난 몇 시간 동안 크로스가 반대의견을 내었기에 오오르트가 화가 나 있기 때문이다. 의장은 잘 알고 있다. 그는 크로스에게 딱딱한 교훈 하나 주지 않고는 이 모임을 끝낼 수도 없다. 이는 그가 자신의 권위를 내세우기 위해서도 필요했다. 정말로 참석자들은 그동안 크로스가 의장을 이긴 게 한두 번이 아닌, 그런 일시적 토론을 듣고 있다... 의장은 장래에 아무도 그에게 맞서지 않게 하려고, 뭔가 조치를 하려고 애쓸 것이다.

"내 의견은, 상황이 명확합니다." 오오르트가 시작하고는, 크로스가 나오는 화면만, 저 주름살 많은 얼굴만 보고 있다. -"야르코스가 '동화'를 빗대어, 우리 태양계 주민들을 선동했습니다. 그는 '양자택일권'에 대해, '이상 사회'에 대해 이야기했고, 그가 메타 스텔라를 지배하는 주변 환경이 이상적이지 않다는 말로 공공연히 선동했습니다. 그러니, 내 의견으로는, 그가 간단히 우리 정부에 대항하여 국민이 반란을 일으키도록 하려는 의도가 그 동화에 기댄 채 했습니다. 그 때문에 우리는 저 평범한 '논쟁', 즉 그자가 '동화'를 이야기할 뿐이라며, 그런 종류의 술책은 동화의 한 장르에 속할 뿐이라고는 이젠 받아들여서도 안 되고, 받아들이면 안 됩니다."

그는 자신의 손에서 크로스가 무기를 빼앗기 전에 재빨리 요점을 말하였다. 그러나 그 노인은 곧 그의 의도를 알아차리고는, 그로테스크한 미소로 반대했다.

"만약 그렇다 해도, 의장은 공공의 의견 때문에 아무것도 할 수 없습니다. 메타 스텔라 주민 중 99퍼센트가 야르코스 편에 서 있습니다!"

"이 시간에는 그렇지요!" 오오르트는 대답하고는 이젠 자신이 승리자라고 느꼈다. "하지만 내일은요? 그리고 모레는요? 그때도 사람들이 같은 의견이라면요?..."

야르코스는 자신에게 축하 인사를 건네는 국장에게 말했다. "지금 무대 뒤에 모여 있는 행사 관계자들에겐 그 자리서 그대로 있게 해 달라." 모든 관계자가 그에게 축하 인사를 하려고 했기 때문이었다. 반쯤 열린 문 뒤로, 야르코스는 잘 차려입은 여자들과 남자들을 볼 수 있다. "좀 더 나중에... 부탁입니다. 난 좀 쉬어야 합니다." 야르코스는 그렇게 말했다. 국장은 알았다는 듯이 고개를 끄덕이고는, 본인 스스로 그 대단한 동화작가가 벌써 목이 쉬어 있음을 알 수 있다. 그 벽 뒤로 인파에서 소란한 소리가 들려 왔다. 짜랄라는 그 인파를 향해 말하고 있다. 짜랄라는 빛과 박수 속에서 관능미를 뽐내고 있다. 아마 짜랄라는 그 박수갈채 중 일부가 자신을 향해서도 있는 것이리라고 믿기조차 한다.

야르코스는 그 건물 뒤편으로 나갔다. 고대 기둥을 흉내 낸 아치형 아래로 사람들이 모여 있음을 그는 본다. 그러자 그는 자신의 얼굴을 숨기고는 재빨리 항공택시 대기소로 달려갔다. 몇 대의 비슷한 택시들이 전등 불빛 아래 서 있고, 대부분의 택시가 사람들이 자유로이 탈 수 있음을 보여주려고 문을 열어둔 채 서 있다. 우유처럼 하얀 비행구들에서 야르코스는 잠시 자신이 아주 외롭구나 하고 느낀다. 그는 하늘을 쳐다보고는, 빛나는 별들을 보고난 뒤, 마음이 한결 편해졌다. '우주가 여기구나, 언제나 이 우주는 그를 따라다닐 것이다. 우주는 메타 스텔라처럼 이렇게 비우호적인 세계들조차도 고향 같은 느낌을 주는구나...'

예약해 둔 택시가 승강장 변두리에서 문이 닫힌 채 있다. 그 남자는 외부 마이크를 향해 고개를 숙였다.

"코드명: 알가포르토"

문이 곧장 열리자, 내부 전등이 보였다. 야르코스는 들어서자, 전자지도 위엔 비행 행선지가 프로그램되어 있다. 택시는 이륙했고, -아무 소음 없다. 비행은 마치 꿈속으로 향하는 것 같다. 야르코스는 아래 광경을 내려다본다. 메타 스텔라는 마치 깨어 있는 것 같다. 그 프로그램 뒤에도 거주지마다 불이 켜져 있고, 공중을 나는 노란 점들이 점점 더 많이 나타난다. 항공택시들은 그 돔형건물에서 멀어져 간다.

야르코스는 비행 중에 전화했다. 그는 그림을 주지도, 요청하지도 않았다. 목소리만으로 요청했다.

"<사기타리우스> 자동호텔입니다." 기계음이 말했다.

"226번 손님과 대화하고 싶어요."

"226호실에 투숙한 숙녀분은 벌써 호텔을 떠났습니다."

"확실합니까?"

"그렇습니다. 그분이 전자 열쇠를 반환했습니다."

"고마워요. 끝"

그리고 그는 저 끝없는 <도시>에서 계속 날고 있다.

"그런데... 우리가 야르코스를 청문회로 부를 수도 있습니다." 포티가 제안했다. 좀 소극적으로. 모두는 그가 오오르트를 도울 목적으로 그 말을 했음을 이해했다. 의장 자신도 그걸 보고는, 그 남자의 공개적 지지에 그도 좀 당황했다. 만약 포티가 좀 더 능숙하다면, 좀 더 외교적이라면, 그가 뭔가 도움이 되는 생각들을 자기 개인의 의견인양 말할 수도 있을텐데... 오오르트는 크로스가 간단히 포티의 제안을 없애 버리리라고 알고 있고, 그것은 틀리지 않다.

"우린 웃음거리가 될걸요." 크로스가 강조했다. "그러나 그 이야기는 이미 내가 했어요. 테라는 많은 친구가 생겼습니다. 그들은 당신 의견보다 많은 숫자입니다. 우리가 그 동화를 진실로 믿는다는 걸 보여줄 수는 없습니다."

"그건 그래요." 임마 여사는 이젠 크로스의 편에 완전히 서버렸다. "우리는 야르코스를 재판에 회부할 수는 없습니다. 그에 대한 무슨 공식적인 또는 공식 조사를 시작해서도 안됩니다."

시데루스는 손을 들어, 자신도 발언하고자 했다. 오오르트는 가볍게 그에게도 신호를 보냈다.

"말해 보세요, 시데루스."

"우리가 그의 우주선을 분별력 있게 조사할 수 있을 겁니다. 확실히 그 우주선은 어느 우주 비행장에 대기해 있습니다. 그 우주선의 조종석의 기억기기에서 아마 그의 마지막 여행 자료들을 찾아볼 수도 있을 겁니다..."

"교활한 짓이 됩니다!" 크로스가 웃자, 그의 주름살은 더 많아지는 듯했다. "그럼, 아카데미 회원인 당신은 테라가 존재한다고 확신하는 거지요?"

시데루스는 깜짝 놀랐다.

"확신하고 있다구요? 그건 과장입니다. 그러나, 만약에 ...가능하다면요..."

오오르트는 이제 자신이 공격에 나설 차례구나 하고 느꼈다.

"여러분은 보고 있습니까? 저게 바로 야르코스가 자신의 동화를 확신하게 만드는 증거가 됩니다. 그는 시데루스 아카데미 회원에게도 불확실성을 뒤쫓아 가보도록 하는데 성공했답니다!..."

시데루스가 뭔가 말하고자 했으나, 다른 사람들은 이제 그를 주목하진 않았다. 포티와 임마가 동시에 말을 했다. 크로스는 의장을 쳐다보고 있다. 나중에 크로스가 큰 소리로 말하자, 다른 사람들은 잠잠해졌다.

"야르코스가 그 동화의 끝자락에서 뭘 말했는지 모르고 계십니까? 그는 메타 스텔라의 주민들에게 메시지를 보냈습니다. 그는 아마도 우리에 관해 어떤 관심을 가지는지, 또 우리 문명보다 더 진보된 무슨 인간 문명에 대해 언급했습니다. 그리고 -그걸, 말로는 언급하진 않았다 하더라도- 그는 우리를 향해 경고하고 있었습니다. 즉 우리더러 다른 방식으로 사는 것을 생각해 보라고요. 오늘 저녁 이 경고는 자신의 목표를 향해 다가갔고, 그것은 이미 수백만의 두뇌 안에 자리를 잡았습니다. 오오르트, 당신은 이미 늦었습니다. 이젠 당신은 아무것도 할 수 없습니다. 이 시간 이후로 저 생각의 싹은 이미 우리 주민의 두뇌에서 초고속으로 성장할 것이고, 당신에 대항하여, 지금부터 새로운 사고가 활동을 시작할 겁니다."

방안에서도, 기계 자체에도 정적이 있다. 알펜은 움직일 용기도 없었다. 다른 사람들은 화면에서 기다리고 있다. 나중에 임마가 고개를 들었다.

"그럼, 위원회가 어떤 결정을 내려야 합니까?"

오오르트는 공기를 들이쉬었다. 그 낭패감이 그를 세게 때렸다. 그는 그 점을 간과했다. '그래, 이제 날카로운 논의가 끝났고, 그는 실패했다. 지금, 인생에서 처음

으로?'

그는 크로스의 얼굴을 쳐다보았다. 그 노인이 감수하는 듯한 얼굴은 그를 놀라게 했다. 그의 영원한 적수는 자신의 승리도 즐거워하지 않았다. 아마도.

"크로스?" 오오르트가 쉰 목소리로 물었다. 그 말은 그의 목에서 겨우 튀어나왔다.

"오오르트?" 그 노인이 대답했다. 그들은 말이 필요없다. 서로 바라만 보고 있다. 알펜이 안절부절못하고 있다. 그런 상황에서는 보통 투표를 시작하게 된다. 그것은 관례처럼 되어 있다. '이제 그 투표가... 시작되는가? 저 두 적수는 이상하게 말했고, 그들 얼굴은 이전과는 전혀 다른 모습이다. 이젠 격정이 솟구친다 해도 무슨 일이 벌어지는가? 마침내, 누가 여기서 결정하는가?'

"우리가 테라를 찾지 맙시다." 크로스가 말을 먼저 했다.

포티는 오오르트가 무슨 말을 할지 기다리고 있다.

이미 여사는 고개를 끄덕였다. 오오르트는 한숨을 내쉬었다.

"맞는 말이군요." 그는 낮은 목소리로 속삭였다. 포티는 깜짝 놀라 손을 들었다. 시데루스는 조용히 있었다. 정말 그는 투표권이 없다. 알펜은 다시 태연자약하게 익숙한 문장을 말하려고 했다.

"위원회는 만장일치로 다음과 같이 결정한다....." 그러나 크로스는 그것조차도 씁쓸한 미소로 끼어들었다.

"...젊은 친구. 이 위원회는 테라의 일을 탐구하지 않기로 결정했네. 왜냐하면 우리 위원회가 그 탐구를 계속하게 되면, 그 행성을 찾을까 봐 두려워하게 되지. 그러면 그 대단한 구를 가진 전체 동화는...현실이 될걸세."

"그렇습니다." 오오르트는 창백한 듯, 작은 소리로 말했다. 그의 이마에는 구슬 같은 땀방울이 맺혀 있다. 그는 이렇게 말했다.

"동화는 동화로 남겨 둡시다."

마치 끝없이 펼쳐진 빛의 바다를 위에서 내려다보는 것과 같은 우주 공항은 거대한 검은 그림자 섬이 되어 있다. 조명들이 공항의 가장자리를 비추고 있다. 중앙에는 시멘트로 덮인 들판이 어두침침하게 보였다. 중앙 건물의 유리창 뒤에는 지금도 공항 관제 요원들이 근무하고 있다. 사람들과 기계들.

야르코스는 우주 공항 위로 항공택시가 날 수 없음을 규칙으로 알고 있다. 그 규칙은 인간이 거주하는 모든 행성의 법률 사항임을 알고 있다. 그래서 그는 많은 비슷한 하얀 구들이 있는 큰 건물 옥상에 내려앉았다. 엘리베이트로 다가간 그는 누구와도 만나지 않았다. 그게 더 좋은 것 같구나 하고 그는 생각한다.

그러나 그는 자신의 암호명을 잠시 잊었다. 그가 우주 교통 통제국이 보이는 층으로 걸어갔을 때, 그곳에서 걸어가던 여자들과 남자들이 그를 힐끗 쳐다보았다.

"야르코스인거 같애...?" 그들은 좀 의심스러운 듯이 속삭였다. 많은 사람은 이 사람이 좀 전까지 공연한 그 동화작가와 비슷한 사람이겠지만 생각했다. '정말 진짜 야르코스는 아직도 돔형건물에 아직도 있는가?'

당직 장교도 놀랐다.
"야르코스라고요...?"
"반갑습니다. 놀라지 마십시오. 저는 바쁜 사람입니다. 제4 행성에서 나를 초청했습니다." 야르코스는 자신의 긴장감을 그 장교가 느끼지 않도록 태연하게 말했다. 정말 이 순간, 그는 진실을 말하지 않았다.
"나와 동행할 승객은 도착해 있습니까?"
"예, 그 승객은 동화작가 선생님 우주선 안에 계십니다. 그럼, 출발하시겠습니까?"
"예, 당장! 여행 허가는 문제없지요?"
"물론입니다. 제가 전파국에 연락해 두겠습니다. 그리고 언제 또 다시 우리가 동화작가 선생님을 이 메타 스텔라에서 만날 수 있습니까?"
"그리 멀진 않을 겁니다." 신비스런 미소를 띤 위대한 여행자가 대답했다.

그는 지층으로 내려가, 전기자동차 안으로 들어갔다. 온몸에 그는 시멘트로 된 들판의 쪼개진 틈새들을 느꼈고, 어둠과 빛 흔적이 교대로 나타났다. 나중에 그의 앞에는 거대한 우주선이 높다랗게 보였다. 금속 벽이 반짝거렸다.

그는 전기자동차를 중앙 건물로 되돌려 보내고는 승강기를 불렀다. 그는 승강기로 올라가, 별들이 더욱 가까이 가 있음을 느꼈다. 통제문 암실에서 나오면서 그는 주변을 둘러보았다. 정말, 이곳이 그의 가정이구나, 그를 지켜주고 있는 익숙한 벽이 주위를 에워쌌다. 그는 그 승강기를 집어넣고는, 자동기기들이 모든 외부 출구를 닫을 때까지 기다렸다. 그의 발걸음은 조종실로 향하는 복도에서 반향을 일으켰다. 하지만 그는 외로움을 느꼈다.

"야르코스?" 누군가 물어 왔다. 확성기를 통해 비단결 같은 목소리가 다정하게 들려 왔다.

"왜 당신은 지금 묻고 있어요? 정말 화면으로 나를 보고 있으면서?" 야르코스는 살짝 웃었다.

"예, 보고 있어요." 벽에서 대답이 들려 왔다. 거의 모든 방향에서 동시에.

"임무는?"

"해냈어요." 그 여자가 대답했다. "자료를 확보했어요. 그 자료는 당신이 한때 찾던 그 자리에 그대로 있었어요. 그 책에서 그 부분을 찢어, 관련 페이지들을 나중에 불로 태워 없앴어요. 이 은하계에서는 이젠 아무도 테라를 찾지 못해요."

"임시로 그렇게 우린 해야 하오." 야르코스는 한숨을 한 번 내쉬고는 복도에서 걸어갔다. 그가 그런 말을 하고 나자, 정말 그는 주변에 설치된 마이크를 통해 그 두 사람이 계속 대화할 수 있다는 걸 알고 있다.

"많은 은하계에서 우리는 그런 비슷한 자료들을 여전히 찾아내야만 하오. 만약 어떤 식으로 테라 주민들이 투표라도 한다면..."

"...그땐 우리가 스스로 테라 가면을 벗을 겁니다. 우리가 어디로나 정보를 보내, 가장 아름다운 행성이 자신을 숨기고 있다는 비밀은 더는 필요없게 될 겁니다." 그녀가 말했다.

"그러나, 먼저 우리가 그들에게, 다른 생명과 다른 진보를 위하여, 테라에 대한 궁금증과 그리움을 불러일으켜야 하오."

그가 다가서자, 조종실 문이 자동으로 열렸다.

그가 들어서자, 곧장, 조종기가 있는 쪽으로 서둘러가서는, 전파 송신기의 버튼을 눌렀다.

"근무자 나오십시오."

"우주 공항 근무자가 야르코스에게 말합니다."

"114번 정방형에서 나는 당장 출발 허가를 받고자 합니다. "

"114번 출발 허락합니다. 그 정방형은 비어 있습니다. 되풀이해 말합니다. 비어 있습니다. 가까운 공중 공간은 자유롭습니다. 공간에서는 8번과 37번 섹터가 자유롭습니다."

"고마워요." 야르코스는 황급히 기계들을 프로그래밍했다.

"즐거운 여행이 되십시오. 야르코스!" 그는 전파기기에서 내는 목소리를 들었다.

"모두 잘 있으시오." 그 남자는 낮게 대답하고는, 자리에 앉았다. 잠시 그는 모터의 동력 크기를 알리는 붉은 신호기기가 올라가고 있음에 주목했다.

"편안한 자리에 앉아요." 그는 말했다.

"난 이미 그 의자에 묶여 있답니다." 우주선 안에서 여자 목소리가 대답했다.

우주선은 이제 이륙했고, 12초 뒤엔 그 우주선은 이미 검은 공간 속으로 쾌속 질주하고 있다.

야르코스는 계기들을 관찰해보고 있다. 모든 것이 정상이다. 하지만 허벅지와 척추에서 아직도 그의 몸이 앞으로 쏠리는 듯한 속도감을 느꼈다.

그는 그제야 한숨 쉬고는 이마를 닦았다. 그는 이제 두 눈을 감았다.

"이리 와요, 에우라."

"예, 나 여기 있어요."

그녀 얼굴은 마치 반짝거리는 것 같았다. 어두운 머리카락은 지금 이상한 빛으로 둘러싸여 있었다. 그녀의 두 눈은 조종실 전등에 반사되었다. 야르코스는 다가오는 몸만 보고 있다. 잠시 모든 것이 -우주선, 메타 스텔라, 동화, 우주 공간, 테라도 죽어 있다. 에우라만 존재하고 있고, 그녀가 바위 같은 일시적 현실이다. 그는 뜨거운 욕망으로 그녀를 기다리고 있었다.

"더 가까이 와요."

두 사람은 나란히 섰다. 그때 에우라는 야르코스와 포옹하고는, 그 아가씨는 자신의 머리를 그의 어깨에 기댔다. 야르코스는 마른 입으로 속삭였다.

"난 당신이 누군지 알고 있어요, 에우라."

그녀는 잠시 숨조차 쉬지 않았다.

"안다구요...?"

"그래요, 안드로스가 몇 번 이야기해 주었어요, 몇 년 전에 당신이 갑자기 바뀌어버렸음을. 그 당시의 에우라는 사라지고, 없어져 버렸다고 했어요. -그리고 당신은 그녀의 몸을, 의식을 전달받았다고 했어요. 개성의 교환에 대한 작은 징후들을 발견할 수 있는 사람은, 에우라를 아주 잘 아는 그분 뿐이라구요."

"안드로스가..."

"안드로스는, 그러나, 그 사건을 믿기조차 않으려고 했어요. 그러나 때로 그는 그 점을 나에게 말했어요. 그리고 나는 그 증거를 확보했어요... 그 사고하는 사람들이 나를 만난 그 날을 기억하오? 당신은 나와 동행하기를 원하지 않았어요. 하지만 난 당신이 같이 있음을 느꼈어요. 당신은 그곳에 있었어요. 나는 그들이 내 운명을 결정해야만 할 때, 누군가 무슨 전파로 사고하는 사람들의 두뇌를 조종한다는 느낌을 받았어요, 그렇지요?"

"난 혼자가 아니에요..."

"아니지요. 아마 트리앙도 당신에게 속해 있어요. 그리고 누가 알아요. 얼마나 많은 테라 사람이 그렇게 속해 있는지도...? 내가 그 일을 어떻게 알게 되었는지 궁금한가요? 그때 참석한 사고하는 사람들이 <당신>이 원하는 방식에 찬성하는 투표를 했어요. 그러나 비디오 폰으로 참석한 멀리 있는 사람들에겐 당신 의사가 알려지지 않았음을 보고서 말이지요."

"당신 말이 맞아요. 우리 방식은 아주 좁은 공간에서만 아직 쓸 수 있어요. 그러나 잊어버리세요. 난 당신을 돕고 싶었고, 당신과 함께 있고 싶었어요. 그 때문에 우리는 그렇게 했고, 그 때문에...왜 지금에야 당신은 그이야기를 내게 하는가요, 야르코스?"

"테라에서 멀리 떠났던 우리는 그동안 동면상태에 있었기에, 그때 우리는 대화할 시간이 없었어요. 나는 11년간 메타 스텔라를 향해 날아왔어요. 여기서...맨 먼저나는 나를 시험해 보고 싶었어요. 나는 내가 테라에 대해 그렇게 이야기할 수 있을지, 어떻게...어떻게 내가이야기를 풀어나갈지를 알고 싶었어요."

"사랑해요, 야르코스."

"사랑해요. 에우라. 당신은 나를 결코 떠나지 않을 거지요?"

"그럼요. 정말 당신은 나의 가면을 벗기는군요." 그녀는 살짝 웃었다. "당신은 내가 누군지 이미 알고 있군요."

"그래요. 에우라, 당신이 원형-인간입니다. 당신은 우주 공간에서 수십억 년 전부터 방황하는 사람들 중에서 문명을 창안해, 이 세계에서 저 세계로 생명을 전해주는 사람들, 그중 한 사람이구요. 당신은 지금까지 몇 사람의 모습으로 변신해 살아왔어요?"

"이제 그 전부를 기억도 할 수 없어요, 야르코스. 지금, 당신은 그런 건 생각하지 마세요. 의식만, 의식만 중요해요. 그리고...임무도."

"한 가지 임무는 내가 완수했지요." 그는 말했다.

"우린 아직 할 일이 많아요. 그 사고하는 사람들이 이 우주 공간의 일부분에서 우리 둘이 함께 테라 존재를 알리라고 한 명령을 알고 있답니다."

"그리고... 우리는 <그곳으로> 돌아가나요?"

그녀는 다시 살짝 웃고는, 남자를 마치 일백 개의 위험에서 보호하려는 듯이 뜨겁게 끌어당겼다.

"그럼요, 야르코스, 언젠가 우리는 테라 고향으로 돌아갈 거예요."(*)

작가 소개

이스트반 네메레[3]

사진: 헝가리 대평원 숲 속에 집을 짓고 사는 이스트반
네메레 작가가 가족과 다름없는 개와 함께 포즈를 취하
고 있다.

1분에 200명의 아이가 태어난다. 이들 중 영어를 모국
어로 하는 아이는 12명뿐이다. 전 세계 인구의 고작
6%다. 나머지는 다른 모국어를 갖고 있다. 그런 까닭에
세상에는 영어 이외의 모국어로 된 문학작품이 더 많

---

3) *역주:[출처:부산일보]
(http://www.busan.com/view/busan/view.php?code=200706
02000178).

다. 하지만 현실은 그렇지 않다. 영문학이 주류고 비영문학은 비주류다. 헝가리 국민작가인 이스트반 네메레(Istvan Nemere)도 그런 문학인 중 하나다.

그럼에도 불구하고 그는 헝가리에서 가장 많은 책을 펴냈고 가장 많은 책을 판매한 작가다. 헝가리 전체 인구가 1천만명인데 헝가리 국내에서 팔린 그의 책이 무려 1천100만권이다. 하지만 그의 책은 아직 국내에 단 1권도 소개되지 않았다. 이유가 뭘까.

그 이유 중 하나는 한국만큼 영어로 된 책을 좋아하는 나라도 없기 때문이다. 우리가 그만큼 영어에 경도돼 있다는 얘기다. 아마 영어 이외의 언어라고 해도 일어와 중국어, 불어, 독일어, 스페인어 등의 범주를 벗어나지 못한다. 우리가 정녕 관심을 둬야 할 지구촌 언어가 5~6개에 불과하다는 사실은 이런 이유로 우리 스스로를 더욱 슬프게 한다.

그와의 접속은 이런 판단에서 이뤄졌다. 접속 언어는 한글도, 헝가리어도, 영어도 아닌 에스페란토였다. 그는 "헝가리어와 폴란드어, 에스페란토를 모두 모국어처럼 잘 사용할 수 있다"고 말했다. 모두 4차례에 걸쳐 34개의 질문을 던졌고, 그는 그때마다 장문의 답변서를 보내왔다.

"의외의 e-메일에 놀랐습니다." 그는 부산일보 독자들과의 e-메일 대화를 무척 즐겁고 행복하게 생각했다. 하지만 답변에 앞서 그는 헝가리 문학에 대해 한국민들이 좀 더 많은 관심을 가져줄 것을 주문했다. 그것은 헝가리 작가를 위해서 뿐만 아니라 한국민들을 위해서도 바람직한 일이라고 그는 주장했다.

"세상에는 영어 외에도 100여개의 흥미로운 언어로 쓰인 문학이 있습니다. 한국 문학도 그중의 하나일 겁니다. 그 문학은 영어권 작품보다 훨씬 더 다양하고, 훨씬 더 알찹니다."

질문은 일상에서부터 시작됐다. "오전 5시에 일어나고 오전 6시부터 글을 씁니다. 글쓰기는 대략 오후 2시나 2시30분까지 계속되죠." 지난 1980년 이후 전업작가로 활동하면서 굳어진 습관이라고 했다. 하루 8시간씩 거의 매일 반복되는 작업이었다.

이런 이유로 그는 헝가리에서 가장 많은 책을 출간한 작가로 유명했다. 그는 이달 말로 467권의 책을 펴냈다고 했다. 믿을 수 없었다. 467권이라니! 첫 책이 출간된 것은 1974년이었다. 설핏 계산해도 매달 1권 이상을 펴냈다는 얘기였다. "물론 늘 글을 쓴 것은 아닙니다. 어떤 작품은 5~6년 동안 소재만 모으기도 했죠." 그럼에도 불구하고 그는 "20여권의 작품을 이미 6~7개 출판사에 건넸고 곧 출간될 예정"이라고 말했다.

그는 82년 유럽 최고의 SF 문학상 중 하나인 '유로콘 (유럽 SF 컨벤션) 상'을 받았다. 최근엔 노벨 문학상 후보로도 거론됐다. 하지만 이런 소문을 그는 꽤 부담스러워했다. 앞서 지난 2002년 같은 헝가리 작가인 임레 케르테스(78)가 먼저 노벨 문학상을 받은 이유에서였다. 그럼에도 그는 여전히 유력한 노벨 문학상 후보로 거론되고 있다. 이유는 그가 120년 전통의 에스페란토 문학계에서 상당한 권위를 부여받고 있기 때문이었다. 국제에스페란토펜클럽이 그를 적극 지원하고 있고 최근 유럽연합(EU)의 공식 공용어로 에스페란토가 부상하고 있는 까닭이었다. 그는 이런 배경을 감안했는지 "내 조국이 내 언어가 아니라 내가 쓰는 언어가 내 조국"이라며 에스페란토에 대해 특별한 의미를 부여했다.

그는 다작의 작가인 만큼 다양한 직업을 전전했다. "평생 18가지의 직업을 가졌죠. 그 직업을 통한 경험이 다작의 원천이 됐습니다."
노무자와 구급차 응급구조사, 책 외판원, 군인, 시체해부 보조원, 엑스트라 배우, 사서원, 보험설계사, 숲 관리사 등이 모두 그의 직업이었다.
관심 분야를 물었다. "첫 작품은 범죄소설이었죠. 하지만 지금은 역사와 초자연 현상에 더 많은 관심을 두고 있습니다." 수없이 전전했던 직업만큼이나 그의 관심 분야도 상당히 다양했다. 과학과 사회심리, 모험, 우주, 죄, 인류 등이 그가 쓴 소설의 주제였다.

하지만 그는 유난히 공산주의에 대해 강한 반감을 드러냈다. 옛 소련 치하의 헝가리를 기억하기가 싫은 탓인 듯했다. "이 세상에 존재했던 가장 잔인하고 반인륜적인 체제가 공산주의입니다." 그는 헝가리의 공산화 45년에 대해 치를 떨었다.

"하지만 저는 여전히 좌익 지식인으로 분류되고 싶습니다." 공산주의를 반대하는 것은 분명하지만 "지성인이라면 모름지기 우익을 찬양해서도 안 된다"고 그는 주장했다. 인권과 노동권, 자유, 연금제도, 건강보험 등의 가치를 지구촌에 뿌리내리게 한 것은 우익이 아니라 좌익 투쟁의 산물이었다고 그는 평가했다.

그는 지난 2001년부터 헝가리 대평원 숲에 집을 지어 아내와 살고 있다. "집 주변에 나무를 많이 심었는데 지금은 거의 숲 수준에 이르고 있다"고 그는 말했다. 마지막으로 작가의 역할에 대해 물었다. 그는 자신의 작품 중 하나인 '침묵은 외친다'의 한 구절을 언급했다. "다가올 시대의 위험을 좀 더 일찍 알려주고 뒤나 옆을 되돌아 볼 수 있게 하는 것이 작가의 존재 이유죠."

백현충기자 choong@busanilbo.com
에스페란토 번역=장정렬 한국에스페란토협회 교육이사

옮긴이의 글

헝가리 작가 이스트반 네메레 작가는 고등학교 때 에스페란토를 배워, 2019년 말 현재 726권의 저서를 발간한, 세계에서 가장 많은 작품을 발간한 작가라 할 수 있습니다. 그의 작품은 대부분이 헝가리어로 발간되고, 소설, 역사, 공상과학, 아동을 위한 작품으로 분류할 수 있습니다. 그러나 작가는 에스페란토 원작품도 19개나 들어있습니다. 한국 독서계에 이번에 소개하는 공상과학 소설 <메타 스텔라에서 테라를 찾아 항해하다(원제: TERRA)>는 자신이 가장 아끼는 에스페란토 작품이라고 합니다. 그의 <La Balta Ondo>잡지에서의 인터뷰 (https://sezonoj.ru/2020/01/nemere)에서 말하고 있습니다.

<TERRA>는 작가의 작품 중 두 번째로 한국에 소개됩니다. 첫 작품은 <DGSE(프랑스 비밀첩보국)>(이스트반 네메르 지음, 박미홍 옮김, 파랑새열쇠, 2002년, 대구, 276페이지)입니다. 이 책 제목은 <Vivi estas Danĝere>(1988)입니다. 1959년 알제리 반란을 다룬 작품입니다.

이번에 소개하는 <TERRA>는 이보다 한 해 앞서 발간된 공상과학소설입니다.

이 작품에 대한 서평을 쓴 두 사람의 이야기를 잠시 들어 보면, 먼저 작가 이스트반 에르틀(István Ertl)은 이 작품에 대한 서평에서 이렇게 말합니다.

"야르코스는 동화를 말하는 작가입니다. 그는 우주 여행자로, 우주 항로를 따라 유랑하는 탐험자입니다. 주인공 야르코스는 메타 스텔라 계의 거주민들에게 인류의 원시 고향인 에덴을 동화로 말하고 있습니다. 그곳이 바로 우리가 사는 지구 테라(Terra)입니다. 그는 진실을 동화라는 가면을 쓴 채 그 진실을 전합니다. 그렇지 않으면 그는 이 진실을 말할 수 없기 때문입니다. 그리고 이 TV-공연을 듣는 대중은 그 동화 시연의 내용을 믿기 시작합니다.

작가 이스트반 네메레는 우리에게 동화를 들려줍니다. 작가는 자신의 공상과학 소설을 '동화'라는 가면 말고는 다른 방식을 사용하지 않았습니다. 그 때문에, 우리 애독자는 그의 동화를 통해 그가 주장하는 바를 믿습니다. 그는 정말 다시 한번 이 작품에서도 가볍게 성공하고, 즐겁게 작품을 쓰고, 우리가 지금 관심을 둬야 하는 일을 미래라는 방편을 이용해 말하고 있습니다.

원작 <TERRA>의 표지 디자인을 한 리타 로바그(Rita Lovag)의 주목하는 그림이 그의 작품을 잘 설명해 준다고도 볼 수 있겠습니다: 다양하고도 밝은 텔레비전 상자와 그 화면 속의 최면에 걸릴 정도의 생생한 표정은 대중매체의 위세가 우리 정신세계에 어떻게 출몰하는지를 기억하게 합니다(그런 의미에서 이 책은 내겐 페데리코 펠리니(이탈리아 영화감독)의 코미디 작품 <진저와 프레드>(Ginger & Fred)(1986년 작품)과 그 감독의 인터뷰를 생각나게 합니다); 하지만 우리의 눈길로는 표지의 푸르름과 초록이, 즉, 활달하게 희망을 채색은 타이틀인 <테라(TERRA)>의 주제를 상징적으로 대변해 주고 있다. 왜냐하면, 이 소설의 핵심 생각과 이를 바탕으로 한 그 행동은, 지금으로서는 거의 인지될 수 없을 정도로 우주의 저 먼 곳에서 전개되기에, 우리의 깨지기 쉬운, 정말 아름다운 지구, 오늘날 인류가 거의 무관심하게 방치하고 있는 여전히 오랜 유일한 삶의 터전을 잘 보전해야 하는 책임감을 느끼게 해 줍니다. 만일 우리 후손이, 만일 그들이 살아있다면, 그들의 입장에서 오늘날 이 황폐해 버린, 거의 쓰레기통 같은 지구를 보고 부끄러워해야 할까요? 또 훗날 인류는 초록의 지구에서 자랑스럽게 계속 살아갈 수 있을까요 -이 작품은 그 점을 우리에게 생각해 보게 합니다."

(출처:http://literaturo.esperanto.net/lf/terrarec.html)

또 다른 서평자인 제임스 쿨(James F. Cool)의 '이 작품은 독자가 재미있게 읽는 한편의 우주를 그린 운문이다'라는 제목의 글에서 이렇게 말합니다.

"야르코스는 동화작가로서, 테라를 탐사해 왔습니다. 야르코스는 탐험가로서 테라를 말하면서 텔레비전의 동화를 공연합니다. 먼 미래인 -일만 년의 시대에서- 우리 애독자는 그 프로그램을 보고 있습니다. 그 프로그램을 통해 이미 알려진 우주에 사는 모든 인류는 그 <테라> 사람들과 원초적 친척이라는 이교도적 가설을 말합니다. 그러자 이에 깜짝 놀라는 메타 스텔라 은하계의 주요기관들이 가만 있지 않습니다: 또 테라 사람들이 한때 살인, 전쟁을 일으켰고, 자신의 모체가 되는 행성을 파괴해 버렸습니다. 그리고는... 그 TV- 공연과 동시에 신비한 자웅동체인 다른 존재가 그 메타 스텔라 행성에 잠입해, 테라가 실제 어딘가에 존재한다는 마지막 자료인 메시지를 파괴해 버립니다.(...)

작가 네메레의 사건의 실마리를 개척해 나가는 능력은 아주 능수능란합니다. 그 이야기를 끌어가는 능력은 비일상적이고도 아주 효과적입니다. 인류 기원의 토론, 시공간의 토론은 우주를 한편의 운문에 어느 순간 진입하게 합니다. 특별히 성공적으로 표현하는 것은 <테라>의 아름다움에 대한 생태학적 찬사라고 할 수 있습니다. 이 소설은 우주에 대한 의문을 갖게 하고, 우주에 거주하는 존재들에 대한 의문을 갖게 하고, 여러 해석을 제시하지만, 독자들을 더욱 우주에 대한 생각으로 가득 차게 해 줍니다.

이 <TERRA> 작품은 쉽게 읽히지 않을 수도 있습니다.
그만큼 독자들이 이 작품을 읽고 또 읽으면, 우리를 둘러싼
우주를 이해하는 좋은 작품임을 다시 한번 느낄 것입니다."
(출처:http://literaturo.esperanto.net/uea/terrarec.html)

그렇습니다. 애독자 여러분,
 오늘날 우리가 사는 이 지구를 어떻게 잘 보존해야 하는지
를, 이 작품은 저 먼 미래 -지금으로부터 약 8천 년 이후인
1만 년경의 미래-에서 돌아보게 합니다. 야르코스라는 동화작
가를 통해, 메타 스텔라 세계에서 TV로 전 세계에 공연되는
동화를 듣는 사람들이 원시 행성- 잃어버린 지구(테라
TERRA)의 존재를 까맣게 잊고 있다가, 동화 작가인 주인공
야르코스의 이야기 속으로 안내합니다.
 우리가 사는 지구의 생태학적 아름다움을 잘 보전하여, 후세
인류에도 오늘날의 지구 모습을 볼 수 있도록 해야 하는 것도
이 작품을 읽는 독자들에게 주는 메시지가 아닐까요?
 한편으로 현실 세계를 벗어난 메타 버스(가상 세계)라는 삶
도 우리가 한 번 상상해 볼 수 있습니다.
 과학이 발전하고 우주여행이 자유롭고, 인류의 평균 수명이
연장되고, 의학이 발전하면 어떤 모습인지도 이 작품
<TERRA> 속에서도 엿볼 수 있으니, 우리의 과학 세계의 미
래를 한 번 관찰해볼 기회가 아닐까요?
 특히 청소년 독자 여러분에게는, 혹시 이 작품을 읽는다면,
자신이 펼쳐 보고 싶은 미래 세계가 어떤지도 한 번 상상해
볼 기회가 아닐까요?
 이스트반 네메레 작가가 보여주는 상상의 세계, 미래 세계로
애독자 여러분을 초대합니다.

                              2022년 3월 부산에서

옮긴이 소개

장정렬 (Jang Jeong-Ryeol(Ombro))

1961년 창원에서 태어나 부산대학교 공과대학 기계공학과를 졸업하고, 1988년 한국외국어대학교 경영대학원 통상학과를 졸업했다. 현재 국제어 에스페란토 전문번역가와 강사로 활동하며, 한국에스페란토협회 교육 이사를 역임하고, 에스페란토어 작가협회 회원으로 초대된 바 있다. 1980년 에스페란토를 학습하기 시작했으며, 에스페란토 잡지 La Espero el Koreujo, TERanO, TERanidO 편집위원, 한국에스페란토청년회 회장을 역임했다. 거제대학교 초빙교수, 동부산대학교 외래 교수로 일했다. 현재 한국에스페란토협회 부산지부 회보 'TERanidO'의 편집장이다. 세계에스페란토협회 아동문학 '올해의 책' 선정 위원이기도 하다.

역자의 번역 작품 목록*

-한국어로 번역한 도서

『초급에스페란토』(티보르 세켈리 등 공저, 한국에스페란토청년회, 도서출판 지평),

『가을 속의 봄』(율리오 바기 지음, 갈무리출판사),

『봄 속의 가을』(바진 지음, 갈무리출판사),

『산촌』(예쥔젠 지음, 갈무리출판사),

『초록의 마음』(율리오 바기 지음, 갈무리출판사),

『정글의 아들 쿠메와와』(티보르 세켈리 지음, 실천문학사)

『세계민족시집』(티보르 세켈리 등 공저, 실천문학사),

『꼬마 구두장이 흘라피치』(이봐나 브를리치 마주라니치 지음, 산지니출판사)

『마르타』(엘리자 오제슈코바 지음, 산지니출판사)
『사랑이 흐르는 곳, 그곳이 나의 조국』(정사섭 지음, 문민) (공역)
『바벨탑에 도전한 사나이』(르네 쌍타씨, 앙리 마쏭 공저, 한국외국어대학교 출판부) (공역)
『에로센코 전집(1-3)』(부산에스페란토문화원 발간)

-에스페란토로 번역한 도서
『비밀의 화원』(고은주 지음, 한국에스페란토협회 기관지)
『벌판 위의 빈집』(신경숙 지음, 한국에스페란토협회)
『님의 침묵』(한용운 지음, 한국에스페란토협회 기관지)
『하늘과 바람과 별과 시』(윤동주 지음, 도서출판 삼아)
『언니의 폐경』(김훈 지음, 한국에스페란토협회)
『미래를 여는 역사』(한중일 공동 역사교과서, 한중일 에스페란토협회 공동발간) (공역)

-인터넷 자료의 한국어 번역
www.lernu.net의 한국어 번역
www.cursodeesperanto.com.br의 한국어 번역
Pasporto al la Tuta Mondo(학습교재 CD 번역)
https://youtu.be/rOfbbEax5cA (25편의 세계에스페란토고전 단편소설 소개 강연:2021.09.29. 한국에스페란토협회 초청특강)

<진달래 출판사 간행 역자 번역 목록>

『파드마, 갠지스 강가의 어린 무용수』(Tibor Sekelj 지음, 장정렬 옮김, 진달래 출판사, 2021)

『테무친 대초원의 아들』(Tibor Sekelj 지음, 장정렬 옮김, 진달래 출판사, 2021)

<세계에스페란토협회 선정 '올해의 아동도서'> 작품『욤보르와 미키의 모험』(Julian Modest 지음, 장정렬 옮김, 진달래 출판사, 2021년)

아동 도서『대통령의 방문』(예지 자비에이스키 지음, 장정렬 옮김, 진달래 출판사, 2021년)

『국제어 에스페란토』(D-ro Esperanto 지음, 이영구. 장정렬 공역, 진달래 출판사, 2021년)

『헝가리 동화 황금 화살』(ELEK BENEDEK 지음, 장정렬 옮김, 진달래 출판사, 2021년)

알기쉽도록『육조단경』(혜능 지음, 왕숭방 에스페란토 옮김, 장정렬 에스페란토에서 옮김, 진달래 출판사, 2021년)

『크로아티아 전쟁체험기』(Spomenka Štimec 지음, 장정렬 옮김, 진달래 출판사, 2021년)

『상징주의 화가 호들러의 삶을 뒤쫓아』(Spomenka Štimec 지음, 장정렬 옮김, 진달래 출판사, 2021년)

『사랑과 죽음의 마지막 다리에 선 유럽 배우 틸라』(Spomenka Štimec 지음, 장정렬 옮김, 진달래 출판사, 2021년)

『침실에서 들려주는 이야기』(Antoaneta Klobučar 지음, Davor Klobučar 에스페란토 역, 장정렬 옮김, 진달래 출판사, 2021년)

『희생자』(Julio Baghy 지음, 장정렬 옮김, 진달래 출판사, 2021년)

『피어린 땅에서』(Julio Baghy 지음, 장정렬 옮김, 진달래 출판사, 2021년)

『공포의 삼 남매』(Antoaneta Klobučar 지음, Davor

Klobučar 에스페란토 역, 장정렬 옮김, 진달래 출판사, 2021
년)

『우리 할머니의 동화』(Hasan Jakub Hasan 지음, 장정렬 옮
김, 진달래 출판사, 2021년)

『얌부르그에는 총성이 울리지 않는다』 (Mikaelo Bronŝtejn
지음, 장정렬 옮김, 진달래 출판사, 2022년)

『청년운동의 전설』 (Mikaelo Bronŝtejn 지음, 장정렬 옮김,
진달래 출판사, 2022년)

『반려 고양이 플로로』 (Ĥristina Kozlovska 지음,
Petro Palivoda 에스페란토역, 장정렬 옮김, 진달래 출판사,
2022년)

『푸른 가슴에 희망을』 (Julio Baghy 지음, 장정렬 옮김, 진달
래 출판사, 2022년)

『민영화 도시 고블린스크』 (Mikaelo Bronŝtejn 지음, 장정렬
옮김, 진달래 출판사, 2022년)